岩波講座 世界歴史 17

近代アジアの動態

一九世紀

岩波講座

世界歴史 17

近代アジアの動態

一九世紀

【編集委員】
荒川正晴
大黒俊二
小川幸司
木畑洋一
冨谷至
中野聡
永原陽子
林佳世子
弘末雅士
安村直己
吉澤誠一郎

岩波書店

第17巻【責任編集】
林 佳世子
吉澤誠一郎

目次

焦点｜*Focus*

コラム｜Column

帝　　国
フレー(庫倫)
北京
朝鮮
漢城(ソウル)
日本
蘭州
成都
武昌
上海
ラサ
清
廈門
琉球
雲南
広州
ルカッタ
コンバウン朝
ビルマ
澳門
香港
アヴァ
ラングーン
ラタナコーシン朝シャム
フエ
スペイン領
フィリピン
阮朝
ベトナム
マニラ
バンコク
ペナン
シンガポール
オランダ領東インド
バタヴィア

アジア

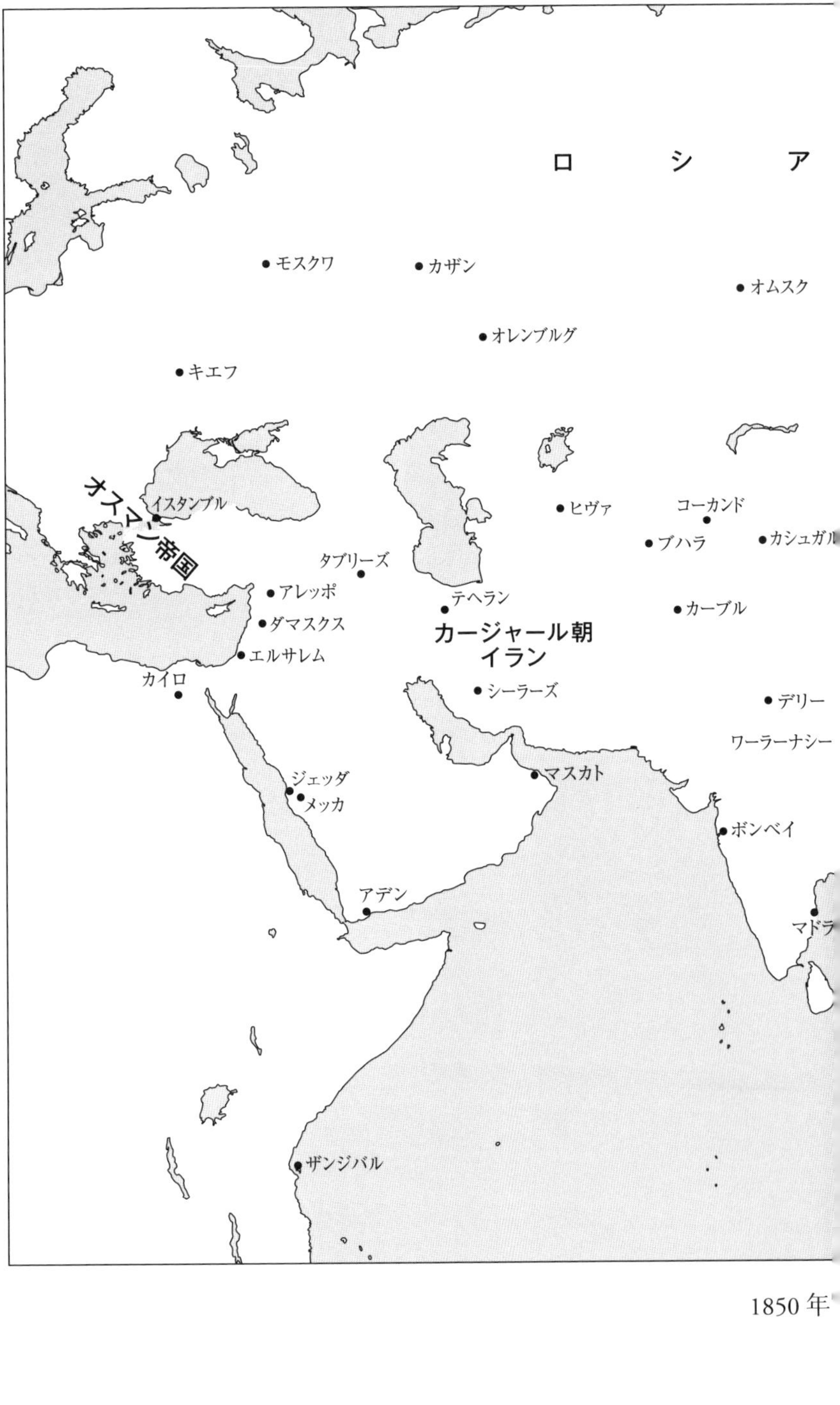
ロシア
モスクワ
カザン
オムスク
オレンブルグ
キエフ
オスマン帝国
イスタンブル
ヒヴァ
コーカンド
ブハラ
カシュガル
タブリーズ
アレッポ
テヘラン
カーブル
ダマスクス
カージャール朝
イラン
エルサレム
カイロ
シーラーズ
デリー
ワーラーナシー
マスカト
ジェッダ
メッカ
ボンベイ
アデン
マドラ
ザンジバル

1850年

展　望　*Perspective*

展望｜*Perspective*

一九世紀アジアの動態と変容

吉澤誠一郎

はじめに

この「展望」は、アジアの一九世紀の歴史的位置について鳥瞰することをめざす。そこでまず、アジアをひとまとめにして考えてみる意味について述べる必要がある。

ロマン主義的な美術史家であった岡倉天心《おかくらてんしん》は、一九〇三年に英語で刊行した『東洋の理想――日本美術を中心として』の冒頭で「アジアは一つである(Asia is one)」と述べた。アジア各地の思想・文化・芸術の多様性の背後には、一つの共通した精神性があるというのである。

アラブの騎士道、ペルシアの詩、中国の倫理、そしてインドの思想、これらの一切が、単一のアジア的な平和を語っていて、そこにおのずと共通の生活が育ち、それぞれの場所で異なった特徴的な花を咲かせながらも、確たる区分線など引きようもないのである。　(岡倉 一九八〇：一四頁、佐伯彰一訳)

今日、この岡倉の指摘に同意する人は必ずしも多くないかもしれない。確かにアジアは古代から陸路や海路によって一定の相互交流を有していたが、アジアの全体を包括するような共通の理念のようなものは存在しなかったと考える方がむしろ普通であろう。

これに対し、近代の歴史のなかにアジア諸地域の共通性を見出す立場もあった。一九四九年、東洋法制史研究者の仁井田陞《にいだのぼる》は次のように述べている。

今まで一応の交渉はあっても、それよりはむしろ「ばらばらであった」とまでいわれた東洋を、世界史の環境の内に一つ立場につないだものは、西洋近代資本主義の東洋攻勢であった。東洋は近代西洋の前に、ひとしく立ちおくれていた意味で共通の立場をもった。また、この立ちおくれた東洋がいやおうなしに近代西洋との対決をせまられ、近代化をとげ、この近代をも越えんとする課題を担った意味で、新しく共通の立場をもつこととなった。

(仁井田 一九四九：三八四頁)

仁井田によれば、近代西洋と対峙しなければならない共通の立場こそが「東洋」のつながりを生み出した。仁井田の言う「東洋」は必ずしもアジアという地理的な範囲ではなく、より哲学的な概念というべきかもしれない。

近年のグローバル・ヒストリーの隆盛のなかでは、全世界を一体と見る観点が有力となっている。英国のインド支配などについて多くの業績を残した歴史家C・A・ベイリが著した『近代世界の誕生』は、ヨーロッパの歴史とアジアを含む世界諸地域の事柄を結び付けて理解しようとする試みと言ってよい(ベイリ 二〇一八)。ベイリの個々の解釈の妥当性について疑問を示すことはできる。しかし、世界史の全体を一つのものとして視野に入れるというベイリの考え方は、「アジア」や「東洋」の共通性を指摘する立場よりも、明快で説得力がある。「アジアは一つ」ではなく「世界は一つ」というべきなのだろう。

他方、「アジアは一つ」ではないという指摘もまた正しい。一九世紀の日本社会のありようが、同時代のデカンやアナトリアと如何なる点で似ていたのかを指摘するのは難しい。仁井田のように、近代西洋との対決を迫られた点に着目することはできるだろうが、それにも留保を必要とする。アジアの東西で、その対峙の時期には大きな相違がある。オスマン朝やカージャール朝は、一九世紀初めの時点でロシアを含むヨーロッパ諸国と相当密接な交渉を持っていたが、一九世紀前半の日本や朝鮮は極めて限定的な対外関係しか有していなかった。これは、通説的にアラブの近代史がナポレオンのエジプト遠征(一七九八年)から説き起こされるのに対し、中国の近代史はアヘン戦争(一八四〇年)から、日本の近代史はペリー艦隊来航(一八五三年)から始まるとする見方と表裏の関係にある。

しかし、本章では敢えて一九世紀のアジアを一つのものとして展望することを試みる。「世界は一つ」という観点に同意し、しかもアジア各地の多様性を認めたうえでなお、一九世紀アジア史の全体を俯瞰するという作業には意味があると考えるからである。ベイリのいう「近代世界」が誕生したとしても、産業化と市民社会の形成が進展する西欧・北米の社会とアジア各地の社会には相当の相違があったこと、そして隣接しあうアジア諸地域には歴史的に蓄積された相互認識があり、また一定の交流の伝統もあったことを踏まえれば、一九世紀のアジア諸地域の共通点と相違点について考えてみることを通じて新たに発見できる論点もまたあるはずだと期待される。

次に、なぜ一九世紀を一つの区切りとするのかについて述べたい。言うまでもなく、西暦の世紀そのものは便宜的な設定にすぎない。ベイリは世界史の「長い一九世紀」の叙述を一七八〇年から一九一四年までとしているが、これはフランス革命の開始(一七八九年)から第一次世界大戦(一九一四―一八年)までというヨーロッパ史の一般的な区分とほぼ一致している。また例えばシュクリュ・ハーニオールによる「後期オスマン帝国」通史は、主に一七九八年から一九一八年までを扱っている。一七九八年はフランス軍によるエジプト侵攻の年であり、一九一八年は第一次世界大戦の終結を指す(Hanioglu 2008: 1)[1]。

これに対し、右に述べたように、中国史や日本史では一九世紀半ばで時代を区分するのが普通である。インド近代史も、大反乱鎮定後の一八五八年に東インド会社からイギリス国王に支配権が移された時点から始まるとされる。

本章では、このような一九世紀半ばで区分する見方を取らず、むしろ一九世紀を通じた変化をしっかりと視野に入れるために、一九世紀初めから議論を開始する。一九世紀半ばで断ち切られがちな歴史をつなぎ合わせることで見えてくるものもあると予想されるからである。日本史を例にとれば、ペリー来航の重要性を無視するわけではないが、一九世紀前半までの政治的・経済的・文化的な状況を十分に踏まえたうえで幕末・維新期以降の事柄を解釈すべきだという、極めて常識的な立場と言ってよいだろう。

そのように課題設定する時、本章が扱うべき対象はあまりに広汎となるので、全地域の全事象を精密に説明することは断念しなければならない。そこで、特徴的な事例をつなぎあわせることで、一九世紀アジアの歴史的性格を指摘することを目標にしたい。そのような例示による説明方法は、遠く離れた地域で生じた事柄の異同を考察するのに最も適していると考えるからである。

一、国家統治の再編

アジア各地の国家体制

一九世紀初めの時点で、アジア各地には大小の国家があった。オスマン朝のような古い歴史を誇る帝国もあったし、イランのカージャール朝やベトナムの阮《グエン》《げん》朝のような新顔もあった。

この時期、一面ではヨーロッパの植民地主義が支配を強める兆候が見られた。インドでは、ムガル朝がほとんど実質的な統治能力を失っており、マラーター同盟は一七七五年からイギリスと三度にわたって戦った末、ついに一八一八年には敗北して、同盟を構成していた諸侯の多くはイギリスに服属した。

他方で、一九世紀前半期においてイギリスと渡りあうような力量を示した事例もある。オマーンのブーサイード朝は東アフリカ沿海部に支配を拡大し、ザンジバルを本拠とした。また、ビルマのコンバウン朝は西に向かって支配を拡大しようとしてベンガルに拠るイギリスと衝突し、第一次英緬《えいめん》戦争を招くことになった。

とはいえ、一九世紀アジアの諸王朝の多くが旧態依然として自ら衰亡の道を歩んでいったと見なす観点は根強い。一つには、植民地化を正当化しようとする欧米諸国の視点に基づいている場合がある。また、二〇世紀前半のアジアの民族主義者・啓蒙的知識人などが欧米の近代国家の在り方を模範とする発想のもとで行った断罪に由来する側面もあるだろう。それらをすべて的外れと決めつけることはできないが、一九世紀後半の欧米の国家と社会を理想化する立場からの評価であるとすれば、やはり歴史の見方として妥当性を欠く恐れはある。

既存の王朝には、社会の各層において様々な利害関係や秩序意識があり、それを侵して自己改革を進めることには往々にして大きな困難が伴った。また、君主の継承の際に激しい政争を経なければならない場合もあった。さらに、異なった歴史的経緯を有する様々な地域を一つの王権のもとで統治していくために、慎重な配慮と卓越した平衡感覚が求められた。多様な民族性を統治する王権のもとでは、「国民」のまとまりも容易には得られなかった。

だからといって、既存の王朝が全く改革の能力を欠いた木偶《でく》の坊《ぼう》だったわけではない。集権的で効率的な行政・財政の形成、伝統に則っていると見なしうる政治的正当性の構築、国力を支える産業の育成や軍備の強化といった課題を念頭に置いた施策の事例も多くみられる。そして、単純に「近代化」の成否といった尺度を持ち出すのではなく、改革の問題性や危険性を意識して行動していた当時の人々の現実感覚を適切に評価することが必要であろう。

一例として、朝鮮の大院君《テウォングン》《たいいんくん》政権について考えてみよう。一八六三年、幼少の高宗《コジョン》《こうそう》が即位し、その父として大院君の称号をもつ興宣君《フンソングン》《こうせんくん》が政治の実権を握った。当時の中央政界では、門閥に基づく高官人事が行われていたが、大院君は特定の門閥を重用して政治的基盤を固めるとともに、王族や弱小門閥からの登用も行った。また、武臣の地位も向上させた。王宮などの土木工事を進め、軍備強化を図るために、財政収入の確保をめざした。加えて、地方士族の拠点となっていた書院を整理することで、書院に所属していた土地や人民を課税対象として確保しようとした。社会秩序の安定化のためには、「衛正斥邪《えいせいせきじゃ》」、つまり朱子学を正しく護持し邪教を排斥するという立場を取ったが、これは対外的には欧米船を打ち払う攘夷政策につながった(糟谷 二〇一七：三一九頁)。

大院君の政策は、王権を強化して国難に対処しようとする試みであったと考えられる。しかし、新しい人事方針で冷遇の憂き目にあった門閥は不満を抱き、また徴税の強化や書院の整理も批判を呼び起こした。さらに、攘夷の態度は、対外的な危機につながりかねなかった。このような行き詰まりのなか、一八七三年、大院君は退陣して高宗の親政が始まり、政権は外戚である閔《ミン》《びん》氏一族に握られることになった。

この大院君の事例は、改革の実施が様々な既得権益との衝突につながること、新規事業のための財源確保が難しいこと、そして社会の安定のために従来の価値観に頼るならば欧米との対立を深めかねないことなど、一九世紀アジアの諸王朝の苦心と共通する側面を持っている。ただ、一八八〇年代以降の朝鮮の場合、清の属国という立場をどのように脱して独立を達成するのかという問題が、清による政治介入が実際に強まるなかで、特に困難な課題となっていく。そのなかで、清と対抗するために日本と結んで文明化を図るという選択肢をとらざるを得なかった一部の開化派の動きは、屈折したものになった(月脚 二〇〇九)。

オスマン帝国

一八世紀のオスマン朝は、依然として三大陸にまたがる広大な地域を支配し、その人的な構成も極めて多様であった。そのような特徴を強調するために、以下では、慣例に倣ってオスマン帝国と記すことにしよう(2)。オスマン帝国は、その長い治世の間に大きく性格を変えてきたが、一八世紀末になると、ロシアを含むヨーロッパ諸国に対して劣勢を感じ、ヨーロッパに倣った改革の必要性を意識するようになった。

マフムト二世は一八〇八年に即位した後、慎重に改革を進めた。当時、帝国各地においてアーヤーンと呼ばれる地方有力者たちが私兵を蓄えて自立的な勢力を保っていた。マフムト二世は、硬軟織り交ぜた手法で巧みにアーヤーンの勢力を削いでいった。また、世襲的な性格を強めた歩兵軍団イェニチェリを廃止し、法学者への統制を強め、官僚機構を整頓した(永田 一九六九、新井 二〇〇一：三〇—四六頁)。このようなマフムト二世の中央集権化政策は、スルタン権力の強化につながるものだったが、他方で改革を推進するためには官僚機構の拡大も必要とした。

一八三九年、スルタン・アブデュルメジト一世の名義で出されたギュルハーネ勅令は、国制改革の基本的な方針を示したものである。エジプト総督ムハンマド・アリーとの戦争という危機的な状況のなかで、オスマン帝国が改革と再建の意志を内外に示すために発布したと言える。全体として、法に基づいた統治を強調している点が注目される。このギュルハーネ勅令を経て、帝国における権力バランスは大きく変化し、改革を志す高官たちを中心とした官僚制の果たす役割が大きくなった(Hanioğlu 2008: 73)。

こうして始まった諸改革をタンズィマートと総称する。しかし、改革は様々な既得権益と衝突し、根強い反対に直面した。変化が加速するのは、クリミア戦争の敗北を経た後、一八五六年の改革勅令の発布以降である。この改革勅令は、ムスリムと非ムスリムの権利の平等を強調しており、その結果、帝国の基本的な性格にも関わる重大な変更が明示されたことになる。タンズィマートの実際の内容は多岐にわたり、中央政府・地方行政機構、司法、税制や軍制、そして教育などの分野に及んだ(新井 二〇〇一：四七—八三頁)。改革は進んだが、旧来の要素に新しい要素を加えて併存させるような制度改革は、不断の摩擦を生じさせた。また、非ムスリムがヨーロッパ列強の庇護を受けて活動する様子はムスリムの不満を惹き起こした(ハーニオール 二〇二〇：八—三〇頁)。

権力を握る高官たちへの不満を募らせた若手官僚や在野の文筆家たちは、ジャーナリズムを通じて政府への批判を展開した。政府の弾圧を受けた者の一部は、ヨーロッパ諸国に亡命し、自らの主張を発表しつづけた。これが「新オスマン人」と呼ばれる人々である。そのひとりであるナームク・ケマルは、イスラーム教に基づいて立憲議会制の導入を正当化するという論陣を張った(佐々木 二〇一四)。

タンズィマートの最後を飾るのが、憲法発布と議会の召集である。一八七六年、バルカン問題などでロシアなどとの対立が深まるなか、アブデュルハミト二世は、心ならずも立憲制の導入によって改革の姿勢を示さざるを得なかった。こうして、ミドハト・パシャを中心にして起草された憲法は、一八七六年一二月に発布された。しかし、翌年にはロシアとの戦端が開かれ、敗北の危機の只中にあった一八七八年二月、アブデュルハミト二世は憲法と議会を停止した。世に言うミドハト憲法は、こうして一年と数カ月で効力を中断され、その後、スルタン専制が三〇年間続くことになった(新井 二〇〇一:八四―九〇頁)。

とはいえ、アブデュルハミト二世の治世は、交通・通信手段の整備、西洋式の課程を備えた学校の導入、イスラーム教に依拠した国家イデオロギーの提示などを通じて、統治機構の整備をさらに進めた時代でもあった。

ベトナム

現在のベトナムは、北では中国と国境を接し、南のメコン河デルタが南シナ海に臨むという、S字型の国土を有している。このような領域を統一した初めての政権は、一九世紀初頭に成立した阮朝である。越南《ベトナム》《えつなん》という国名も、阮朝が清朝から国家承認された時に定められた。

一八世紀後半には、北部の紅河《ホンハー》デルタ地域を地盤とし鄭《チン》《てい》氏が実質的に政権を握る大越《ダイベト》《だいえつ》国と、中部から南へと支配を拡大していた広南《クアンナム》《こうなん》阮氏の政権が対峙していたが、一七七一年に西山《タイソン》《せいざん》の阮氏三兄弟が広南政権に対して反乱を起こすと、ベトナムは大動乱の時代に入った。

これを収拾して統一国家をつくったのが、広南阮氏一族の阮福暎《グエン・フク・アイン》《げんふくえい》である。阮福暎は南部の有力者や華人、フランス人、そして隣国シャムの支持を得ながら、メコン河デルタに拠って戦った。彼は武人として活躍しただけでなく、文人を自己の陣営に取り込んでいく努力も怠らなかった。一八〇二年、阮福暎は中部のフエで即位し、元号を嘉隆《ザロン》《かりゅう》とし、一八〇四年には清から越南国王と認められた。そして、一八〇六年、ついに阮福暎は皇帝に即位した。

阮朝の統一事業は、異なる歴史的経緯を持つ地域を含み込むものであったから、困難かつ創造的な過程をたどった。西山の反乱まで、ハノイを中心とする鄭氏政権のもとにあった北河《バクハー》の地域と中部・南部の広南阮氏の支配地域だった南河《ナムハー》の地域は、その経済的な基盤や文化的な志向を大きく異にしていた。南河のなかでも、都のあるフエ近辺とカンボジア人の勢力が強かったメコン河デルタとの違いもあった。阮朝はもともと南河の伝統をひいて国際交易を重視する政権であったが、人口稠密で農業を主とし儒教を尊ぶ紅河デルタを支配するためには北河の伝統にも十分な配慮をする必要があった(嶋尾 二〇〇一a:三〇二頁)。

阮朝の重農的・文人的な志向は、二代目の明命《ミンマン》《めいめい》帝の時代に強くなったと考えられている。しかし、南河の文化伝統の連続性を強調する主張もあり(Cooke 1997)、その意味では阮朝の統一にとっては、バランスを巧みに保つことが重要であったことも確かである。明命帝が人材登用について「南北一家」と言っていた背景には、そのような配慮があった(嶋尾 二〇〇一b:四〇頁)。

明命帝は国号を大南《ダイナム》《だいなん》とし、大清と対等の立場であるとの自己認識を明示した(ただし清への朝貢の際には越南国王と自称した)。明命帝は国際交易と国内経済をなるべく切り離し、またキリスト教徒の増加を防ぐことで、社会秩序を安定させようとした。そして、行政制度の改変を通じて中央集権化をめざし、山地の少数民族に対する直轄統治を進めた。しかし、統一された大南の夢は矛盾を抱えていた。性格の異なる複数の地域を含んでいるため、単一の社会秩序・経済秩序で統制しきれなかったのである(桜井 一九九九:二一八―二二七頁)。

明命帝の死後、紹治《ティエウチ》《しょうち》帝の治世を経て、一八四七年に即位した嗣徳《トゥドゥク》《しとく》帝の時代になると、ベトナムでは混乱と危機が深まっていく。阮朝は建国時からフランスとの関係は深かったと言えるが、カトリック宣教の進展は明命帝の弾圧に遭遇した。フランスは、中国への接近を図るため南シナ海における足がかりを求めており、ベトナムに目をつけると阮朝のカトリック禁教政策を口実として軍事的な侵略に踏み切った。一八六二年の第一次サイゴン条約でサイゴンを含む南部三省がフランスに割譲されたのを皮切りに、次々と植民地化が進んでいった(坪井 一九九一)。

ビルマ

ビルマは、一八世紀中葉に動乱に見舞われ、そのなかから統一政権が登場する。ビルマの中核をなすのは内陸の中部平原地帯の上《かみ》ビルマとベンガル湾に臨み商業の利を有する下《しも》ビルマである。この両地域の抗争を収めたアラウンパヤーは、一七五〇年代に軍事的な統一をなし遂げた。この新王朝をコンバウン朝と呼ぶ。その息子のシンビューシン王は、隣国シャムの王都アユタヤーを攻め、一七六七年にはついにこれを陥落させた。また雲南との間にある小政権の帰属をめぐって清とも戦火を交えた(岩城 二〇〇一)。

一八世紀末から一九世紀初めにかけて王朝の最盛期を実現したボードーパヤー王は、西側に隣接するアラカン国を征服した。続いて東のシャムに進軍したが、新興のラタナコーシン朝ラーマ一世によって撃退された。このような外征は、清に匹敵するような、ビルマ王を中心とする世界を構築しようとする理念に基づいており、王権の強化を通じて国内統治を安定化させようとしたものと考えられる。ボードーパヤー王の拡張政策は、アラカン国よりさらに西方にあたるマニプル(インパール河流域に広がる国)やアッサムの内紛を契機とした軍事介入にもつながったが、これはベンガルを拠点とするイギリス東インド会社の警戒を招くことになった(渡邊 一九八七)。

イギリス東インド会社にとって、ベンガル湾の海上覇権の確保は非常に重要な課題であった。なかでもフランスがビルマに接近しないかどうかが心配の種となっていた。また、ビルマはラングーン港から木材を輸出していたものの、米・金銀などの多くの商品を禁輸としていたことが、イギリス人の不満のもとになっていた。このような対立の結果として第一次英緬戦争(一八二四―二六年)が起こったが、これに敗れたビルマはテナセリム(マレー半島西北部でベンガル湾沿いの地域)とアラカンをイギリスに割譲した(渡邊 二〇〇三)。

第二次英緬戦争(一八五二年)の結果、下ビルマはイギリス領となり、コンバウン朝は内陸国家となった。ミンドン王は貨幣経済の進展を踏まえて、土地の下付を廃止し官僚への給付に定額月給制を導入したほか、税制や幣制の改革を進めた。また、外国から技術導入して殖産興業を図るため、五〇を越す数の王立の工場を新設した。古代インドに倣って仏典結集《けつじゅう》(仏典テキストを集めて正しい教えを見出そうとする事業)を実施したが、その目的は王が徳を積んで王国に繁栄をもたらすためであった(斎藤 二〇〇一)。しかし、イギリスは依然として思い通りの経済活動ができないことに苛立ち、またミンドン王の跡を継いだティーボー王がフランスへの接近を図ったので、ついに第三次英緬戦争(一八八五年)によって、イギリスによるビルマの植民地化への命運が定まっていく(渡邊 二〇〇一)。

このようなベトナムとビルマ、その間にあるシャムの動向は、相互に無関係ではない。コンバウン朝のアユタヤー征服の後、シャムではトンブリ朝を経てラタナコーシン朝が成立した。ラタナコーシン朝の支持を得て阮福暎は建国の大業をなし遂げた。そして、この三国は対抗しながらそれぞれ国内統一を進めていったことになる。特に注目しておきたいのは、この三王朝はいずれも大国としての覇権を追求し、時には周辺政体の従属化を図ったことである。これらの諸国は、その過程で、カンボジアやチェンマイなどの王権やさらに小規模な山間盆地の政体の帰属をめぐって、衝突することがあった。

このように一九世紀初めまでに達成された国家形成は、それ以前の長期の歴史的動向の帰結であるとするヴィクター・リーバーマンの見方がある(Lieberman 2003)。このうち、イギリスなどの欧米諸国と最も巧みに交渉しえたシャムのみが植民地化を免れた。今日のベトナム、タイ、ミャンマーを短絡的に三王朝に結び付けることはできないとしても、やはりそれらが大きな歴史的前提となったと見るのが妥当であろう。

清朝の危機と再建

一八世紀後半、清朝は乾隆帝の治世のもとで繁栄を謳歌していたとされる。清朝の治下においては、ヨーロッパの豊かな地域に匹敵する生活水準を享受できた人々もいたかもしれない。しかし、それは皮相な比較である。その繁栄のなかにこそ行き詰まりの原因が含まれていたという指摘も可能だからである。

一八世紀の中国大陸では人口が急増したことが知られている。統計の不備などにより、人口の増加率については研究者ごとに多少見解の相違がみられるが、人口の大幅な増加があったことは疑いない。その理由としてまず考えられることは、この時代は清朝の政権が安定し、戦乱による死者が少なかったということである。これに対し、激烈な内乱を経験した一七世紀中葉や一九世紀中葉には死亡率が高かっただけでなく、社会の不安定さから出生率の低下、幼児死亡率の上昇があったと推定される。そして、一八世紀には人口の移動も盛んであり、移動先で新たな生業を見出せる機会のあったことが、増える人口を支えたと考えることもできる(上田 二〇二〇：一四一―一六九頁)。

しかし、人口増は多くの社会問題をもたらした。入植して開発できる土地には限界があった。そして、野放図な開発が環境破壊をもたらした可能性もある。例えば、陝西《せんせい》省の秦嶺《しんれい》山脈は、一八世紀中葉には一時的に開発ブームに沸いたが、その生産のありかたは環境に大きな負荷をかけ、長期持続できない性格のものであった(上田 一九九四)。

一七九六年、四川・陝西・湖北の境界地域で起こった白蓮教徒《びゃくれんきょうと》の反乱も、移住民社会の矛盾と深く関係していた。四川省は一七世紀の明清交替の戦乱の際に人口が減少したものの、一八世紀には多くの移住民を惹きつけて人口が急増した。当初の移住民のなかには成功を収め地元の有力者になった者もいたが、一八世紀後半になると後から来た者にとって良い条件の土地は限られており、省の境界に広がる山地などに入植するほかなかった。そのような恵まれない立場の移住民たちに心の救いをもたらしたのが、世界の終末に際しての救済を説く白蓮教であった(山田 一九九五)。

清朝は苦心しながら白蓮教徒の乱を鎮圧したが、その軍費は清朝の財政に打撃を与えた。財政問題のほか、黄河の氾濫による大運河の不調、塩の専売制度に伴う密売の盛行、アヘン吸引の拡がりなど、多くの政策課題に対処しようとしたのが、陶澍《とうじゅ》や林則徐《りんそくじょ》に代表される改革志向の官僚たちであった。彼らの試みは、すぐに大きな成果を挙げることはできなかったとしても、社会矛盾を緩和し、清朝の体制を立て直していくための道筋をつけていったと考えられる。林則徐が道光帝《どうこうてい》の意向を受けて広州に赴き、アヘン問題に取り組むことになったのは、そのような多様な政策課題に対処しようとする一つの局面にすぎなかったとも言える。しかし、林則徐のとった措置はイギリスとの対立を激化させ、アヘン戦争(一八四〇—四二年)を惹き起こすことになった(Polachek 1992)。

さらに一九世紀後半、清朝は太平天国や捻軍《ねんぐん》など多くの反乱に対処せざるを得なかった。これは政権にとって大きな危機であった。それでも清朝が体制を立て直すことができた理由として、いくつかの要因を挙げることができる。

一つは、行財政の面で、各地の有力者の協力を得ることができた点である。すでに白蓮教徒の反乱にしても、清朝の正規軍では足りず、地元の有力者が編成した団練《だんれん》という軍事力に依拠することになった。その後、例えば四川では、慈善・福祉や非正規課税の徴収などのために、地元有力者たちによる自治的機構が作られていった(新村 一九八三)。

二点目としては、対外貿易による税収の確保である。外国人も納得できるような明朗な関税徴集方式を模索した結果、外国人を雇って税務を担当させる新しい制度が形作られた。対外貿易から得られる関税は、一九世紀後半の清朝が欧米の技術を吸収し軍備を整えていく財源となっていく。背景には、イギリスの政策基調もあった。それは清朝の政権維持に協力することで、貿易秩序の安定をはかろうとする立場と言える(岡本 二〇一二)。

三つ目としては、一九世紀半ばの戦乱に対処するにあたり、現実的な判断能力の高い者が地方大官の地位に就いたことである。言い方を変えると、辛酸をなめながら太平天国や捻軍を鎮圧することによって出世した曽国藩《そうこくはん》・左宗《さそう》棠《とう》・李鴻章《りこうしょう》などは、社会問題の緩和という課題を一定程度は念頭に置いて体制の再建を進めていったと言えるだろう。

しかし、以上のような清朝の政策は、一定の矛盾をはらんでいた。地元有力者は、儒教倫理の復興を通じて社会の安定を求めようとした。太平天国のような「邪教」をはびこらせてはならないからである。また、いったん戦乱が収まると、やはり官界への参入は科挙を通じて行うのが正規の途ということになり、儒教経典の勉強も決して廃れることはなかった。他方、清朝にとっては、欧米の文化を理解できる人材を養成して、技術導入を図る必要があり、また経済的にも欧米諸国と平和裏に貿易を進めていくのが望ましかった。

清朝は外国人の活動を限られた条約港に制限して、なるべく内地の社会と分離しておくことで、矛盾の拡大を抑えようとしていた。しかし、その制約を破って内地に入り込もうとしたのが、カトリックやプロテスタントの宣教師たちであった。キリスト教に反対する各地の有力者・民衆は、教案《きょうあん》と呼ばれる紛争を起こしていった。一九〇〇年の義和団戦争は、そのような対立の極点であり、清朝は八カ国連合軍に敗北することでようやく本格的な体制改革を開始するようになった。

潘輝注の見たバタヴィア

ベトナムの阮朝に仕えていた潘輝注《ファン・フィ・チュ》《はんきちゅう》は、当時を代表する学者であった。一八三三年、彼は明命帝によって海路のシンガポール経由でバタヴィアに派遣され、その見聞を『海程誌略《かいていしりゃく》』にまとめている。彼は、清朝にも使者として行ったことがあるので、その時の体験と比較する箇所が見られる。

彼ほどの学者であっても、東南アジア島嶼部の歴史についての知識は、あまりなかったようである。シンガポールやバタヴィアの地には、もともと闍婆《じゃば》[3]という大国があったが、西洋人に占拠されてしまったという。西洋人は優れた船や武器を有し、海を越えてやってきて、これらの島々を支配してしまったのである(Phan 1994: 186-187)。

潘輝注の観察によれば、バタヴィアの方が繁華な点でシンガポールに優っていた。オランダの軍制は整っており、軍服はきちんとしており、銃や刀も良いものを備えていた。おおむね清朝の軍制と似ていて、弓矢がないという点だけが違っていた。現地人の兵は単に雑役を担当していた。さらに、オランダの技術力はイギリスを上回ると潘輝注は評価した。水力を用いて製材を行う機械の動きについて詳しく説明し、称賛を加えている(*Ibid.*: 194-195, 197-198)。

他方で、彼が違和感を持ったのは、西洋式の礼儀作法があまりにも簡略すぎることであった。挨拶は握手をするだけで、身分に応じた礼儀というものはない。聞けば、オランダでは君主すら一般人と同様に振る舞うという。これでは、優れた技術を持っていても、やはり夷狄にとどまると指摘している(*Ibid.*: 202)。

潘輝注の観察眼は、オランダやイギリスの植民地統治の一つの側面を捉えていた。技術力・軍事力によって現地人を支配し、都市経済の繁栄を実現する支配様式である。植民地支配の過酷さを批判するような視点よりも、むしろ儒教的な倫理規範が存在しないにもかかわらず社会が成り立っていることへの意外の念が表明されている。これは、彼個人の思索の不徹底さというよりも、明命帝の時代のベトナムが潜在的に抱えていた困難を示すものであろう。国内的には儒教に基づく国造りを進めながらも、それだけではすぐ近くに迫りつつある欧米列強の植民地支配に対抗できないという難しさである。

さて、オランダによるジャワの植民地支配は、その後、農村部を含めた現地社会への浸透を強めていく。一八二五年、ジャワ人支配層がオランダに対する反乱を起こすと、社会の根強い支持を受けた。これが一八三〇年にようやく鎮圧された後、オランダは王侯領を削減し、また王侯領への行政的介入を強めた。オランダの直轄地では、ジャワ人貴族をレヘントという地方長官に任じて間接支配を行ったが、その権力濫用が問題となり、一九世紀後半にはレヘントの自立性を奪う政策に転換した。さらに、植民地権力は村落に対する掌握を進め、画一的な行政村として再編していった(植村 二〇〇一)。

オランダは一八二四年にイギリスと結んだ条約によって、東南アジア島嶼部における勢力圏を定めた。しかし、ジャワ以外の島々へのオランダ植民地支配の実質的拡大には、長い時間を要した。

主権と国境

一八四一年、イスラーム教に関わる諸学を修めた馬徳新《ばとくしん》は、雲南からメッカへの巡礼へと出発した。ビルマとの交易に従事する商人とともに陸路をとった。雲南省を南下し、思茅《しぼう》(現在の雲南省普洱《ふじ》市)を経由して、中国の境を出た(「出中国界」)。そして、九竜江という大きな城を経て、ビルマ(「阿瓦《アヴァ》」)に属する大きな城(今日のチェントゥン)に至った(馬 一九八八:一七頁、中西 二〇一三:六九—七〇頁)(4)。

この記述からは、国と国との境界のありかたについての、実際の旅行者の認識を読み取ることができる。中国の境を出た後に位置する大きな城とはシプソンパンナーを統括する車里宣慰使《しゃりせんいし》の所在地であろう。シプソンパンナーはタイ人の盆地国家群であり、これらの小国は、一六世紀以来、明・清とビルマの王朝の双方に貢納を行っていた。清朝から見れば、官僚を派遣する直轄支配地ではなく、車里宣慰使という土司《どし》(世襲的に統治を委ねられた地元の首長)の治める領域となる。

一七二九年に、メコン河の東側の部分は形式的ながら清朝の直轄地とされていた(ダニエルス 二〇〇四)。馬徳新は、清朝の官僚が赴任している思茅までを中国の範囲とし、メコン西岸に渡ってシプソンパンナーのタイ人の国に入った時点で国外に出たと見なしたと言えるだろう。さらに進むとコンバウン朝の勢力が強い領域に入って行くことになる。

一九世紀初め、アジアの各地において、有力な国家同士の間には、様々な程度で複数の王権に従属した政体があった。よく知られているのは薩摩に服属しながら清に朝貢していた琉球国であろう。ほかにもシプソンパンナーのような東南アジア大陸部の盆地の小国家など、多くの事例がみられる。状況に応じてシャムやビルマなどの王権に朝貢し、時にその相手を変えたり、複数の王権の属国になったりしていたのである。

イギリスやフランスの勢力が近隣諸国に及んでくるなか、シャムのラタナコーシン朝は、次第に国境という概念を我が物とし、自国の主権にある領域を明確化することに努めるようになった。その過程で、重要な役割を果たしたのが、測量に基づく地図の作成という新技術の導入であった。それに伴って、所属の曖昧な朝貢国といった存在は許されなくなり、排他的な主権を前提とした国境紛争も生じることになった(トンチャイ 二〇〇三)。

朝貢国を多く有していたラタナコーシン朝にとって、主権概念を導入するにあたっては一定の曲折を経たが、清朝の場合にはさらに困難であったように思われる。例えば「属地」や「属国」という言い方が何を意味するのか、朝鮮やチベットはどれに該当するかといった点は、一九世紀後半において揺れ動いていた。中国語の「主権」や「領土」という概念が明確になって定着するのは、二〇世紀に入ってからのことである(岡本 二〇一七:三一八―三五二頁)。

とはいえ、一九世紀末、シャムと同様に、清朝の外交の実務では国境をめぐる交渉も進められた。一八九四年に妥結する雲南・ビルマ間の国境画定交渉がその一例である。雲南西部の騰越《とうえつ》からバモーに至る地域は、今日で言うシャンやカチンの人々が住んでいたが、国際法上の「無主の地」としてイギリスと清朝で分割された(箱田 二〇一二:一二六―一五五頁)。このことが、雲南とビルマの国境地域の現地社会に対して、ただちに影響を及ぼしたわけではない。そうだとしても、清朝にしろラタナコーシン朝にしろ、イギリスやフランスの植民地支配と対抗しつつ国境の画定をめざし、結果として辺境地域への関心を強めていったのである。

中央アジアについても、同様のことが言える。一八六四年に起こった清朝に対するムスリム反乱を契機として、隣接するコーカンド・ハン国から東トルキスタンに派遣された武将ヤークーブ・ベグは、カシュガル・ホージャ家など現地の勢力を倒して、自らの政権を打ち立てた。ヤークーブ・ベグはオスマン帝国からアミールの称号を得、またロシアやイギリスと通商協定を結んだ。しかし、その政権は左宗棠の率いる清軍に敗北し、滅亡していく。結果的に、中央アジアは清とロシアによって分割されることになった(新免 一九九五)。

こうして、二〇世紀を迎える頃、アジアのほとんどの地域は、国ごとに色を塗り分けられた地図の様相を呈するに至ったのである。

二、海域秩序の変動

長崎の異国船

もと九州平戸《ひらど》藩主の松浦《まつら》静山《せいざん》は、随筆『甲子夜話《かっしやわ》』のなかで、駱駝《らくだ》が日本に来たことを記している。彼は、引退後に江戸で趣味と交際に日々を過ごしており、自らの見聞を記録していた。それによれば、去年(一八二一年)、オランダ船が駱駝を乗せて長崎に来たという。静山は続けて、かつて駱駝の絵を見せられたことがあると述べて、一八〇三年に長崎沖に渡来した船が最初に駱駝を連れて来たことを指摘している。

静山によれば、一八〇三年の船にはアメリカ人が一二人、ジャワ人が九四人乗船していたが、「禁制の国」であるために交易を許されずに帰されたという(松浦 一九七七：一三六頁)。この一件は、徳川政権側の記録『通航一覧』や長崎のオランダ商館長ヘンドリック・ドゥーフの回想録にも見える。ドゥーフによれば、この船はアメリカの旗を掲げて入港したので、長崎奉行所の臨検を受けた。船長はアメリカ人ウィリアム・ロバート・スチュアートと名乗り、ベンガルやカントン(広州)から来たと答え、積荷は自分のもので、来航の目的は通商の自由を求めるためだと主張した(ドゥーフ 二〇〇三：六〇頁)。アメリカ船だと申し出た以上は、貿易が許されるはずはなかった。

実は、スチュアートが長崎に来たのは初めてではなかった。それ以前にも、一七九七年、オランダの旗を掲げるイライザ・オブ・ニューヨーク号の船長として来航したことがある。これは、ジャワのバタヴィア総督府がアメリカ船を雇って長崎貿易を行わせたものであり、この時期の特殊な状況を反映していた(金井 一九八六：二一六―二六五頁)。

独立まもない合衆国のセイラム港(マサチューセッツ州)などからアフリカ南端回りで来た船は、広州貿易に参入するとともに、インド洋から太平洋にかけての各地に進出していった。また、米国東海岸に近いナンターケット島などから捕鯨船が出航していたことは、ハーマン・メルヴィルの小説『白鯨』(一八五一年)で生き生きと描かれている。

一九世紀初めのヨーロッパは、フランス革命に端を発する戦乱のなかにあった。その余波はアジア海域にも及び、バタヴィア総督府はアメリカ合衆国など中立国の船を雇うことで貿易の安全を確保しようとしていたのである。スチュアートは初めオランダに雇われて日本との貿易に従事したが、座礁による失敗を経験し、その後、マニラやベンガルにも渡航して活路を開こうとした。一八〇三年のスチュアートの長崎来航の一件も、オランダの名義を用いずに対日貿易を行おうとする冒険的な試みと考えてよいだろう。

ラッフルズの理想とシンガポール

一七—一八世紀ヨーロッパの貿易秩序は、特権や独占によって特徴づけられる。オランダやイギリスの東インド会社はその典型である。一七七三年のボストン茶会事件は、イギリス東インド会社による茶の独占販売権に対する反感に由来する。

このような独占を批判し、自由貿易の理念を掲げたのがアダム・スミス『諸国民の富』(一七七六年)とされる。この理念は広く社会思潮に影響を与えたが、実際にはアジアで独占の打破を進めた動因は、イギリスなどの商人の利益追求の活動であろう。

アジア海域では、イギリスとオランダの勢力争いが展開していった。アメリカ独立戦争と同時進行した第四次英蘭戦争(一七八〇—八四年)におけるイギリスの優勢によって、オランダ東インド会社の貿易独占は難しくなった。一方、経営不振に陥ったオランダ東インド会社は一七九九年に解散するに至った。ナポレオン戦争に際しても、アジアでの英蘭両国の勢力争いが続き、ようやく一八二四年の英蘭条約で勢力圏について合意を見た。

この激動の時代において重要な役割を果たしたのが、英国人スタンフォード・ラッフルズである(坪井 二〇一九)。彼はイギリス東インド会社に入り、一八〇五年にはペナンに赴任した。ペナンは一八世紀においてイギリスが東南アジアで獲得した最初の植民地である。マラッカ海峡の入り口に位置するペナンは貿易で繁栄したが、ここでラッフルズは東インド会社の職員として活動するのに加えて、マレー文化の研究にも努力した。

ナポレオン戦争期の英蘭紛争のなか、イギリスはアジアにおけるオランダ勢力の本拠地ジャワ島を占領した。これはラッフルズの献策による軍事行動であり、この遠征の結果、一八一一年、ラッフルズはジャワ島の行政責任者に任じられた。ラッフルズが特に重視した土地改革は、領主による搾取を排除し耕作者に土地所有を認めて直接納税させるという方針であり、フランス革命がめざした封建制の廃止と軌を一にする画期性を有していた。しかし、ジャワの農村社会の実態に必ずしも合致した政策ではなく、しかもナポレオン戦争が終わると(ラッフルズの反対にもかかわらず)ジャワはオランダに返還されたので、ラッフルズによるジャワの土地改革はさほどの成果を挙げずに終わった。

その後、ラッフルズは、ジョホール王家のスルタン位をめぐる内紛に介入し、一八一九年、シンガポールを獲得した。一八二〇年、ラッフルズはシンガポールを自由港とすることを宣言した。こうして関税が免除されたことから、シンガポールは多くの商人を集めることに成功し、アジアの商業網の結節点として成長していく(小林 二〇一二)。

このようなラッフルズの意図は、一八一九年に記された意見書に示されている。彼によれば、「オランダ人はバタヴィアに主要都市を築くとすぐ通商の中心となる場をバンテン(ジャワ島西北の港市)からそこへと移しただけでは満足せず、バタヴィアを島嶼地域(the Archipelago)の商業にとって唯一無二の拠点にしようという考えを抱いた」。このように島嶼地域の物産を独占しようとするオランダ人の政策は良い結果をもたらさなかった。オランダ人が優位性を発揮できなかったのに加えて、東南アジア現地の国々も商業の利益を上げられず、取るに足らない存在になり下がってしまった。「人からやる気を奪うようなこの〔オランダの〕政策によって、島嶼地域の現地の人々の貿易が阻害されたがゆえに多くの害悪が生じ、そして我々を目下困らせている海賊行為すべてが現れたと言えるかもしれない」。ラッフルズによれば、このような沈滞を打破したのが、イギリス人による貿易の展開であった(Raffles 1830: Appendix 10-11; 信夫 一九六八：三三六―三三七頁)。

ラッフルズの念頭にあったのは、一八世紀後半の東南アジア海域の貿易をめぐる長い抗争であろう。オランダ東インド会社は、香辛料をはじめとする東南アジアの特産物の主要産地を掌握し、それらをバタヴィアに集荷して、ヨーロッパなどへ遠距離の輸出を行っていた。しかし、一八世紀に入るとナマコなどの海産物、胡椒、錫《すず》などは中国大陸での需要が増し、オランダ東インド会社と無関係にマレー人やブギス人などの東南アジアの商人、そして華人たちが貿易を大きく展開するようになった。オランダ人はこれに不満を感じていた。マラッカ海峡の南側にあるリアウの島々は、中国向けの貿易で栄えていたが、一七八四年、オランダ東インド会社と戦火を交え、屈服させられた。その後も紛争はもつれ、リアウの繁栄は失われた。その結果、「海賊」が跳梁跋扈し、貿易が停滞したとするのがオランダ東インド会社の見方であった(太田 二〇一八)。

しかし、太田淳によれば、「海賊」とはオランダ人が自らに不都合な商業軍事集団を呼んだものにすぎない。東南アジアの商人に華人やイギリス人も加えた「海賊」たちは、自衛武装しながら、オランダの統制に従わない貿易をさらに展開していったのである。

これに対しラッフルズが理想としたのは、オランダ人による独占や統制を打破してイギリスが主導する自由貿易の秩序を打ち立てることであった。その背景には、イギリス人貿易商の利益追求に加えて、中国をはじめとするアジア市場を念頭に置いた華人・マレー人・ブギス人などの商業活動の活性化があった。しかし、右に引用したようにラッフルズもイギリスにとって目障りな「海賊行為」を非難しており、それを鎮圧するのはイギリス海軍の役目となった。

イギリスのアジア進出と中国経済

一七五七年のプラッシーの戦いによって、イギリス東インド会社はベンガル支配への道を歩み出した。また、一八世紀後半、イギリス東インド会社は、広州貿易でも大きな役割を果たすようになっていく。こうしたイギリスのアジア進出は、インドと中国を経済的に結び付けた。

イギリス東インド会社によって中国から輸出された最重要の商品は茶であり、次いで生糸があった。その貿易を成り立たせるために、東インド会社やそれ以外の私貿易商人であるカントリー・トレーダーは、中国で売れる商品を探す必要に迫られた。一九世紀初頭まではインドの棉花が中国の輸入品として重要であったが、一八二〇年頃からはアヘンが輸入品として最大の金額を占めるようになっていく。ベンガルにおけるアヘン生産は、東インド会社が掌握していた。しかし、アヘンは清朝の禁制品とされていたので、東インド会社が輸送・販売することはできず、カントリー・トレーダーがカルカッタから中国沿海部に密輸することとなった(アヘンはインドのうちベンガル以外の地域から輸出されたものもあった)(5)。アヘンの代金は、カルカッタでの支払いを約束する手形で送金された。東インド会社は広州でその手形を発行することによって銀を手に入れ、茶や生糸を購入した。インドとイギリスの間にもベンガル産の藍などを介した貿易と決済・送金の仕組みがつくられていた(中里 一九八一)。

実は東南アジアには、中国で売れる商品が豊富にあった。それを商う交易で繁栄したのが、現在のフィリピン南部にあったスールー王国である。カントリー・トレーダーは、武器弾薬のほか、イギリス製の金属工芸品やインドの織物・アヘンをスールーに持ち込んだ。そして、スールーでナマコ・真珠貝の殻(工芸品の材料となる)・鼈甲《べっこう》・燕の巣・肉桂《にっけい》(シナモン)などを入手して中国に向かった。一九世紀初めになると、イギリス人だけでなく、スペイン人・ポルトガル人・アメリカ人もこのスールー交易に参加した(Warren 1981: 38-66)。

中国をめぐる国際交易では、決済手段として銀が用いられた。銀は銀塊と銀貨に分けられる。銀塊として典型的なものは、馬蹄銀《ばていぎん》であり、品位と重量に応じた価値を持っていた。銀貨はスペイン領アメリカで鋳造されたものが多く、特に一八世紀にメキシコで生産されていたカルロス銀貨(八レアル銀貨)が良質のものとして好まれた。アメリカ合衆国の「ドル」の起源も、この銀貨にある。

中国大陸の経済は、一六世紀以降、銀の流入によって支えられていた。しかし一八二〇年代からは中国から銀がインドなどに流出した。そして、一九世紀後半になると再び中国に銀が流入するようになっていく。つまり、一八二〇年代から五〇年代初めまでは、特殊な事態が生じていたことになる。その原因や歴史的意味をめぐって論争がなされており、まだ決着に至っていない。林満紅《りんまんこう》は、ナポレオン戦争や独立運動に伴うスペイン領アメリカにおける銀生産の減少を指摘している。リチャード・フォン・グランやアレハンドラ・イリゴインは、中国でカルロス銀貨が特に好まれていたのに、その品位を維持した銀貨がラテンアメリカで鋳造されなくなったことが影響したと考えているのに対し、岸本美緒は中国で銀貨が使われていた地域は限定的だと批判している(林 二〇一一、豊岡・大橋 二〇一九)。

岸本が指摘するように、これらの問題は、中国の国内市場の性格についてさらなる研究を経てはじめて十分な結論が得られるものと予想される。とはいえ、一八三〇―四〇年代について大局的に言えば、①アヘンを含む各種の嗜好品・奢侈品の中国における需要の大きさ、②貿易における決済手段の不足、という二点が指摘できると私は考える。

まず①について言えば、アヘンの密輸額は確かに大きかったかもしれないが、アヘンの代価として多額の銀が流出したとする清朝の学者・官僚などの主張には、誇張があるだろう。また、アヘンの末端価格の高さを考慮すれば、ある程度の富裕層のみが日常的に消費できたと考えられる(豊岡・大橋 二〇一九：一一―一六頁)。フリードリヒ・エンゲルスは一八四五年の著作のなかで、イングランドの労働者階級では子供の強心剤としてアヘンが使われていることを指摘しているが(エンゲルス 一九九〇：上巻二〇四―二〇六頁)、同時代の中国では社会上層にある者の方が主要なアヘン消費者であった。官僚の異動や商人の営業活動によってアヘン吸引の習慣は各地に広められ、アヘン価格の低下に加えて社会的エリートを模倣する心理が、より広い社会層における消費を拡大させた(Paulès 2011: 178-190)。

とすれば、アヘンは各種の海産物や工芸品素材と同様の消費構造のなかで中国に輸入されていたと見るのが適当と思われる。数量的に示すことはできないが、アヘンを含む多種多様な奢侈品の輸入は、清の対外収支を悪化させる要因になったと推測される。密輸のアヘンは銀と直接に交換されたので、特に問題視されたのであろう。

次に②の決済手段の不足という点は、一八四〇年代のイギリス人による中国貿易において「現物取引」が行われていたという事実に典型的に表れている。これは、イギリス製の綿布と中国の茶を取り引きするのに現物交換がなされていたという特殊な状況である。大量に綿製品を売り込もうとするイギリス商人に対して、銀で支払おうとしない中国商人の態度がこの取引形態をもたらしていたのだが、その背景にあるのは過剰な商品に対して決済手段としての銀が不足しているという状況であった(浜下 一九九〇：八九―一四二頁)。しかし、一八五〇年代に入ると、国際的な金融状況は大きく変化する。その理由としては、一八四八年、米国カリフォルニアで金鉱が発見されて以降、貴金属に対する国際的な需要が満たされたことが考えられる。英国などで金本位制が導入されると、価格の下がった銀はますます中国に流入するようになる。まだ十分に解明されていないとはいえ、やはりアメリカ大陸の貴金属産出や貨幣鋳造の動向が、中国に影響を与えていたという可能性はある。

こうして、一九世紀後半には、新設の銀行を通じてイギリスからのアジアへの投資が盛んになり(浜下 一九九〇：一四三―一七六頁、川村 二〇二〇)、中国の経済も大きな刺激を受けていく。

開港の時代

一八世紀において、アジアの多くの地域では、現地の王権が貿易を掌握することで経済的な優位性を確保するとともに、軍需物資や対外情報を統制することを意図していた。日本の「鎖国」もその一つの形態と言ってよい。近年は、徳川時代の日本について、長崎・対馬・琉球国・アイヌの人々という「四つの口」によって対外的な交流を維持していた点をことさら強調する主張もなされているが、それは誤解を招きやすい。むしろ、そのような限定的な「四つの口」を通じて相当慎重に統制された対外関係のみが存在したと見てよい。それは清朝が極めて開放的な海上貿易の姿勢をとっていたのと対照的である。清朝は、徳川政権と異なり例えばアメリカ船が貿易に新規参入するのを断らなかったし、貿易額に上限を設定することもなかった。そのような点を明確にする意味で、日本について「鎖国」概念を用いるのは依然として有意義に思われる。

日本については「開国」という概念にも一定の妥当性がある。一八五四年の日米和親条約の締結に始まり、一八五八年の日米修好通商条約などの「安政の五カ国条約」締結に至る過程を「開国」と見なして、それ以前の「鎖国」と対照させることができる。当時の日本の人々にとって大きな変化であったと考えられるからである。

清とはいえ、このような「鎖国」と「開国」の枠組みを、アジアの多くの国々に当てはめることは適切ではない。清の場合、すでにアヘン戦争の前から、イギリスなどとの貿易が盛んに行われていた。また、アヘンの密輸に示されるように貿易の統制も大きく緩んでいた。そして、一八四二年の南京条約は、確かに五港でのイギリス人の商業活動を認め、それが特に上海における貿易の興隆といった変化をもたらしたが、貿易構造を決定的に転換させた要因となったとは考え難い。

マニラの開港は一八三四年のことである。しかし、それ以前から、スペインによる交易独占は崩れ始めていた。一八世紀のマニラにとって、メキシコのアカプルコとの間で行われたガレオン貿易が重要であった（ガレオンとは大型帆船の一種）。ガレオン船はメキシコから銀をもたらし、マニラに集まった商品を購入した。マニラからの輸出品は、フィリピンの産物というより中国やインドを含むアジア各地の物産、すなわち絹や綿の織物、陶磁器・象牙・彫金・家具といった工芸品、香辛料や食品などであった。しかし一八世紀末になると、ガレオン貿易は廃れていった(Legarda 1999: 33-50)。その理由としては、イギリスやアメリカ合衆国の船が太平洋で活動するようになったことなどが考えられるが、巨視的に言えば、独占貿易の形をとるガレオン貿易が国際経済の実態に合わなくなったのである。

さらに、一九世紀に入りメキシコの独立運動が起こると、ますますマニラは太平洋を越える貿易の拠点としての意味を失っていった。一方で、フィリピン産品の輸出が伸びていく。一八一八年のデータによれば、マニラでは中国向けの燕の巣・ナマコ・鼈甲などの輸出が重要な意味を持った。その後、一八二〇年代以降、藍・砂糖・米・マニラ麻といった商品作物の輸出が盛んになっていく(*Ibid.*: 93-106)。

貿易構造の変化のなかで、アメリカ人やイギリス人の商館がマニラに設けられるようになった。一八三四年のマニラ開港は、そのような動向を踏まえたものであるが、その後、ますますフィリピンの地方各地が国際経済に結び付けられていくことになる。

一七八二年に成立したシャムのラタナコーシン朝にとっても、貿易の利益が国庫を支えていた。なかでも清への朝貢は、広州での貿易を容易にするだけでなく、国際的な情報を得たり、ほかの東南アジア諸国と張りあったりするのに重要であった。しかし、変化の時代はやってきた。一八二六年、ヘンリー・バーネイとの交渉の結果、ラーマ三世の政権はイギリスの対シャム貿易を認めた。ラーマ三世は、王室独占交易を廃止し、輸出向けの商品生産への課税(実際には徴税請負)などに頼る方針だったので、このバーネイ条約も受け入れ可能なものとなっていたと考えられる(増田 二〇二〇:二一八—二四七頁)。

貿易についてのシャムの政策転換は、輸出物の内容の変化とも相関していた。胡椒・蘇芳《すおう》(染料に用いる)・沈香《じんこう》・象牙・鮫皮・燕の巣など山や海の特産品から、米や砂糖といった農産物へと比重が移っていった。一八五五年のバウリング条約締結後は、在来技術による砂糖生産は国際競争に勝てず、世界経済のなかで優位性のある米の輸出がシャムの貿易を支えることになった(山本 二〇〇一)。

オスマン帝国とイギリスとの通商条約は一八三八年に結ばれた。南京条約やバウリング条約に先立つ時期に当たる。この条約は、イギリスにとっては、通商上の障壁を打破し自由貿易を推進しようとするものであった。その標的となったアヘンなどの専売制は、通商を管理し財政収入を増すためにオスマン帝国が導入していた政策である。しかし、専売制は実際には密輸を抑えることができておらず、もし通商条約の締結によって関税率が高く設定されるならば、むしろ税収の増加が見込める。また、オスマン帝国にとって、専売制で利益を得ていたエジプトのムハンマド・アリーに打撃を与えることは、好都合でもあった。こうしてみると、この条約を「開国」の画期と見るのは適切ではない(松井 一九九八)。

確かにイギリスが主に掲げた自由貿易の理念は、イギリス商人にとって不都合な各地の貿易統制や徴税制度を打破することを正当化した。そして、そのことは世界経済の在り方を大きく変えていく流れを推し進めたと言える。しかし、アジア各地の政権もまた、このような経済の再編のなかで利益を獲得しようと試みていた。例えば、清朝は外国人を税関職員として採用して透明性のある関税制度を確立し、財政を再建しようとした。二〇世紀のナショナリズムの視点からは、「不平等条約」が批判されるのは当然ではあるが、その評価を急ぐ前に、一九世紀の文脈のなかで条約が実際に有した歴史的意味を正確に理解すべきである。

一九世紀後半の好況

一九世紀前半のインド経済は不況に苦しんだ。一八世紀までインドの重要な輸出品であった綿布は、イングランドの工業化に伴い次第に市場を失っていった。国際交易の担い手もインド人商人よりイギリス系企業が主役となった。物価は下落する傾向にあり、手工業は衰え、工業などへの新たな投資より地代を重視するような農業社会となりつつあった(水島 二〇〇七：三一三―三一九頁)。この状況は、インドが一九世紀の国際経済と結び付けられていく過渡期において複雑な要因から生じた不調と見ることもできる(神田 二〇一二)。例えば、企業経営を効率的に行うための法制度や輸送・通信の仕組みが未整備であったことを強調する視点がある(ロイ 二〇一九：一二九―一六六頁)。また、この時期のインドにおける貴金属の不足が不況と関係していた可能性が指摘されており(谷口 二〇一六)、中国方面の経済状況とあわせて考察すべき課題である。

一九世紀後半、インド経済は新たな発展の軌道に入った。海外貿易だけでなく、国内の交易も増加した。この背景には鉄道・電信・汽船に代表される新技術の導入がある。農業は市場向け生産の比重を高めていき、インド西部の綿紡績やカルカッタにおけるジュート加工(輸送用の袋などを製造)といった工業も発展し始めた。このうち、綿紡績業ではインド人資本家が活躍し、ボンベイやアフマダーバードの工場で綿糸を製造していた。インド棉花は短繊維であり、それを原料とした紡績工場は太糸を生産していた(イギリス製は中・細糸が中心)。太糸はインド国内の手織り綿布の需要に適していただけでなく、中国や日本の市場でも歓迎されて輸出を伸ばした(柳澤 二〇一九：三八―六二頁)。

交通・通信手段の発展は、アジア域内の貿易を促進するとともに、移民の機会を増やした。イギリスの支配下に置かれたマレー半島では、錫そしてやや遅れてゴムの生産が盛んになったが、これらはアジア向けに限定されない国際商品であった。その労働力として、中国やインドからの移民が引き寄せられた。このように植民地支配下の経済開発は、国際市場向けの商品の生産を意図していたが、あわせて進んだ都市化も含めて、自給的な農業に従事しない人口を増やした。こうした状況のもとで、メコン河・チャオプラヤー河・エーヤーワディー河下流のデルタでは水田開発が進み、そこで生産された米がアジア各地の食糧需要を支えることになった。この結果、アジア各地における国際分業が進展していくことになった(杉原 一九九六：一三一―四九頁)。

一九世紀後半、日本と中国にとって主要な欧米向け輸出品は茶と生糸であるが、どちらも生産地間の激しい競争にさらされていた。例えば、イギリス向けの中国産の茶は、アッサムやセイロンなどの新銘柄に圧倒されていった。また、例えば生糸の国際市況は、中国や日本の蚕糸業者を振り回すことになった。とはいえ、生糸の輸出が、その生産者や流通業者に一定の利益をもたらしたこともまた事実であろう。

通信・運輸の革命

一九世紀半ば、例えば第二次アヘン戦争(一八五六―六〇年)の頃ならば、東アジアでの欧米軍にとって、随時、本国政府と連絡をとりつつ作戦を進めることは不可能であった。一八六四年の四国連合軍による長州攻撃の頃、イギリスから見て極東にある日本からの書簡が届くのに一カ月半から二カ月を要した(保谷 二〇一〇:一頁)。その後、長崎・上海および長崎・ウラジオストクの間の海底ケーブルによって電信がつながったのは、一八七一年のことである。

海上交通の面では、汽船が定期的に運行することで、旅客および郵便物を運ぶようになった。そして、一八六九年のスエズ運河の開通は、ヨーロッパとアジアを大いに近づけた。

このような通信・運輸の技術革新は、市況変動を迅速に把握し、商品を速やかに運送することで、経済活動を活性化する条件を整えた。むろん、ヨーロッパでは一八七三年恐慌が起こったのを皮切りに景気の変動もあった。しかし、銀価の下落の影響もあり、中国からの多様な一次産品の輸出は、おおむね好調であった(木越 二〇一二:二九―六三頁)。

通信・運輸の変化の歴史的意味について、具体的事例を確認してみよう。アジアをまたいだ人の動きとして注目されるのは、メッカ巡礼である。すでに少し紹介した馬徳新は、一八四一年一二月に雲南省を出発し、メッカには一八四三年五月に到着している。馬徳新は陸路でラングーンに着くまでに時間を要しているが、ラングーンからカルカッタに船で行く際にも通常は半月で行けるのに風を得られず四〇日もかかっている。その後、セイロン、モルディブ、ソコトラを経てアデンに至り、紅海に入ってジェッダからアラビア半島に上陸した。

以上のように、馬徳新は帆船を用いつつ、イギリスの支配地を経てアデンにたどり着いていることがわかる。帰途は、南インドに立ち寄り、ペナン、マラッカ、シンガポールを経由して広東に到着した。このようなイギリス支配下の拠点を結ぶ航路は、その後、汽船によって置き換えられていく。

また、馬徳新はメッカ巡礼の後、イスタンブルに行った時、一人の官僚と会った。このオスマン帝国の官僚は、馬徳新に向かって「あなたの国からの知らせによれば、水害があったそうです」と言った。馬が「黄河のことでしょうか」と問うと、「いいえ。これはイギリス人の伝えたことで、彼らは常に広東で何かニュースを聞くと、すぐ印刷し、彼らの教え(キリスト教)の国々に伝えるのです」との答えであった(馬 一九八八:三八頁)。これは、おそらく広州で出されていた『カントン・レジスター *Canton Register*』(一八二七年創刊)などの英文の定期刊行物のことであろう。このように、広東の情報は、英字新聞によって、(むろん数カ月以上遅れて)イスタンブルまで届いていたのである。一八七〇年代になると電報によってニュース伝達は圧倒的に早くなる。とはいえ、英語によるニュースの収集と伝達そのものは、それよりずっと早くから実践されていたのである。

このように、アジアの東西をまたぐ運輸・通信網はヨーロッパの対外拡張、なかでもイギリスの覇権と深く関与していた(ヘッドリク 一九八九)。一八四〇年代の馬徳新のメッカ巡礼も、実はそのような状況を背景としていたことになる。

スエズ運河の開通は、メッカ巡礼に大きな刺激となった。メッカの入り口にあたるアラビア半島の港ジェッダは、紅海という東西交通の大動脈の傍に位置していて、巡礼は汽船によってずっと容易になった。オランダ領東インドからの巡礼者は一八五〇年までは毎年二〇〇〇人にすぎなかったが、一九世紀末には一万人を超えた年もあった(永積 一九八〇:四六―四七頁)。巡礼はムスリムとしての意識を高めていったであろうが、それは次節で見るようなアジア各地での宗教心高揚の一事例と言える。馬徳新も、西アジアでイスラーム教の最新の思想に触れて自らの著述に取り入れていたと考えられるが(中西 二〇一三：七〇—七三頁)、その後、雲南省で一八五六年に起こったムスリム反乱に巻き込まれていくことになる。

三、宗教運動の展開

信仰心の高揚

一八六〇年、朝鮮では崔済愚《チェジェウ さいせいぐ》が不可思議な体験をしていた。「心が寒く、身が戦《おのの》き、病気になったが、病名もわからず、言葉も出にくかった時、ある仙語《せんご》(神秘的な言葉)がふと耳のなかで聞こえた」(宮嶋ほか 二〇二一：四二頁、金鳳珍訳)。こうしたお告げによって、彼は仙薬を得、また自分が上帝に選ばれて布教を命じられたと考えた。

崔済愚は、没落士族の家に生まれた。この世の真理を探究しようと儒教・道教・仏教だけでなくキリスト教まで学んだが、あきたらずに求道の生活を続けていた。そして、ついに右のような神秘体験をして、東学《とうがく》の教説を立てるに至ったのである。崔済愚は信者たちに仙薬を与え呪文を教えることで感化し、教団を組織していったので、それを危険視した政府によって捕らえられ、一八六四年に刑死した。

崔済愚の教えによれば、人間はそもそも霊的な存在であって、呪文を通じて天主と内面的に一体化できると言う。これが東学の「侍天主《じてんしゅ》」という神秘主義的な教義である。また「剣歌」という歌を作り外国人に抵抗する姿勢を示した(趙 一九九八：二一—四八頁)。

東学は、一八六〇年の英仏連合軍の北京到来のような状況を踏まえながら形成され、また朝鮮の民衆の生活と精神が切実に求める拠り所となり得たため、その後も、政権の抑圧に屈せず、信者を獲得して発展していくことになった。

日本でも、幕末・明治期には、黒住教《くろずみきょう》・天理教《てんりきょう》・金光教《こんこうきょう》などの新しい宗教が登場し、時に弾圧を受けながらも教団として発展した。例えば、一八九二年に神がかりとなった大本教《おおもときょう》の教祖出口《でぐち》なおが手ずから記した「お筆先《ふでさき》」は、激しい現実批判を含んでいた。これについて研究した安丸良夫によれば、民衆は既存の支配秩序の下で世界の全体性の価値や意味を自らとらえることができない。そこで、「神がかりとは、こうした人たちが神という現存の秩序をこえる権威を構築することによって、自己と世界との独自な意味づけに道を拓く特殊な様式のことである」(安丸 一九七七：五頁)と指摘している。

崔済愚の東学にしても、出口なおの大本教にしても、それぞれの社会の宗教的な伝統を踏まえつつ、新しい教理と教団を生み出していったことが注目される。イランのバーブ教の場合には、シーア派の隠れイマームの信仰が大きな意味を持っていた。隠れイマームとは、世の終わりに来臨して正義の支配者(マフディー)となる教主(イマーム)のことである。一九世紀のイランではモジュタヘドと呼ばれるシーア派法学者が勢威を振るっていたが、必ずしも人々の宗教的感情を満足させることはできなかった。その頃、オスマン帝国支配下のイラクにあったシーア派の聖地ではシェイヒー派が登場し、隠れイマームと人類を仲介する完全なる信仰者が存在するという考え方を提示した。これを受けて、一八四四年、カージャール朝治下のシーラーズの商人セイエド・アリー・モハンマドは、自分こそが真理に至る「門」(バーブ)であると主張した。これはモジュタヘドたちの権威に対する挑戦であり、その後、バーブ教団は政権との対立を深めていく(Amanat 2017: 229-246)。

右にいくつか挙げた新宗教の登場に限らず、既存の宗教も含めて、アジアの一九世紀は、宗教的な情熱が高揚した時代と見ることができる。そこには複雑な要因が関係しているが、前の時代から継続していた宗教心の高まりに加え、各地域の社会変動による社会心理の不安定化といった一般的な状況がまず挙げられる。また欧米勢力の軍事的・経済的活動がアジアに大きく作用してきて、既存の社会観を動揺させたという側面もある。一九世紀の欧米では科学を活用した産業化が進んでいったが、カトリックやプロテスタントの海外宣教も一九世紀にむしろ活性化しており、アジア各地において、キリスト教布教に対抗する動きが生じたり、そこから示唆を得た教団が出現したりした。

二〇世紀に国際的な視野を広げたアジアの知識人にとって、一九世紀の民衆的な宗教的情熱の高まりをどのように評価するかという問いに答えるのは難しかった。その理由の一つは、フランス革命以来のヨーロッパのナショナリズムが世俗主義を強調したことであろう。しかし、今日の視点からみれば、一九世紀アジア各地に広く見られる宗教運動の歴史的意味について考えていくことが必要と言える。

民衆カトリシズムと正義王

ブルボン朝スペインの支配下にあったフィリピンでは、カトリックの教会や修道院が統治の一翼を担っていた。他方で、インディオ(原住民)と呼ばれた民衆のなかにも、主体的にカトリックを受容しようとする動きが生まれていた。それをよく示すのが、パションと兄弟会(コフラディア)である(池端 一九八七：四五—五四頁)。

パションはイエス・キリストの受難を主題とした叙事詩である。民衆の言葉であるタガログ語のテキストに基づいて詠唱された。そのなかでキリストは奇蹟と慈悲によって貧しい者を救済する理想の指導者として描かれており、邪悪な権力者の弾圧を受けて処刑されるが、復活をとげる。パションは、民衆の想像力を刺激し、現実を解釈する枠組みとなっていった。兄弟会とは、カトリック信仰を高めるための信徒結社であり、しばしば慈善事業の担い手となっていた。本来は修道会や教会の指導下で結成されるはずのものだったが、民衆が独自に作り上げる兄弟会も誕生するようになった。

一八三二年にアポリナリオ・デ・ラ・クルスが結成した聖ヨセフ兄弟会も、そのような民衆的性格を有する兄弟会の一つであった。アポリナリオは修道士をめざしたが挫折し、その後、一信徒の立場で福音を説く人として活動していた。聖ヨセフ兄弟会が勢力を拡大すると、地元の神父から異端として告発され、弾圧を受けそうになった。一八四一年、「タガログ人の王」と呼ばれたアポリナリオに率いられた兄弟会員たちは、サン・クリストバル山に立てこもり、政府軍と交戦して敗北した。歴史家レイナルド・イレートによれば、このような聖ヨセフ兄弟会員の行動は、パションに詠われたイエスの死の物語によって意味づけられていたという(イレート 二〇〇五:五三一一二二頁)。

ジャワでは、正義王(ラトゥ・アディル)の観念が広まっていた。正義王とは、乱れた世に人々が苦しんでいる時に出現し、正義と繁栄をもたらす者のことである。ジョクジャカルタの王族だったディポヌゴロが起こした反乱も、この正義王の思想に基づくものであった。宮廷から距離をとった彼は、イスラームの教えに加えてジャワの古典文学に親しみ、聖域の巡礼と孤独な瞑想の生活を送っていた。神秘的な体験を経て自らが正義王だと自覚したディポヌゴロは、オランダの勢力拡大などに不満を抱く貴族・イスラーム指導者や大衆を率いてジャワ戦争(一八二五―三〇年)を起こした。反乱軍は、オランダの植民地当局やそれと結ぶジャワの権力者と戦い、鎮圧された(関本 一九九〇)。

スマトラ内陸部にオランダ支配が及んでくるのは、一九世紀後半になってからのことである。北スマトラのバタックの人々のところにも、ドイツ人の宣教師が入り込み、それに引き続いてオランダ政庁の影響力が強くなっていった。これに抵抗しようとして、神聖王シ・シンガ・マンガラジャ一二世の率いる反乱が、一八七八年に起こったが、まもなく鎮圧された。この戦いにも参加していた呪術師ソマラインは、新しい道を模索し始めた。呪術師は、神霊との交信によって力を得て、病気の治療や戦勝の祈願などのできる者として尊ばれていた。ソマラインは一八九〇年頃、イエスによって魂を天に導かれ、エホバ神から新たな教えを広めるように指示されたという。ただし、ソマラインが神から受けた教えの内実はキリスト教ではなく、バタックの人々の日常道徳律にほかならなかった。こうして興ったパルマリムという新興宗教は、ヨーロッパ人の力の源泉だとバタックの人々が感じていたキリスト教の権威を借りつつ、伝統的な価値観を保とうしたものと考えられる。そして、やがて時が来ればオランダ人は追放されると信じていたものの、それが実現されぬまま、一八九五年、ソマラインはオランダ政庁によって逮捕された(弘末 一九九〇)。

インドの社会・宗教改革運動

インドの社会・宗教改革運動(Socio-Religious Reform Movements)とは、社会の問題点を指摘する際に、その時点での宗教の在り方にその原因を見出して改革を進めようとする運動を、概括的に指す総称である。しばしば「本来の」宗教に立ち返れという主張がなされたが、要するにそれは教理の再解釈であった。

その代表的な一例が、ベンガルのイスラーム教徒によるファラーイジー運動である。その思想的淵源は、一八世紀デリーの学者シャー・ワリー・ウッラーにある。彼はムガル朝の衰勢のなか、イスラーム教徒の団結と本来のイスラームへの回帰を説いた。また、『クルアーン』をアラビア語からペルシア語に翻訳することで、多くの人々が学びやすくしたものの、正統派からの抗議を受けた。しかし、彼の息子は『クルアーン』のウルドゥー語版を作ることでさらに多くの人々が直接に読めるようにした。このようなインドのイスラーム復興の動きとアラビア半島のワッハーブ運動があいまって、一九世紀インドのイスラーム改革の思想的出発点となっていく(Jones 1989: 18-19)。

東ベンガル出身のシャリーアトゥラーは、メッカやカイロで学び、一八二〇年頃からベンガルで教えを説き始めた。シャリーアトゥラーの目から見て、当時のベンガルのイスラーム教徒は様々な俗信に染まっていたため、正しい信仰に戻さなければならなかった。そこで、このファラーイジー運動は、まずイスラーム教徒としての義務(ファラーイズ)を正しく実践することを求めたのである。そして、ムスリム農民の間の宗教運動は、ヒンドゥー教徒を多く含む地主との経済闘争や藍の加工場の焼き討ちなどの事件に発展した。また、イスラームを旗印にした別の教派も現れ、それらは時には互いに衝突しながらも、ベンガルのイスラーム教徒の信仰心をつかんでいった(*Ibid*.: 19-25)。

他方、インドの植民地化が進む過程で、欧米人との接触を通じて経済的・社会的な地位を固めた新しい階層が生まれた。これを中間層と呼ぶが、彼らは英語を学ぶことで、欧米の価値観を受け入れていった。ベンガルはインドのなかでもイギリスによる植民地化が早く進んだ地域であり、社会的・文化的な変容を経て社会・宗教改革運動も展開していった(中里 一九九八：三四四—三五〇頁、Jones 1989: 25-30)。

ベンガルのバラモンの家に生まれたラームモーハン・ローイは、インドの古典に加えてイスラーム教やキリスト教にも通じていた。彼は、ウパニシャッドなどの古代の経典に依拠してヒンドゥー教を再解釈し、唯一神ブラフマンを信仰すべきことを説いた。その立場から彼は当時のヒンドゥー教を批判した。それは本来のヒンドゥー教ではなく、堕落して多神教と偶像崇拝にまみれているというのである。これは、彼にとって不合理と感じられたヒンドゥーの社会制度を改革する運動にもつながる。ローイが特に取り組んだのは、夫に先立たれた妻は後を追って自殺すべきだとする寡婦殉死の慣習を禁止しようとする運動であった(中里 一九九八：三五一—三五六頁、臼田 二〇一三：一三八—一五七頁、Jones 1989: 30-33)。

ローイは一八二八年、ブラーフマ・サバーという結社を作り、宗教的実践の基盤とした。この結社は毎週土曜の晩に集会を開き、まずウパニシャッドから抜き出した文言をサンスクリット語で唱え、それをベンガル語に翻訳し、その後、ベンガル語での説教、神の讃歌と続いた(Jones 1989: 33)。これはイスラーム教の金曜礼拝を意識している点もあるかもしれないが、やはりキリスト教会の日曜礼拝を参考としたものであろう。当時、プロテスタントの宣教がベンガルでも本格化しており、ローイはそれに対抗しつつ、ヒンドゥー教の革新を図ったと考えられる。

この頃、カルカッタの西洋式教育機関であるヒンドゥー・カレッジを中心とした文化的急進派の動きもみられ、ヒンドゥー教を攻撃した。他方、ベンガルでヒンドゥーの宗教文化(ダルマ)を擁護しようとする人々はダルマ・サバーを結成した。ダルマ・サバーの人々はローイと対立していたが、実はイギリスの政庁との関係が深く、欧米の影響を受けた組織化や印刷による宣伝術を利用していた。このようにヒンドゥー「保守派」の出現すらもイギリス支配の所産であった。社会・宗教改革運動の展開は激しい論争を惹き起こしたが、その焦点は、欧米の文化をどの程度まで取り入れるべきかという相違にあったと考えられる(*Ibid.*: 29-30, 32-33)。

ボンベイやプネーを中心とするマハラーシュトラ地方でも、社会改革と宗教をめぐる対立が激化していった。そのなかでは、寡婦の再婚を禁じるヒンドゥー教の慣習が大きな争点となった。寡婦の再婚を奨励しようとする運動は、ヒンドゥー伝統文化を守ろうとする人々から厳しい反発を受けた。これは、カーストをめぐる社会関係とも深く結び付いていたため根深い問題であった(小谷 一九八六：三二一八六頁)。

このようなインドの社会・宗教改革運動は、その後のナショナリズムの形成において重要な歴史的前提を提供したと考えられる。なかでも、「本来の」イスラーム教やヒンドゥー教を志向する考え方は、その後のナショナリズム運動に複雑な影響を与えていくことになった。

洪秀全と太平天国

洪秀全《こうしゅうぜん》は一八一四年、広州から四五キロメートルほど離れた客家《はっか》人の村に生まれた。科挙のための勉学に励んだが、落第を重ね、生員《せいいん》(本格的な科挙受験ができる身分)になることはできなかった。ついに落第の衝撃で病に伏し、奇妙な夢を見た。後に彼が語ったところによれば、老人から剣を授けられたという。病から回復した後も、彼は落第を続けていたが、ある時、以前に試験のため広州に行った時にたまたま手に入れていた『勧世良言《かんせいりょうげん》』という小冊子を読んだ。実は、『勧世良言』は、プロテスタント宣教を目的としてキリスト教について平易に説明している本であった。洪秀全は、この新奇な内容と自分の見た不思議な夢を結び付け、自分は上帝から特別な使命を与えられたと考えた(夏 二〇〇六：九一二一頁)。

洪秀全は、布教をめざして広西省に赴いたり、広州で米国バプティスト教会の牧師のもとで学んだりした。洗礼を受けられなかった洪秀全は失意のうちに再び広西に行き、そこで教団の形成を進めた。実は洪秀全がいない間に、ある有力信徒には天父《てんぷ》である上帝(エホバ)が憑依し、別の有力信徒には天兄《てんけい》であるイエス・キリストが憑依するという現象が起こっており、洪秀全もこれらを真正のものと認めた。このような憑依現象は、欧米のキリスト教思想にはあまり見られないものであり、その意味では、この上帝会はキリスト教系の新興宗教としての独自性を持っていた。(6)

この教団は、地元の有力者との衝突の後、官府との対立を深めていき、一八五〇年末から翌年初めにかけてのいくつかの事件を経て、ついに蜂起するに至った。その後、この蜂起軍は、清朝と対決して太平天国という新しい国を建てることをめざすようになる。太平天国と清朝との闘いは、その後、太平天国が滅亡する一八六四年まで続く。

太平天国が勢力を拡大していく局面では、多くの民衆が入信していったと考えられる。後に太平天国を支える名将として活躍することになる李秀成《りしゅうせい》の回想によれば、「少しも教えに背くことはなく、ひたすら信仰したのは、ひとえに蛇や虎に襲われるのを恐れたからです」という。ここには、苦しい生活のなかで災厄から逃れようとして信仰を求めた人々の気持ちが示唆されていると言えるだろう。むろん、太平天国が行軍していく際には、地主などから食料などを徴発しながら移動しており、貧しい人々にとって太平軍に参加すること自体が一つの生きるすべだったということになる(吉澤 二〇一八：三一―三四頁)。

太平天国の教義については、外交官や宣教師をはじめとする欧米人の強い関心を引いた(夏 二〇〇六：二六六―二八八頁)。多くの欧米人は太平天国の宗教に戸惑いを覚え、また外国人を目下とみなす態度にも不満を感じていた。

太平天国については、かつての研究では、革命運動や民族運動の先駆としてのイデオロギー的な評価が行われてきたが、やはり、その宗教に即した議論を欠かすことはできない。近年、菊池秀明は、他者と見なした者を太平天国が激しく攻撃・排斥する特徴を持っていたことを指摘している(菊池 二〇二〇：二三八―二三九頁)。このような不寛容さの原因としては、多様な思想的・社会的な背景が考えられるが、やはり太平天国の信仰と深い関係があると見るのが妥当であろう。太平天国の宗教は、多くの人々を惹きつけると同時に、それを受け入れない人々をも含めた国家形成を失敗させる要因ともなったのである。

神意と救済

次に儒教・道教・仏教などを元に独自の展開を遂げた宗教活動について見ておこう。一九世紀、清朝の治下においては、扶乩《ふき》または扶鸞《ふらん》と呼ばれる儀礼が流行し、特に四川や台湾などで盛んであった。この儀式では、複数の者が丁の字の形をした棒を持ち、砂を入れた盤の上にその棒の先端を置くと、神の言葉が砂の上に記されるというのである。それを書きとってまとめた書物を鸞書《らんしょ》と呼ぶ。今日残されている鸞書には、当時の人々の宗教的な思想・感情が表現されている。なかには、家族倫理を否定し禁欲主義を徹底することで救済を求める立場もあった(武内 一九九〇)。

他方で四川の地域有力者の間では、善行を勧める神意を扶乩によって得たとする事例が多く見られた。そして、「劫《こう》」つまり世界の終わりが目前に迫りつつあるので、それを挽回するために弱者を救済するなどの善行を積み重ねることが急務だという発想を生み出した。善行が超自然的な影響を及ぼして世界の終わりを回避させるというのである。実際、四川で見られた様々な社会福祉事業の展開には、このような思想が大きく作用していたと考えられる(山田 一九九五：二一六―二五九頁)。

一九世紀後半には、キリスト教宣教師も中国で多様な救済活動を展開した。病を治療することを通じて福音を伝えようとする医療伝道はその典型的なものと言える(曺 二〇二〇)。特にプロテスタントの布教が盛んになった大きな要因は、一八―一九世紀の欧米を何度も席巻した大覚醒運動である。一九世紀後半に華北地域で活動したバプティスト派の宣教師ティモシー・リチャードの回想によれば、そのような信仰心の高まりは彼の郷里のウェールズにも及んで「不信心極まりない人々でさえ突如として心打ち砕かれて回心するようになった」という。そのなかで、子供だったリチャードも信仰を告白し、バプティスト教会に入信する儀礼を川で行った。またその後、説教を聴くうちに宣教師として海外に行くことを勧める声が聞こえたのだという（リチャード 二〇二〇：一四一一五頁）。

宣教師リチャードの活動としてよく知られているのが、一八七六ー七八年の華北で起こった大飢饉に対する救済である。彼は中国の開港場における外国人コミュニティーだけでなくイギリスからも資金を集めて救済事業を進めた。

これに対し、中国人の間にも寄付を集めて飢えた人々を助けようという動きが起こった。その中心となった経元善《けいげんぜん》という活動家は、上海の新聞で募金を呼びかけた。彼は旱魃《かんばつ》の被害の悲惨さを述べ「運命のめぐりあわせでこうなったとは言うけれど、実のところ人の情けが薄くなった結果なのです」と説明した。自分が被害を免れるためには他人を助けなければならない。「あなたが私に〔災害救済への募金を〕勧め、私があなたに勧めて、皆で一丸となれば、善の気が湧き上がって宇宙に充満する」と訴えた（『申報』一八七八年五月二七日）。この募金広告は、中国人の宗教的感情に訴えかけるよう巧みに書かれている。人が人を食うような地獄絵図は、実は人間の薄情さが天を動かしてもたらしたものであり、その終末的状況から自分が逃れたいと思うなら、寄付という善行を行え、とする示唆が含まれていた。

この飢饉救済活動は、中国人活動家たちが広域的な組織化を遂げていく重要な契機となったことが指摘されている（Rankin 1986: 142-147）。加えて見逃せないのが、そのような組織化の背景には、因果応報を説いて善を勧める宗教と救済の関連付けがあった点である。

四、一九世紀軍事革命の衝撃

奇兵隊の出現

一八六五年、徳川政権軍による攻撃が迫るなか、長州は防備を固めていた。情勢を長州で観察していた坂本竜馬は、高知の郷里に向けた書簡のなかで、次のように述べている。長州では、三〇〇人から四〇〇人を「一大隊《いちだいたい》」として、練兵が日々行われており、日本中を見ても同様のところはない。各地には、護胸壁《ごきょうへき》(銃弾を防ぐ壁)が設けられ、大きな道路には地雷がある。「西洋火術」は長州が得意とするところで、少し森があれば(それに隠れるようにして)野戦砲台がある(高知県立坂本龍馬記念館 二〇一八：九―一〇頁)。

坂本も船に乗り、下関方面での戦いで長州海軍を助けた。結果として長州を征伐しようとする徳川政権の企図が挫折した理由としては、薩摩の非協力など政治的な要因も大きいが、坂本が言うような長州の軍備の周到さも挙げるべきであろう。

しかし、長州がここに至るまでには痛い教訓を得ていた。一八六三年、長州は攘夷を実行するとして、下関海峡に設置した砲台群と外国から購入した軍艦などで、外国船を攻撃した。これに対してアメリカとフランスが報復し、長州の砲台や海軍は壊滅的な損害を受けた。しかし、フランス軍に一度は占領された砲台を長州は上下二段に改良し、外国船に脅威を与え続けた。そこで、英国公使オルコックらは攘夷論を一掃しようとして作戦を練り、一八六四年、英・仏・蘭・米による連合艦隊が長州を攻めた。長州は、その直前に京都で軍事作戦を展開するも敗退していたので本国の防備は手薄となっていた。また装備の面でも差があり、長州が旧式の銃砲を用いたのに対して、四国連合軍は施条(ライフル)式の新兵器を備えていた(保谷 二〇一〇：六五―七四、一九一―一九八頁)。このような戦いの経験を経て、長州は「西洋火術」の導入に努め、徳川軍と対峙できる軍事力を持つようになったと言える。

また軍事力の組織化についても、坂本竜馬が「一大隊」と呼ぶような独特の編成があった。その端緒は、右に述べた一八六三年の敗北に際し、高杉晋作が藩命に応じて組織した奇兵隊《きへいたい》にある。奇兵隊は、それまでの身分に基づいて編成された軍制とは一線を画して、「有志の者」の集まりとして構想された(田中 一九八五：一八―三二頁)。その後、奇兵隊に倣って様々な隊が作られていった。奇兵隊は、装備としては銃だけではなく弓矢も用いており、また剣術の稽古も行っていたので、純然たる洋式の軍隊というわけではない。しかし、銃や大砲の訓練を重んじていたことから、最新の兵器を使えるように努力していたと言える。

来るべき徳川政権との対決に備えて長州藩の軍制改革を担当していたのが、大村益次郎である。既存の家臣団による部隊編成は解体され、新たに銃隊が組織された。ミニエー銃などの施条式小銃の導入も進んだ。大村は自らが翻訳した西洋式戦術書に基づいて、徳川方の進撃に備える作戦を展開していった(竹本 二〇二二：一九九―二六六頁)。

実のところ、この時代は軍事をめぐる技術が大きく変化し、アジアの各地でそれへの対応が試みられていた。それは、従来の軍制を揺るがすものであり、特に武士が支配階層を構成した徳川時代の日本では大きな社会変動をもたらさずにおかなかったのである。

技術の革新

一九世紀は銃や大砲の技術が大きく変化していった時代である。大まかに言えば、砲身の内側が平滑な滑腔《かっこう》式から施条式への移行である。施条というのは英語でライフリングと呼ばれる技術であり、銃砲の砲身の内側に螺旋《らせん》のような刻み目を入れる。発射された弾は砲身に密着して回転しながら飛び出していく。こうすることで命中度を高め、また火薬の爆発力を生かして射程距離を延ばすことができる。

またこれとも関係するが、銃や大砲は前装式(発射口から弾を装塡する方式)から後装式(発射口と反対側から弾を装塡する方式)に移行していった。一度発射した後、再び弾を込めるのは、後装式の方が容易となっている。一八世紀終わりの時点で、日本では火縄銃が一般的であったのに対して、欧米では銃の着火の際に火打石を用いるマスケット銃が普及していた。その後、一九世紀に生じた画期的な技術革新は、点火を容易で確実にする撃鉄《げきてつ》の発明である(ヘッドリク 一九八九：九七―一二二頁)。

こうして一九世紀半ばには、新しい型の銃や大砲が次々と登場し、それが戦争の帰趨を左右するようになった。またクリミア戦争やアメリカ内戦(南北戦争)が終結すると、もはや型落ちとなった兵器が大量に国際市場で流通した。坂本竜馬が長州のために入手した兵器のなかには、そのような由来を持つものも含まれていたと考えられる。

欧米と東アジアとの軍事技術に大きな格差が生じた理由は何だろうか。一六世紀にヨーロッパの銃や大砲を導入した明朝や戦国時代の日本は、戦争に勝つ必要性から急速に火器の技術を高めていった。一七世紀初めの時点では、銃砲の技術水準に東西の相違はあまりなかったと考えられる。しかし、一八世紀そして一九世紀初めまでの東アジアはおおむね平和を享受しており、戦乱に明け暮れたヨーロッパや北米とは大きく異なる環境にあった(Andrade 2016)。確かに、一八世紀にも清とジューンガルの抗争のような国家の興亡をかけた大規模な戦いはあったものの、主に騎兵戦なので、歩兵の鉄砲隊の布陣や攻城戦での大砲の使用といった機会は少なく、銃砲の技術向上を大きく促進することはなかったと考えられる。そして、平和な時代にあって軍事技術に関心が向かないのは自然のなりゆきであろう。

さて、銃砲のほかに重要な技術上の新機軸としては、蒸気船がある。一八五三年、浦賀に来航したペリーの艦隊に汽船が含まれていたことが、日本人に強い印象を与えた。当時の米国海軍が汽船を主力としていたわけではないから、ペリーは最新鋭の特殊な艦船を用いたことになる。

これより以前、ナポレオン戦争やそれに関係する米英戦争(一八一二―一四年)では、海戦は帆船の軍艦どうしの戦いであった。その後も一九世紀前半の汽船は規模が小さく、また推進装置が船の横側で回転する外輪船であるため砲撃で壊されやすいという弱点を抱えていた。搭載できる大砲の数も限られていた。ウィーン会議以降は三〇年以上も欧米諸国相互の本格海戦はなかったが、かりにあったとしても蒸気船の出る幕はなかったであろう。

しかし、アジアでは事情が違った。一八二三年にカルカッタで建造された木造汽船ダイアナ号は、第一次英緬戦争(一八二四―二六年)に参加した。この船はほかの二隻の汽船とともにエーヤーワディー河を遡り、コンバウン朝の王都アヴァに迫った。このような軍事作戦の結果としてビルマ側は屈服した(ヘッドリク 一九八九:二一―二二頁、横井 一九八八：二七―二八頁）。この事例では、イギリス軍が内陸の上ビルマに兵を進めるためには、河川を遡行できる汽船が極めて有効であったことがわかる。

英・清のアヘン戦争においては、東インド会社の鉄製汽船ネメシス号が大きな役割を果たしたことが知られている。帆走もできる外輪船ネメシス号が備える兵器は、三二ポンド旋回砲二門などであり、当時の大型帆船軍艦に比べれば大したものではない。しかし、アヘン戦争でイギリス軍にとって必要とされた作戦は、珠江《しゅこう》などの河口付近の複雑な地形をぬって巧みに艦隊を進めるというものであり、ネメシス号は帆走軍艦を先導したり曳航したりするという重要な役割を担った。アヘン戦争は、英国軍が長江を遡って鎮江《ちんこう》（大運河の入り口にある都市）を占領したことで勝敗が決まった。このような進軍は、ネメシス号を含む汽船がなければ困難であった（ヘッドリク 一九八九：五一―六八頁、横井 一九八八：六四―七七頁）。

その後、外輪船ではなくスクリュー式の汽船も登場する。初期の汽船のなかには、石炭を節約するため帆を持つものも多かった。それでも、一九世紀後半になると次第に帆船から汽船へと主流が移っていった。

セポイの蜂起

セポイとは、東インド会社に雇われていたインド人兵士を指す[7]。一八五七年五月、インド北部のメーラトに駐屯していたセポイたちがイギリス人将校を殺害して蜂起したことから、大規模な反乱が始まった。かつては「セポイの反乱」と呼ばれていたが、今日では、インドの広汎な地域と人々による反英闘争であるという視点を強調するため、「インド大反乱」と称するのが普通である。

この大反乱はムガル皇帝を指導者として仰ぎ、その居所であるデリーを中枢としたことに大きな特徴がある。インド大反乱は、その時点でのイギリス支配に対する多様な不満を原因としていた。例えば、インドの旧支配層は、イギリス統治の拡大によって権限や収入を奪われることに強く反発していた。他方、農村ではイギリスによる徴税が重い負担となっていた。一つの原因ではなく、インドの様々な人々の怒りが、反乱の急速な拡大をもたらしたのである。反乱軍の足並みがそろわなかったこともあり、まもなくこの反英闘争は鎮圧されていった。その後、インドは東インド会社の統治からイギリス政府の直接支配に移管され、植民地統治も新たな段階に入っていった(中里 一九九八：三八三－四〇九頁)。

そのようなインド大反乱の大きな歴史的意味を踏まえながらも、ここでは当初のセポイの蜂起について注目してみたい。それまでイギリスのために働いていたセポイたちが反乱に立ち上がったのはなぜだろうか。

イギリスがインドで勢力を拡大するにあたって、セポイの果たした役割は大きかった。東インド会社の陸上兵力は、イギリス人将校によって指揮されていたが、兵士の多数を占めたのがセポイであった。北インドを掌握したベンガル軍では、近隣の農村から地主階層出身者を兵士として雇用することが多かった。おそらく募集の時に用いられた伝手《つて》の関係もあって、ベンガル軍のセポイには、バラモン、ブーミハール、ラージプートといった高位カーストの者が多かった。見方を変えれば、このような軍務を通じてブーミハールやラージプートの人々は、高位カーストとしての地位を確立していったとも言える(Wagner 2014: 33-34)。

東インド会社も、このようなセポイたちの自尊心に配慮する姿勢を示していたが、しかし軍務の実態に照らして、その姿勢と矛盾する施策が導入されることもあった。帽子などの軍装の変更や第一次英緬戦争などによる海外派兵の問題である。後者について言えば、船に乗ることで高位カーストの者に課せられた禁忌を破る可能性があり、セポイは拒否しようとした。また、軍装の変更や海外派兵が警戒されたのは、イギリス人がセポイをキリスト教徒に改宗させようとする陰謀を持っているのではないかという疑心暗鬼の心理が大きく関係していた。こうして、一九世紀半ばまでには、セポイたちとイギリス人将校の間の信頼感は失われつつあり、セポイが命令に抵抗したり反逆したりする事例も見られるようになった(*Ibid.*: 35-43)。

イギリス人が高位カーストの禁忌を犯すように仕向けているという疑念は、エンフィールド銃の導入をめぐる流言にも示されていた。それまでベンガル軍の歩兵が用いていた銃は主に、滑腔式のマスケット銃であった(点火に撃鉄を用いた一九世紀前半の技術による銃である)。一方、一八五三年型エンフィールド銃は最新式のライフル銃である。その特徴は火薬と弾丸が一つの薬包(カートリッジ)に入っている点にあり、装塡の際には薬包を嚙み破り、それを銃口から詰め込むのである。ライフルで最も肝心な点は、銃身の内側と弾丸とがぴったり合っていることであり、滑らかに装塡できるように、エンフィールド銃の薬包のうち弾丸に近い部分には油脂が塗られていた。この潤滑油に、牛や豚の油脂が用いられているという流言が、ベンガル軍セポイの間で広がったのである。これらの獣脂は高位ヒンドゥーに対して穢《けが》れをもたらすとして忌避されるものであった(*Ibid.*: 27-32)。

獣脂がヒンドゥーの禁忌に触れること、そしてムスリムが豚を不浄としていることはイギリス人将校も理解しており、牛や豚に由来する潤滑油を用いないようにする配慮がなされた。しかしそのことは必ずしもセポイに理解してもらえず、メーラト駐屯軍においてエンフィールド銃を拒否したセポイが処罰されたことを契機として、ついに反乱が起こった。

このような経緯を見ると、セポイの蜂起の原因は、イギリス人支配者に対する不満が醸成されていたことにあったと言える。セポイの出身地はイギリスの直接の支配のもとに置かれるようになっていった。またインド人兵士の待遇も変わり、それまで北インドの特定の高位カーストに依拠してきたベンガル軍の運用において、もはやカーストの誇りは従来通りに尊重されるとは限らなくなった。新しい装備の導入や遠方への派兵は、一九世紀の軍事情勢のなかで避けがたいものになっていった。獣脂の潤滑油をめぐる疑心暗鬼は、そのような状況のなかで生じたのであった。

インド大反乱の鎮圧後、イギリスにとってインド軍の再編は急務となった。軍のなかで、インド人の数はヨーロッパ人の二倍を超えないことが原則とされた。また、インド人兵士もパンジャーブのシク教徒やネパールのグルカといった人々から多く採用されるようになった。こうして再建されたインド軍は、世界各地に派遣されてイギリスの帝国主義的な政策を支えることになった(Bose and Jalal 2018: 84-87)。

オスマン帝国とイランの軍制改革

一七八九年にオスマン帝国スルタンに即位したセリム三世にとって、ロシアなどの外敵に備えるための軍隊の改革は急務であった。それまで軍事力の中核となっていたイェニチェリは世襲化が進み、経済力を確保したり同業団体を掌握したりしていた。しかも、都市民と結びつくことで、世論を代弁する役割も果たした。スルタンから見れば、イェニチェリは対外的な軍事力としてはあまり役に立たないとはいえ、彼らの既得権益に手を付けると歯向かってくる面倒な存在となっていたのである。セリム三世はニザーム・ジェディード(新秩序)と称する西洋式歩兵部隊を創設した(新井 二〇〇一：二二―二九頁、小笠原 二〇一八：二一一―二一六頁、Hanioglu 2008: 43-45)。

この点も含む改革の試みは、反対派によって挫折させられ、一八〇七年にセリム三世は廃位の憂き目に遭った。セリム三世の政策は、イスラームに反するものと法学者たちから批判された側面もある。しかし、ニザーム・ジェディード軍には、イスラームに基づく精神教化も施されており、むしろ党派対立が改革を頓挫させたと見ることもできる(小笠原 二〇一八：二一六―二二〇頁)。

セリム三世の退位をめぐる混乱の後に即位したマフムト二世は、慎重に機会をうかがい、一八二六年、ついにイェニチェリを討滅することに成功した。それに代わってムハンマド常勝軍を創設し、総司令官(セラスケル)を設けて指揮系統の一元化を図り、それとは別に近衛軍団を再編した(新井 二〇〇一：三四―三七頁)。

一八三九年、マフムト二世が死去すると、タンズィマート改革が始まった。一八四三年、軍隊法が出されて、ムハンマド常勝軍と近衛軍団の二元制が解消され、地方の正規軍団も組織された。また、徴兵制も導入され始めたが、イスラーム教徒だけでなくキリスト教徒なども兵役の対象としていくことは難しかった(鈴木 一九八九)。このような軍制改革は、クリミア戦争以降の対ロシア戦で真価を問われることになるが、ロシアも強国化の道を歩んでいたので、オスマン軍にとっては厳しい時代が続いた。

イランにおいても軍制改革は、大きな政治課題となっていた。カージャール朝の軍事力は、各地の部族の騎兵に大きく頼っていた。また、一九世紀に入ると、北からロシアの脅威が及んできた。このようななかで王朝を支える新しい軍隊の編成が試みられることになった。

それを最初に主導したのは、皇子アッバース・ミールザーであった。彼は、アゼルバイジャン州の総督として、対ロシア防衛の責任を負っていた。アッバース・ミールザーは、結果としては二度にわたるロシアとの戦争に敗れたものの、その戦争遂行の過程でイギリスから援助を得て軍備の強化に努めた。英領インドからマスケット銃などの供与を受け、歩兵部隊(サルバーズ)を編成したのである。歩兵たちは、赤いジャケット、青いズボン、長靴といった西洋風の制服を身に着けていた(小澤 二〇一三、Amanat 2017: 194-199)。

この新式歩兵部隊は、オスマン軍との戦争のほか、イラン西北方面におけるトルクメン部族などへの征討作戦などに活用された。そして、アッバース・ミールザーの死後しばらくして息子モハンマド・シャーが即位すると、サルバースはシャー直属の中央軍となったのである(小澤 二〇一三、Amanat 2017: 216-220)。このように西洋に倣った兵制改革は、カージャール朝の政権を支える軍事力を創出したことになる。

他方で、新型の火器の流通は地方勢力の武力を強化する場合もあった。一九世紀の半ば以降に火器の技術革新が急速に進むと、オスマン軍も対応を迫られることになった。一八七七年から翌年にかけてのロシアとの戦争は、バルカン半島の民族問題に由来して起こった。オスマン軍は米国製のマルティニ=ピーボディ銃を備えていた。これは後装式のライフル銃であり、当時のイギリス軍の制式銃であるマルティニ＝ヘンリー銃とおおむね同類と言える。

この新鋭のマルティニ＝ピーボディ銃は、オスマン帝国とロシアとの戦争が終わった後、正規軍以外に流出していった。これはオスマン軍が味方のクルド系部族に供与したり、ロシア軍が鹵獲《ろかく》したりするなどの経路によって、拡散したものと考えられる。これによって、オスマン帝国とカージャール朝の国境附近で非正規軍を掌握している地方勢力が、無視できない軍事力を持つようになった（小澤 二〇一六）。このような状況は、その後の第一次世界大戦期の動向にまで影響を及ぼしていったと考えられる。

忠誠と反逆

軍隊をどのように統制するかは、政権にとって怠ることのできない課題と言える。一九〇八年の青年トルコ革命、一九一一年の武昌蜂起に始まる辛亥革命においては、軍が中央政府から離反したことが重大な結果をもたらした。オスマン帝国や清朝では、対外的な軍事的劣勢をはねかえすという使命が、軍人に委ねられていた。将校たちのなかには、広い視野から自国の状況を把握し、国政のありかたに疑問を持つ者もいた。

一九世紀末のオスマン帝国では、スルタンの専制が広汎な人々の不満を惹き起こしていた。しかし不満の中身は様々であった。アブデュルハミト二世は自らに忠誠を誓う官僚を高位につけたが、そのような人事は不公正だとエリート層や下級官吏は感じていた。また、アブデュルハミト二世は、ムスリムの連帯を説く姿勢を示したものの、一方ではイスラーム法学者たちの政権批判を恐れて、彼らを抑圧した（Hanioğlu 2008: 129-140, 144-145）。

専制体制を批判する政治運動の起源は、一八八九年に軍医学校の学生が結成した「オスマンの統一」にある。その後、「統一と進歩委員会」が作られ、その傘下でアブデュルハミト二世に反対する様々な組織が活動した（新井 二〇〇一：一〇六―一一〇頁、Hanioğlu 2008: 145）。これらの活動家を総称して、今日の研究者は青年トルコ人と呼ぶ。

将校のなかにも青年トルコ人の影響が及んできた。後にトルコ共和国の建国者となるムスタファ・ケマルもその一人と言える。彼は、イスタンブルの士官学校の卒業生である。士官学校はオスマン帝国で最も威信のある学校の一つであり、軍事に関する科学やヨーロッパ諸言語などを教えていた。また、この士官学校では、かつてドイツの軍事理論家コルマール・フォン・デア・ゴルツが教鞭を執り、国民を導く軍事エリートという理念をもたらした。しかし、アブデュルハミト二世は、自らに従順な将校を優遇する人事方針を採っていたので、自己の能力に自信を持ち軍人としての使命感を強めた将校たちから不評を買っていた。こうして、青年トルコ人の運動はムスタファ・ケマルを含む若手将校を惹きつけていった(ハーニオール 二〇二〇：三一―四〇頁)。

一九〇八年、マケドニアに駐屯していたオスマン帝国第三軍が、反旗を翻した。マケドニアに関して英・露の取り決めがなされたという不正確な情報が届いたこと、そして「統一と進歩委員会」の活動がスルタンの密偵によって暴かれそうになったことが契機となった。旗揚げの目的はオスマン帝国を掌握して崩壊から救うという点にあり、「革命」という言い方が適切かどうかは議論の余地がある。ともあれ、反乱軍は勢いを拡大し、これに圧倒されたアブデュルハミト二世はミドハト憲法を再び有効とした(Hanioğlu 2008: 140, 148-149)。

しかし、政情の不安定は続いた。一九〇九年、今度は「統一と進歩委員会」の勢威に対する反感から、イスタンブルで兵士たちが蜂起したが、まもなく鎮圧された。こうして、ついにアブデュルハミト二世が退位するに至った(新井 二〇〇一：一一三―一二一頁)。

ミドハト憲法の回復は、国民として兵役を平等に負担すべきだという意見を強めた。それまで、事実上、徴兵されるのはムスリムに限定されていて、各派キリスト教徒などの非ムスリムは代替税を納めることになっていた。これに対し、一九〇九年、議会の審議を経て、非ムスリムの兵役義務を規定する法案が可決されたのである。とはいえ、ギリシア正教徒の指導者のなかからは、兵士となった信徒のための従軍司祭の設置、礼拝場所の確保などの要求が出されていた。さらに進んで、キリスト教徒から成る部隊を編成すべきだとする意見もあった。兵役の平等という課題は、慎重に扱わないと、国民統合と宗教・民族をめぐる矛盾を表面化させかねない難問であった(藤波 二〇一一：一四五—一五〇頁)。立憲制の枠組みでこれを調整していく可能性はあったかもしれないが、オスマン帝国がこの時代に諸外国から受けていた圧力・介入のなかではその矛盾の解消はできないままであった。

以上のように、タンズィマート期からアブデュルハミト二世の治世にかけて、国防のために誇りを持った新たな軍人グループを生み出したことは、結果として、青年トルコ革命をもたらした。新規の軍事改革が革命の歴史的前提となった点は、清朝においても見出すことができる。日清戦争における敗北後、清朝は軍制改革に取り組まざるを得なかった。義和団の戦乱が収まった後、天津を拠点とする袁世凱《えんせいがい》と武昌に駐在する張之洞《ちょうしどう》は、ともに有力な地方官として、欧米・日本の制度に倣った兵制改革を進めた。こうして誕生したのが新軍である。

新軍は、折しも科挙廃止に際して新たな進路として軍人となることを選んだ若い男性を惹きつけた。軍人は国を支える重要な存在であるという新しい価値観も登場した。しかし、その守るべき国とは、本当に清朝なのだろうか。

このような軍人の自問を、自派の宣伝に利用したのが、清朝の打倒をめざす革命派である。一九一〇年、革命派の宣伝雑誌に掲載された文章は、「およそ軍人たる者、その天職とは何か知るべきだ。政府の命令に盲従し、上官の命令に盲従するのは、その職務に反する」と断定し、満洲人政権のために民衆を抑圧すべきではないと呼びかけた。胡《こ》漢民《かんみん》が書いたこの文章は「トルコ革命に際して我が国の軍人に告ぐ」と題され、一九〇八—〇九年の青年トルコ革命の経緯について相当に詳しく説明している(『民報』二五号、一九一〇年)。この文章が実際に新軍の内部に革命思想を拡げるのに効果があったのかは、疑問の余地がある。とはいえ、この胡漢民の煽動文は、青年トルコ革命において救国を志向する将校たちが果たした役割を念頭に置きつつ、軍人の忠誠対象とは何かを問いかける鋭さを持っている。

おわりに

一九世紀末、世界の一体化は、新しい段階に進もうとしていた。人・物・情報が大洋や大陸を越えて行き交い、欧米社会の先進性が広く喧伝され、軍隊など統治に関する制度は世界中で類似したものへと変わりつつあった。

そのなかからアジアという自己意識も生まれた。岡倉天心は「アジアは一つ」と主張した。オスマン帝国の軍人ムスタファ・ケマルは日露戦争における日本軍の成功を模範にしようとしていた（ハーニオール 二〇二〇：七〇頁）。清の打倒をめざす章炳麟《しょうへいりん》は、アジアの被抑圧民族の団結を訴えつつ、インドの民族運動に注目していた。そして、南アフリカでイギリスの政策に対する抵抗を華人労働者に呼びかけたインド人弁護士を称賛した（『民報』一七号、一九〇七年）。これは、ガーンディーについての中国語による最初の紹介であろう（近藤 二〇〇六：二二六頁）。

しかし、このような事例をいくら積み重ねても、アジアが本当に一つのまとまった統一体であったという証明にはならない。欧米の覇権のもとにあって、それに抵抗する原理を模索するなかでアジアをめぐる想像力が喚起されることもあった。しかし、岡倉が『東洋の理想』を英語で書いてロンドンで出版したように、「アジアは一つ」という主張すら、アジア内で自己完結することはできなかった。

アジアに限らない世界に対する知識人の視野の拡大のなかで、本格的なナショナリズム運動が生じてくる。歴史家ベネディクト・アンダーソンによれば、一九世紀の最後の二〇年間におけるグローバル化の動向こそがナショナリズムの興起をもたらしたという。すなわち、ナショナリズムは国際主義と切り離すことはできない。特にアンダーソンは世界各地でアナーキズムが果たした役割を強調する（アンダーソン 二〇一二）。

ここで言うアナーキズムを狭く理解する必要はない。広義の社会主義も含めて、抑圧のない本来の人間性を回復しようとする運動は、一九世紀末の欧米でも様々に試みられた。菜食主義もその一つである。一八八八年、ガーンディーは法律学を修めるためロンドンに留学した。出発前、彼は肉食しないことを母に誓った。イギリスでの生活のなかで、肉を食べないで過ごせるか否か、岐路に立たされたガーンディーは、菜食レストランを見つけて喜んだ。その店ではヘンリ・ソルトの『菜食主義の訴え』という本も売っていた。ガーンディーは、この本を熟読し、菜食主義を心より信奉するようになったのである(ガーンディー 二〇〇〇：八五―八六、九七―一〇一頁)。

ソルトは、農村生活を理想とする社会改革を訴えたイギリスの運動家である。ガーンディーはインドのカースト規制を意識して母と約束したのであろうが、イギリスに来てから菜食主義のなかに深い思想的意味を見出した。また彼は、インドの古典『バガヴァドギーター』の価値についても、イギリスで開眼することになった。このような複雑な模索過程を経て、各国のナショナリズムが形成され、二〇世紀アジアの歴史を形作っていくことになる。

注

（1） むろん、ハーニオールの通史は、その前後の時代を含んでいる。なお、オスマン朝の滅亡は一九二二年である。

（2） オスマン朝またはオスマン帝国といった言い方は、日本での慣習に基づくものであり、それにぴたりと該当する原語が存在するわけではない(小笠原 二〇一八：二一七頁)。

（3） 闍婆は三仏斉《さんぶっせい》と覇を競った南海の一大勢力である。闍婆は北宋に朝貢したが、その後は史籍に見えないと潘輝注は述べる。これは彼の知識が漢籍に基づいていたことを示唆するが、朝貢の年代など細部は『諸蕃志』『宋史』の記述と食い違っている。

（4） この巡礼記『朝覲途記《ちょうきんとき》』は、馬徳新が(おそらくアラビア語で)記した原本を、弟子の馬安礼が漢文に訳したものである。清代の木刻本(『回族典蔵全書』所収)では、固有名詞をアラビア文字で表記した後、漢字で転写している。ここでは注釈者である納国昌《のうこくしょう》の比定に従った。なお本書題名の「朝覲」はメッカ巡礼を意味する。

（5） アヘンの産地はインドだけでなく、オスマン帝国領のアナトリアからアメリカ商人が中国へと密輸していた(松井 一九九八)。

（6） かつては、この教団を「拝上帝会」と呼ぶ学説があったが、今日では「上帝会」とする考えが有力となっている（夏 二〇〇六：三〇―三五頁）。「拝上帝会」という言葉も史料に見えるが、「上帝会を拝す（信仰する）」の意味であろう。

（7） 英語の sepoy という言葉は、ヒンドゥスターニー語のスィパーヒーに由来している。さらに元をたどればペルシア語が起源と考えられるが、おそらく同じ語源を持つオスマン帝国のスィパーヒーは土地の徴税権を与えられる騎士を主に指すので、性格が大きく異なる。本章では、イギリス東インド会社に雇われたインド人兵士であることを明示するという観点から、英語名称 sepoy の日本語慣用表記であるセポイを用いることにする。

参考文献

新井政美（二〇〇一）『トルコ近現代史——イスラム国家から国民国家へ』みすず書房。

アンダーソン、ベネディクト（二〇一二）『三つの旗のもとに——アナーキズムと反植民地主義的想像力』山本信人訳、NTT出版。

池端雪浦（一九八七）『フィリピン革命とカトリシズム』勁草書房。

イレート、レイナルド・C（二〇〇五）『キリスト受難詩と革命——一八四〇―一九一〇年のフィリピン民衆運動』川田牧人・宮脇聡史・高野邦夫訳、法政大学出版局。

岩城高広（二〇〇一）「コンバウン朝の成立——「ビルマ国家」の外延と内実」桜井由躬雄編『岩波講座 東南アジア史4 東南アジア近世国家群の展開』岩波書店。

上田信（一九九四）「中国における生態システムと山区経済——秦嶺山脈の事例から」溝口雄三はか編『アジアから考える6 長期社会変動』東京大学出版会。

上田信（二〇二〇）『人口の中国史——先史時代から一九世紀まで』岩波新書。

植村泰夫（二〇〇一）「一九世紀ジャワにおけるオランダ植民地国家の形成と地域把握」斎藤照子編『岩波講座 東南アジア史5 東南アジア世界の再編』岩波書店。

臼田雅之（二〇一三）『近代ベンガルにおけるナショナリズムと聖性』東海大学出版会。

エンゲルス（一九九〇）『イギリスにおける労働者階級の状態——一九世紀のロンドンとマンチェスター』一條和生・杉山忠平訳、岩波文庫。

太田淳（二〇一八）「東南アジアの海賊と「華人の世紀」」島田竜登編『一七八九年　自由を求める時代』〈歴史の転換期8〉、山川出版社。

岡倉天心（一九八〇）「東洋の理想──日本美術を中心として」『岡倉天心全集』一巻、平凡社。

小笠原弘幸（二〇一八）『オスマン帝国──繁栄と衰亡の六〇〇年史』中公新書。

岡本隆司（二〇一二）『ラザフォード・オルコック──東アジアと大英帝国』ウェッジ。

岡本隆司（二〇一七）『中国の誕生──東アジアの近代外交と国家形成』名古屋大学出版会。

小澤一郎（二〇一三）「一九世紀前半のイランとイギリス製小銃」『東洋学報』九五巻三号。

小澤一郎（二〇一六）「露土戦争（一八七七─七八）による小銃拡散と「武装化」──火器史の「近代」の解明に向けて」『日本中東学会年報』三二巻一号。

糟谷憲一（二〇一七）「朝鮮の開国と開化」李成市・宮嶋博史・糟谷憲一編『世界歴史大系　朝鮮史2　近現代』山川出版社。

金井圓（一九八六）『日蘭交渉史の研究』思文閣出版。

川村朋貴（二〇二〇）『扉の向こうの帝国──「イースタン・バンク」発生史論』ナカニシヤ出版。

神田さやこ（二〇一二）「一九世紀前半のインド経済──「過渡期」をめぐる研究動向」社会経済史学会編『社会経済史学の課題と展望』有斐閣。

ガーンディー（二〇〇〇）『ガーンディー自叙伝1──真理へと近づくさまざまな実験』田中敏雄訳、平凡社。

菊池秀明（二〇二〇）『太平天国──皇帝なき中国の挫折』岩波新書。

木越義則（二〇一二）『近代中国と広域市場圏──海関統計によるマクロ的アプローチ』京都大学学術出版会。

高知県立坂本龍馬記念館（二〇一八）『土佐に遺された龍馬の「志」──国家之御為日夜尽力罷在候』高知県立坂本龍馬記念館。

小谷汪之（一九八六）『大地の子（ブーミ・プトラ）──インドの近代における抵抗と背理』東京大学出版会。

小林篤史（二〇一二）「一九世紀前半における東南アジア域内交易の成長──シンガポール・仲介商人の役割」『社会経済史学』七八巻三号。

近藤治（二〇〇六）『東洋人のインド観』汲古書院。

斎藤照子（二〇〇一）「近代への対応──一九世紀王朝ビルマの社会経済変化と改革思想」同編『岩波講座　東南アジア史5　東南ア

ジア世界の再編』岩波書店。

桜井由躬雄（一九九九）「ベトナム世界の形成」石井米雄・桜井由躬雄編『世界各国史5 東南アジア史1 大陸部』山川出版社。

佐々木紳（二〇一四）『オスマン憲政への道』東京大学出版会。

信夫清三郎（一九六八）『ラッフルズ伝——イギリス近代的植民政策の形成と東洋社会』平凡社。

嶋尾稔（二〇〇一a）「タイソン朝の成立」桜井由躬雄編『岩波講座 東南アジア史4 東南アジア近世国家群の展開』岩波書店。

嶋尾稔（二〇〇一b）「阮朝」斎藤照子編『岩波講座 東南アジア史5 東南アジア世界の再編』岩波書店。

曺貞恩（二〇二〇）『近代中国のプロテスタント医療伝道』研文出版。

新免康（一九九五）「ヤークーブ・ベグ」歴史学研究会編『講座世界史3 民族と国家——自覚と抵抗』東京大学出版会。

杉原薫（一九九六）『アジア間貿易の形成と構造』ミネルヴァ書房。

鈴木董（一九八九）「「近代軍」形成期のオスマン帝国における軍人と政治——一八二六—一九〇八年」『年報政治学』四〇巻。

関本照夫（一九九〇）「ジャワの正義王思想」柴田三千雄ほか編『シリーズ世界史への問い6 民衆文化』岩波書店。

武内房司（一九九〇）「清末四川の宗教運動——扶鸞・宣講型宗教結社の誕生」『学習院大学文学部研究年報』三七輯。

竹本知行（二〇二二）『大村益次郎——全国を以て一大刀と為す』ミネルヴァ書房。

田中彰（一九八五）『高杉晋作と奇兵隊』岩波新書。

ダニエルス、クリスチャン（二〇〇四）「雍正七年清朝によるシプソンパンナー王国の直轄地化について——タイ系民族王国を揺るがす山地民に関する一考察」『東洋史研究』六二巻四号。

谷口謙次（二〇一六）「一九世紀前半のインドにおける経済不況と貨幣供給——貴金属貿易と貨幣鋳造」『三田学会雑誌』一〇九巻三号。

趙景達（一九九八）『異端の民衆反乱——東学と甲午農民戦争』岩波書店。

月脚達彦（二〇〇九）『朝鮮開化思想とナショナリズム——近代朝鮮の形成』東京大学出版会。

坪井祐司（二〇一九）『ラッフルズ——海の東南アジア世界と「近代」』山川出版社。

坪井善明（一九九一）『近代ヴェトナム政治社会史——阮朝嗣徳帝統治下のヴェトナム 一八四七—一八八三』東京大学出版会。

ドゥーフ、H（二〇〇三）『ドゥーフ日本回想録』永積洋子訳、雄松堂出版。

豊岡康史・大橋厚子編（二〇一九）『銀の流通と中国・東南アジア』山川出版社。

トンチャイ・ウィニッチャクン（二〇〇三）『地図がつくったタイ――国民国家誕生の歴史』石井米雄訳、明石書店。

中里成章（一九八二）「ベンガル藍一揆をめぐって（一）――イギリス植民地主義とベンガル農民」『東洋文化研究所紀要』八三冊。

中里成章（一九九八）「英領インドの形成」佐藤正哲・中里成章・水島司『世界の歴史14　ムガル帝国から英領インドへ』中央公論社。

永田雄三（一九六九）「マフムート二世の中央集権化政策の一端――アーヤーン、デレベイ対策をめぐって」『オリエント』一二巻三・四号。

永積昭（一九八〇）『インドネシア民族意識の形成』東京大学出版会。

中西竜也（二〇一三）『中華と対話するイスラーム――一七―一九世紀中国ムスリムの思想的営為』京都大学学術出版会。

仁井田陞（一九四九）「東洋とは何か」仁井田陞ほか『世界の歴史3　東洋』毎日新聞社。

新村容子（一九八三）「清末四川省における局士の歴史的性格」『東洋学報』六四巻三・四号。

箱田恵子（二〇一二）『外交官の誕生――近代中国の対外態勢の変容と在外公館』名古屋大学出版会。

ハーニオール、M・シュクリュ（二〇二〇）『文明史から見たトルコ革命――アタテュルクの知的形成』柿崎正樹訳、みすず書房。

浜下武志（一九九〇）『近代中国の国際的契機――朝貢貿易システムと近代アジア』東京大学出版会。

弘末雅士（一九九〇）「バタック族の千年王国運動における預言者の役割――植民地支配者追放の観念の形成」『史学雑誌』九九巻一号。

藤波伸嘉（二〇一一）『オスマン帝国と立憲政――青年トルコ革命における政治、宗教、共同体』名古屋大学出版会。

ベイリ、C・A（二〇一八）『近代世界の誕生――グローバルな連関と比較　一七八〇―一九一四』平田雅博・吉田正広・細川道久訳、名古屋大学出版会。

ヘッドリク、D・R（一九八九）『帝国の手先――ヨーロッパ膨張と技術』原田勝正・多田博一・老川慶喜訳、日本経済評論社。

保谷徹（二〇一〇）『幕末日本と対外戦争の危機――下関戦争の舞台裏』吉川弘文館。

増田えりか（二〇二〇）「華人の時代」飯島明子・小泉順子編『世界歴史大系　タイ史』山川出版社。

松井真子（一九九八）「オスマン帝国の専売制と一八三八年通商条約――トルコ・アヘンの専売制（一八二八―一八三九年）を事例として」『社会経済史学』六四巻三号。

松浦静山（一九七七）『甲子夜話1』中村幸彦・中野三敏校訂、平凡社。

水島司（二〇〇七）「イギリス東インド会社のインド支配」小谷汪之編『世界歴史大系　南アジア史2　中世・近世』山川出版社。

宮嶋博史編（二〇二一）『原典朝鮮近代思想史1　伝統思想と近代の黎明——朝鮮王朝』岩波書店。

安丸良夫（一九七七）『出口なお』朝日新聞社。

柳澤悠（二〇一九）「植民地インドの経済——一八五八年–第一次世界大戦」長崎暢子編『世界歴史大系　南アジア史4　近代・現代』山川出版社。

山田賢（一九九五）『移住民の秩序——清代四川地域社会史研究』名古屋大学出版会。

山本博史（二〇〇一）「タイ砂糖産業」加納啓良編『岩波講座　東南アジア史6　植民地経済の繁栄と凋落』岩波書店。

横井勝彦（一九八八）『アジアの海の大英帝国——一九世紀海洋支配の構図』同文舘出版。

吉澤誠一郎（二〇一八）「危機のなかの清朝」小松久男編『一八六一年　改革と試練の時代』〈歴史の転換期9〉、山川出版社。

リチャード、ティモシー（二〇二〇）『中国伝道四五年——ティモシー・リチャード回想録』蒲豊彦・倉田明子監訳、平凡社。

ロイ、ティルタンカル（二〇一九）『インド経済史——古代から現代まで』水島司訳、名古屋大学出版会。

渡邊佳成（一九八七）「ボードーパヤー王の対外政策について——ビルマ・コンバウン朝の王権をめぐる一考察」『東洋史研究』四六巻三号。

渡邊佳成（二〇〇一）「コンバウン朝ビルマと「近代」世界」斎藤照子編『岩波講座　東南アジア史5　東南アジア世界の再編』岩波書店。

渡邊佳成（二〇〇三）「一八–一九世紀イギリスにとってのビルマ」『文化共生学研究』一号。

林満紅（二〇一一）『銀線——十九世紀的世界与中国』林満紅・詹慶華等訳、国立台湾大学出版中心。

馬徳新（一九八八）『朝覲途記』馬安礼訳、納国昌注釈、寧夏人民出版社。

夏春濤（二〇〇六）『天国的隕落——太平天国宗教再研究』中国人民大学出版社。

Amanat, Abbas (2017), *Iran: A Modern History*, New Haven, Yale University Press.

Andrade, Tonio (2016), *The Gunpowder Age: China, Military Innovation, and the Rise of the West in World History*, Princeton, Princeton University Press.

Bose, Sugata and Ayesha Jalal (2018), *Modern South Asia: History, Culture, Political Economy*, fourth edition, Abingdon, Oxon, Routledge.

Cooke, Nola (1997), "The Myth of the Restoration: Dang-trong Influences in the Spiritual Life of the Early Nguyen Dynasty (1802-47)", Anthony Reid (ed.), *The Last Stand of Asian Autonomies: Responses to Modernity in the Diverse States of Southeast Asia and Korea, 1750-1900*, Basingstoke, Macmillan Press.

Hanioğlu, M. Şükrü (2008), *A Brief History of the Late Ottoman Empire*, Princeton, Princeton University Press.

Jones, Kenneth W. (1989), *Socio-Religious Reform Movements in British India*, Cambridge, Cambridge University Press.

Legarda, Benito J., Jr. (1999), *After the Galleons: Foreign Trade, Economic Change and Entrepreneurship in the Nineteenth-century Philippines*, Quezon City, Ateneo de Manila University Press.

Lieberman, Victor (2003), *Strange Parallels: Southeast Asia in Global Context, c. 800-1830*, vol. 1: *Integration on the Mainland*, Cambridge, Cambridge University Press.

Paulès, Xavier (2011), *L'Opium : une passion chinoise: 1750-1950*, Paris, Payot.

Phan Huy Chú (1994), *Hải trình chí lược, Récit sommaire d'un voyage en mer (1833): un émissaire viêtnamien à Batavia*, traduit et présenté par Phan Huy Lê, Claudine Salmon et Tạ Trọng Hiệp, Paris, Association Archipel.

Polachek, James M. (1992), *The Inner Opium War*, Cambridge, Mass., Council on East Asian Studies, Harvard University.

Raffles, Sophia (1830), *Memoir of the Life and Public Services of Sir Thomas Stamford Raffles*, London, John Murray.

Rankin, Mary Backus (1986), *Elite Activism and Political Transformation in China: Zhejiang Province, 1865-1911*, Stanford, Stanford University Press.

Wagner, Kim A. (2014), *The Great Fear of 1857: Rumours, Conspiracies and the Making of the Indian Uprising*, Delhi, Dev.

Warren, James Francis (1981), *The Sulu Zone, 1768-1898: The Dynamics of External Trade, Slavery, and Ethnicity in the Transformation of a Southeast Asian Maritime State*, Singapore, Singapore University Press.

問題群 | *Inquiry*

問題群 | Inquiry

オスマン帝国の諸改革

秋葉 淳

一、改革の諸前提

オスマン帝国の一九世紀は改革の時代であった。一世紀間を通じて国家機構の改革が全面的に展開され、オスマン帝国は大きな変貌を遂げた。歴史研究者の間では、この一連の改革を「近代化」=「西洋化」の図式で捉えてその成否を問うアプローチに代わって、一九九〇年代以降、オスマン帝国を世界史的な同時性の中に置き、近代国家あるいは近代帝国の形成という観点から考察する傾向が主流化してきた(秋葉 二〇〇五)。さらに近年では、国家中心に偏りがちな視点に対する批判から、近代史における非国家的主体のエージェンシーや、改革がもたらした矛盾に焦点を当てる研究が増えつつある。

本章は、過去四半世紀の研究を踏まえつつ、また、近年の研究動向を意識しながらも、あくまで国家が主導した改革を検討することとし、一九世紀のオスマン帝国の諸改革について、地方統治の改革に焦点を当て、それがもたらした中央・地方関係の変化と地方社会へのインパクトを考察する。一八三九―七六年のタンズィマート時代に重点を置き、それに続くアブデュルハミト二世時代(以下「ハミト期」、ここでは即位から青年トルコ革命までの一八七六―一九〇八年とする)の展開も概観するという形をとる。

オスマン帝国の改革はタンズィマート時代に急に始まったわけではない。そもそもオスマン帝国は成立以来、変革、刷新を続けてきたが、新体制を構築することを企図した体系的な改革は一般的に、セリム三世(在位一七八九―一八〇七年)が一七九三年に始めたニザーム・ジェディード(新秩序)改革にその端緒が求められる。西洋式歩兵部隊の創設など軍事改革を中心とする企ては、イェニチェリ軍団の反乱(一八〇七年)によって頓挫するが、マフムト二世(在位一八〇八―三九年)は一八二六年に旧勢力を代表するイェニチェリ軍団を廃止に追い込み、新軍隊の編成と中央官僚機構の再編など多岐にわたる改革に着手した。それは多くの点でタンズィマートの先駆けとなるものであり、以下でも必要に応じてマフムト二世期から説明を始める。

一八世紀末のオスマン帝国領は、地方勢力であるアーヤーンによる割拠状態にあった。アーヤーンの台頭を促したのは、その軍事力のみならず徴税請負権であり、それは経済的基盤であると同時に権力基盤であった。彼らは、終身徴税請負権の下請け人となり、あるいは直接請負権を手に入れることにより、富を集積した。また、地方代官(ミュテセッリム)職やヴォイヴォダなどの徴税官職に任命されることで、徴税権を得るとともに実質的にその地域の支配者となった。アーヤーンはさらに一八世紀後半の対ロシア戦争に兵力供出などによって貢献した見返りに、州総督や県知事などの職を与えられ、各地で広域を支配下に収めた(永田 二〇〇九)。セリム三世の軍事改革における兵員や財源の確保にもアーヤーンの協力が不可欠であり、また、アーヤーンによって擁立されたマフムト二世は、即位時に彼らの地位や家系の存続を保障する「同盟の誓約」を結ぶことを余儀なくされた。

アラブ地域では、政府の派遣した軍人総督が任地で権力を伸長させてアーヤーン化するというパターンが見られたが、その最も強大な例がエジプト総督ムハンマド・アリー(総督位一八〇五―四八年)であった。彼は中央政府に先んじて近代軍の創設など改革を進め、シリアを占領するに至った。また、マフムト二世時代には、非ムスリム勢力の反乱

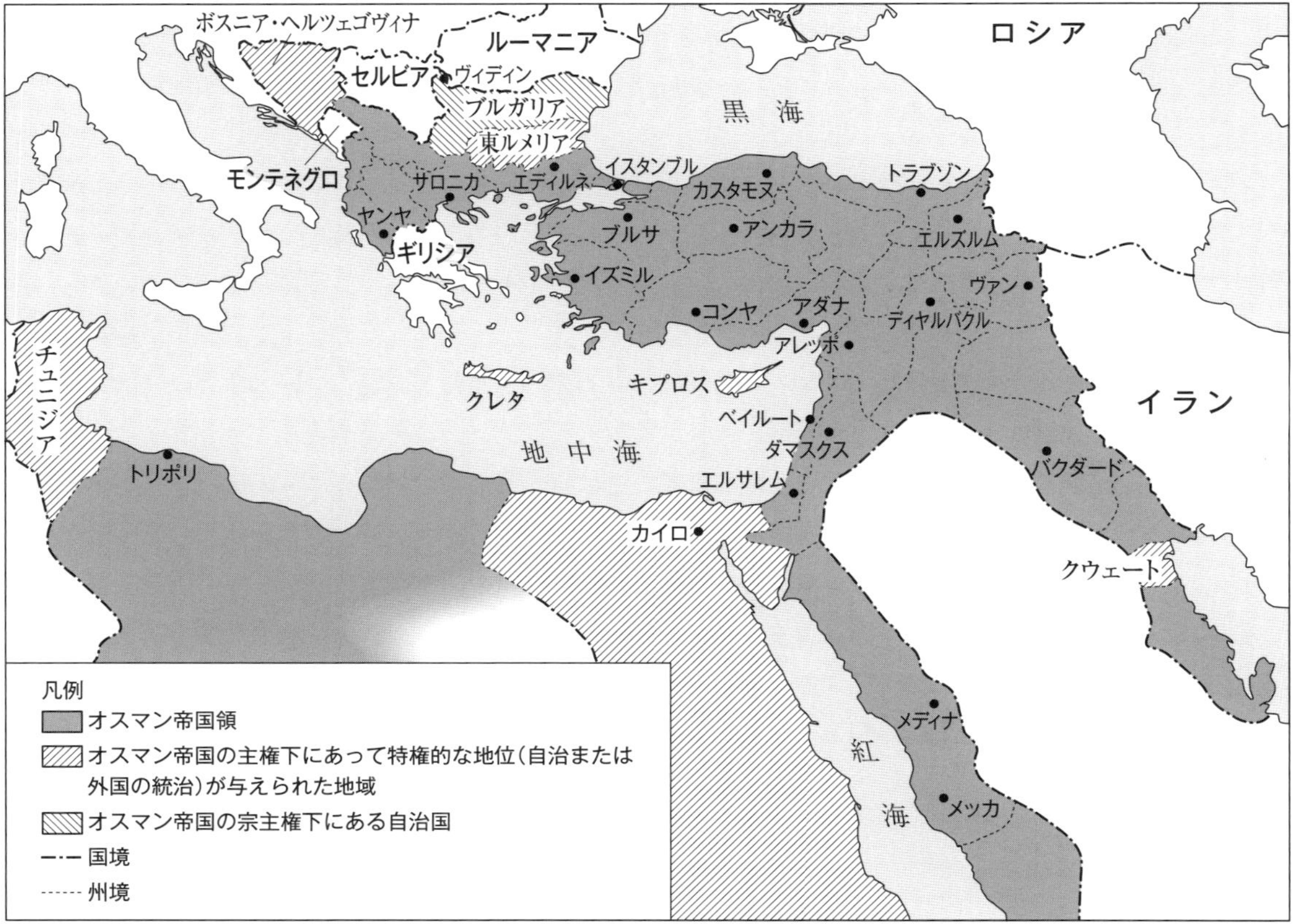

図1 1900年前後のオスマン帝国(出典：*Salname-i Nezaret-i Maarif-i Umumiye*, 4 (1319［1903-04］)巻末地図をもとに作成)

も生じ、ギリシアが独立し、セルビアにも自治権が与えられた。他方、ギリシア独立戦争やエジプト問題は、オスマン帝国に対するヨーロッパ諸国の干渉を招いた。外国の脅威は現実的であり、アルジェリアは一八三〇年にフランスに占領された。

一九世紀オスマン帝国の改革は、そのような地方勢力の離反と外国による干渉と侵略という内外の危機に対する応答であり、帝国に残された領土に対して中央の直接支配を確立し、領土の防衛と税収の確保をめざしたものであった。まず、身分的な(あるいは、社団的な)兵士集団とアーヤーンや地方官の私兵団から構成された軍隊から、徴兵に基づく統一的な常備軍への移行が進められ、その常備軍の維持と中央集権化のために、できるだけ中間勢力を排除して税源を中央の管理下に置くことが図られた。そして、兵力の増強と税収の増加のために国力を強化すること、すなわち人口の増加と国土の開発が求められた。それには国土と住民の状況を詳細に把握することが必要であり、それを通じて国家権力を地方社会に浸透させるとともに、国家に対する住民の服従や同意だけでなく、積極的な参加を引き出すことが目標とされた。そうした改革を実行するために、タンズィマート期のオスマン帝国政府は新しい方法を必要とした。それを代表するのが、法令、調査・登記、監視、評議会、視察、教育、定住であり、第二節ではこの七項目についてそれぞれ見ていく。

ただし、これらの周到な統治の方法を利用する前段階として、武力を用いた平定が行われたことも忘れてはならない。それもタンズィマートの一部であった。すでにマフムト二世は、アーヤーンを財産没収や官職の剝奪、武力による制圧などの手段で排除あるいは弱体化させ、また、在地化した軍人政権であるイラクのマムルーク軍人勢力やトリポリ(リビア)のカラマンル朝も滅ぼしていた。タンズィマート期に入るとオスマン帝国は、アルバニア、クルディスタン、キリキアなどを軍事力で平定し、直接支配を敷いた。クルディスタンでは一八四七年にベディルハーンの反乱を鎮圧し、一六世紀以来、クルド人の部族連合長に世襲的に県の支配権を与えてきた制度を廃止した(Ateş 2013)。政府はこれをクルディスタンの「再征服」と見なした(Çadırcı 1991: 194-195)。また、遊牧諸部族の支配によって国家権力の影響が及ばなかったキリキア地方(チュクロヴァ)に対して、政府は一八六五年に「改革師団」(Fırka-i Islâhiye)と名付けた近代的装備をもつ大規模な軍隊を派遣し、遊牧民を強制的に定住させ、最も強大な部族であったコザンオールを追放した(Gould 1976)。

二、タンズィマートの統治方法(一八三九—七六年)

法令

タンズィマートの開始を告げたギュルハーネ勅令において、君主もまた自ら法に反する行為をしないという宣誓を行い、法の支配が謳われた。勅令はまた、生命、名誉、財産の保障や財産没収の禁止、罪刑法定主義を強調したが、それには君主の恣意に対して官僚の地位を保障する狙いが込められていた。改革は大宰相、そして西欧諸国との交渉に携わる外務大臣を中心とする官僚層の主導で進められた。権力の中枢は大宰相府にあり、とりわけ最高評議会(Meclis-i Vala-yı Ahkâm-ı Adliye)は改革の根幹をなす数々の法令を制定した。改革は、いわば法令によって進められたのである。法令の文面とその施行は別問題であるが、法令こそが改革によって変化した第一のものであった。

一九世紀の法令は、それ以前と異なって、帝国全土に適用される画一的、統一的な性格を有していたことに特徴がある。法令は印刷され、官報(*Takvim-i Vekayi*)への掲載などを通じて全土に公布された。一八六三年以降、法令集(*Düstur*)が編纂され、出版されるようになった。政府は、タンズィマート初期の地方行政・税制改革や一八六〇年代の州制改革で典型的に見られたように、まず特定のモデル地域で改革を試行し、それを全土に広げていくという方法をとった。地方の慣行に合わせてそれぞれ異なる法や制度を適用するのではなく、帝国全体に画一的な制度を敷いて中央集権的な体制を確立することが改革の目標であった。

しかし、例えばレバノン山地やクレタ島の行政法のように、地域固有の法令も存在した。これらはキリスト教徒住民が多く、列強の介入を受けて自治的制度が適用された地域であり、その外側にはオスマン帝国法がほとんど施行されないエジプト、チュニジア、ワラキア・モルダヴィア公国、セルビア、サモスといった「特権州」(eyalat-ı mümtaze)が存在した(藤波 二〇一四)。特権という点では、非ムスリムの宗教共同体に従来与えられていた自治権は、一八五三年の勅令により特権(imtiyaz)として規定され、五六年の改革勅令でも確認された(Ueno 2016)。それを受けて各共同体の自治組織の制度を明文化した基本法(いわゆるミッレト憲法)がそれぞれ策定され、オスマン帝国の法令として公布された。

調査・登記

タフリール(tahrir)という語は、書き記すこと、記録することを意味するが、オスマン官僚制において、調査と帳簿への記録双方を表す用語として使われる。その代表例は、一五から一七世紀にかけて行われた租税調査であろう。これはティマール制度の根幹をなすもので、各地の担税人口と税目が調査され、租税台帳(tahrir defteri)に記録された。

一九世紀の改革の過程で行われた調査と登記は、より網羅的かつ詳細であり、住民個人を把握する目的で行われた。マフムト二世時代の一八三〇年から三一年にかけて、初の人口の一斉調査が実施された。この調査は、男性のみが対象で、調査地域はアラブ地域には及ばなかったが、徴税対象者だけでなく子どもを含む全男性人口を対象に調査した最初の試みであった。一八二六年のイェニチェリ廃止後に設立された新軍隊のための徴兵が調査の第一の目的で、非ムスリムについてはジズヤ(人頭税)徴収のために記録がとられた。徴兵対象でない幼児や高齢者の登録は、この人口調査が徴兵の長期的な継続を視野に入れていただけでなく、人口の全容を知ろうとする意図があったことを示唆する。

人口調査はその後、少なくとも一八四五年に至るまでほぼ同じ方法で数年に一度行われ、新しい台帳が作成された。[1]出生や死亡、転出入などの更新情報を記録した調査台帳の作成はその後も継続して行われた(吉田・秋葉 二〇一三)。

タンズィマート改革が始まると、ギュルハーネ勅令で約束されていた住民各人の財産に応じた課税を行うために、各地に派遣された徴税官とその組織した地方評議会によって資産調査が着手された。バルカンとアナトリアのタンズィマート改革施行地域で実施されたこの調査では、各戸主の資産(不動産と家畜)の種類、数量、評価額および収入が調べられ、税額が査定された。この調査は、税を村や街区ごとに課してそれぞれの中で税負担を配分するという従来のやり方に代えて、課税の対象を個人として、資産や収入額から税額を算定するという方法への転換を図ったものであった。しかし、この前例のない、そして原則として免税特権を認めない個人資産の調査は、とりわけ有力者層の反感を買った。また、バルカン地方では税負担が軽減されると期待していた非ムスリム農民層に不満をもたらすことになった。これらの理由により各地で反乱や抗議運動が生じ、一八四二年に徴税官制度自体が廃止され、資産調査も中断された(İnalcık 1964; 江川 一九九七)。

その後、一八四五年一月の勅諭をきっかけに改革の動きが弾みを得ると、再び各戸調査が実施され、ギュルハーネ勅令の公約の実現がめざされた。政府は、一八四〇年の調査が地方社会の抵抗を招いたことから、今回は周到な準備を講じて調査に臨んだ。すなわち、四五年四月から五月にかけてバルカン、アナトリアの各地域からムスリム・非ムスリムの代表者各二名を首都に招聘し、彼らの意見を聴取するとともに、改革の趣旨を説明する試みがなされた。六八の県郡から参集した二四〇名の地方名士たちに対して政府は、税制の是正のために調査を開始することを発表した(Ünver 2009)。[2]前回の調査との大きな違いは、反発の要因となった資産の評価額は記録せず、収入のみを記載したことである(Kaya 2005)。この収入調査では、多数の台帳が作成され中央に送られたが、調査の過程で様々な問題が生じ、結局、財務年度の始期(一八四六年三月)までに調査をもとにした徴税ができずに繰り越され、四八年夏に調査は中止された(Takamatsu 2004)。収入台帳は実際の徴税に利用されることはなかった。

一八五〇年代に入ると、政府は税源の比重が農業生産物に偏っていた状況を是正し、都市部への課税を強化する方針のもと、都市部の不動産の調査と登記を開始した。イズミル、サロニカ、ダマスクス、イスタンブル第六区などでの試行に続いて、一八五八年にブルサとヤンヤ(現ギリシア領イオアニナ)の都市部で不動産調査が行われ、不動産評価額及び不動産収入に応じた課税が定められた(Kaya and Terzibaşoğlu 2009; 大河原 二〇一二)。

以上のモデル地区での実験ののち、それを帝国全土に拡大するための「人口と不動産の登記に関する法令」が一八六〇年に出された(Düstur: 889-902)。この法令では、人口調査も並行して実施することとされ、女性も調査対象になった点は特筆に値する。女性人口の調査と登録は、オスマン帝国史上最初の試みであった。それはおそらく、不動産所有者が男性に限らないことに加えて、人口の登録が身分証明や移動の管理と関わっていたためだと考えられる。実際、この法令で、登録された住民各人に対する人口登録証(nüfus tezkiresi)の交付が定められ、登録証の提示がなければ訴訟を起こすことができず、通行証も与えられないこととされた。ただし、一八六〇年法令がすぐに実行に移されたかどうかは不明である。人口調査については、徴兵のために人口の状況を把握する必要があるとして、軍部主導での人口調査が一八六四年五月に定められた。徴兵目的ではあったが、女性の調査と人口登録証の交付もなされるものとされた(*Takvim-i Vekayi*, 748)。

同年一一月にミドハト・パシャを知事とするトゥナ(ドナウ)州を皮切りに開始された州制改革では、各州で人口及び不動産の調査が行われた。調査は村落部に及び、土地調査も進められた。土地調査の目的の一つは担税者の確定であった。しかし、州制改革以前から地券の交付と登録がなされてきたものの、課税単位を村や街区ではなく個人にする改革は進まず、徴税は村請で行われ続けた。

村落部の土地調査は、一八五八年の土地法を受けてなされたものであった。土地法は、従来一片の土地の収益と利用に対して別々に認められていた多重の権利関係を解消し、個人に対してのみ個別的な所有権を与えることを定め、貸与や譲渡の権利も認めた。ここでいう土地は「国有地」(ミーリー地)に分類される土地であり、法の趣旨は、国家が耕作者に直接地券を発行し、中間搾取者を排除することにあった。実際に耕作者が個々に地券を得て小土地所有が法的に確立した地域も多かったが、徴税請負人などの有力者が地券を確保し、農民が小作人の地位に転落する(相続可能な用益権を失う)ことも生じた。いずれにしても、土地をめぐる紛争は絶えることがなく、土地法は以後、人々が土地に対する権利の主張をする際の枠組みを提供した(Islamoglu 2000; Quataert 1994: 856-875)。

監視

個人を可視化し、利用可能にするための調査・登記は、人口登録証制度に見られるように、継続的な監視を通じて個人の動向を管理する制度と密接に結びついていた。

すでに一八世紀を通じてイスタンブルへの流入人口の増大が問題化しており、セリム三世の時代には隊商宿、独身者寮、コーヒーハウス、店舗、公衆浴場、荷担ぎ人や舟漕ぎなどの点検調査(yoklama)が繰り返し行われ、宿泊者や労働者がその身元保証人とともに登録された(Başaran 2014)。ギリシア独立戦争に起因する治安の不安定化にともない、一八二一年に国内移動に際して許可証の所持が義務づけられ、それは移動許可証(mürur tezkiresi)と名付けられた。地方では、当初は法官(カーディー/ナーイブ)が移動許可証を交付していたが、一八三〇―三一年の人口調査のために各地に置かれた人口調査官(defter nazırı)がその任務を継承したことにより、移動の管理が制度化された(Turna 2013)。

移動許可の申請のための窓口は、当初はイマーム(礼拝導師)であったが、一八三三年以降に街区や村におけるムフタル(街区長、村長)制度が地方社会にも導入されてからは、ムフタルが行く先やその目的を確認して書類を作成し、それをもとに人口調査官が移動許可証を交付する手続きがとられた。ムフタルはまた、住民の生死や転出入を記録し、人口調査官に報告する仕事も担った。ムフタルは当該街区または村の住民から選ばれたが、政府は街区・村を行政の末端に位置づけ、ムフタルを通じて個人の管理を行おうとしたのである。地方では、カスタモヌで最初にムフタル制度が導入されたが、そのきっかけはアーヤーンの追放だった。その例が示すように、政府は中間権力を排して、より細部へと国家権力を浸透させることをねらったのである(Çadırcı 1970)。

同時期の一八三一年に、コレラの発生を受けてオスマン帝国で初めて検疫が実施され、移動の管理が公衆衛生政策と結合した。一八三八年に外国人の医師や大使館の代表者を含む検疫委員会が設置され、その監督の下で帝国各地に検疫所が置かれ、検疫官と医師が派遣された。一八四一年の時点で、港湾都市に限らず内陸部を含む七六箇所に検疫所が存在した(Sarıyıldız 1994)。検疫官と医師は任地の公衆衛生を監視する責任を負い、伝染病が発生した際には発生地域を封鎖し、検疫を実施することとされた。検疫制度の新奇さに加えて、非ムスリムや外国人の医師の存在などがムスリム民衆に不安と疑念を抱かせ、いくつかの地域で検疫所への襲撃事件が発生した(Yıldırım 2014: 74-79; Kırlı 2015: 77)。クシャダス(一八三八年)とイズミト(一八三九/四〇年)で起きた反検疫暴動に女性が多数参加していた事実は、検疫による経済活動の制限だけでなく、検疫官と医師らによる生活世界の監視や身体の検査が反発を引き起こした可能性をも示唆する。

社会統制の手段として治安維持組織も新たに編成された。従来は各地のイェニチェリと軍政官配下の兵団が治安を担ってきたが、イェニチェリ廃止後に組織された予備軍に治安維持の任務も与えられた。タンズィマート改革が始まると、徴税官の管轄区に治安担当武官(umur-ı zabtiye memuru)が配置され、そのもとに兵員が集められた。こうして軍隊とは別の治安維持組織が形成され、町だけでなく村落・山間部の治安を担うとともに、徴税にも同行した。これは一八四四年に、のちにジャンダルマと呼ばれる憲兵隊組織(asakir-i zabtiye)に発展した。憲兵隊はとりわけ徴税の役割も担ったことにより、何よりも国家権力を具現化する存在として農村社会に現れたのであった(Çadırcı 1991: 317-

323; Özbek 2008)。

評議会

一九世紀オスマン帝国は多数の合議機関を生み出した。中央においては、マフムト二世時代最末期の一八三八年に設置された最高評議会が、行政、立法、司法の権限をもつ意思決定機関としてタンズィマート改革を牽引した。最高評議会は地方から上がってきた報告を協議し、その議決書をもとに大宰相が宮廷に上奏し、君主が勅旨(irade-i seniye)によってそれを裁可することで決定が効力を得た。一八六八年に最高評議会は、立法と行政を担う国家評議会(Şura-yı Devlet)と最高裁判所にあたる最高法院(Divan-ı Ahkâm-ı Adliye)に分離した。

地方においては、一八四〇年に徴税請負制の廃止と新しい税制の施行のために派遣された徴税官が、その任地でまず評議会を組織した。評議会は、徴税官を筆頭に、二名の書記官、法官、ムフティー(イスラーム法解釈の権威)、治安担当武官、非ムスリム聖職者、そしてこれら職権委員に加えて現地住民の代表者六名(うち二名が非ムスリム)、計一三名で構成された。徴税官が赴任しない小規模な郡には、徴税官代理、法官、武官、住民代表二名からなる「小評議会」が置かれた。住民代表の選出においては、間接的な選挙を行うものと定められた。徴税官制度はまもなく廃止されるが、地方評議会は規模や構成、委員の選出方法などの変更を経つつ、帝国滅亡まで存続した。評議会は当初、人口・資産調査や税額の査定などの徴税官の業務の補佐を主たる任務として設置されたが、まもなく公共事業や治安維持、徴税官廃止後は徴税請負の入札など地方行政のあらゆる業務の管理と監督を担う執行機関として、タンズィマートの地方改革実行の担い手となった。評議会はまた、税等にかかわる住民と行政間の紛争の解決や、住民同士の訴訟や刑事訴訟の審理といった司法的な権限も有していた(秋葉 二〇〇七)。評議会の起源はタンズィマート以前にあった州総督下のディーワーン(会議)と、法官が地方名士を集めて彼らが立て替えていた地方行政の経費を計上し、税負担の割り当てを行っていた会議とにあると言ってよい。タンズィマート期の評議会の新しさは、それが恒常的に置かれ、非ムスリム住民の代表が参加したことにある。(3)

中央政府の改革は地方有力者の既得権益を打破する目的をもっていたが、その一方で、改革を円滑に進めるためには、彼らを取り込み、その協力を得る必要を政府は認識しており、地方評議会はそのために不可欠な機関であった。地方有力者にとっても、地位を保全し、その立場を主張するために評議会は望ましい場所であった。さらに、評議会は地域住民の代表という顔ももって地方官や中央政府に地域の要望を提出することもできた。こうして評議会は、現地の有力者たちに中央と地方の仲介役を果たす場を提供したのである。

一八五六年の改革勅令は、地方評議会の委員選出方法と組織形態の改善を公約していたが、その具体化は、一八六四年のトゥナ州に始まる州制改革で行われ、地方評議会に大幅な再編がもたらされた。第一に、住民代表からなる公選委員の選出にあたっては、原則ムスリムと非ムスリムは同数とされた。第二に、選挙の方法やその選挙権・被選挙権が規定された。第三に、業務の煩雑化を防ぐために評議会の行政的機能と司法的機能が分離され、後者は新たに設置された制定法裁判所(ニザーミーエ法廷)に移行した。制定法裁判所もまた合議制であり、裁判長(当初はシャリーア法廷の法官が兼任)のほかに、住民から選出されるムスリム、非ムスリム同数の陪席判事から構成された(秋葉 二〇〇七)。

州制改革により会議の原理は拡大し、住民の行政参加が進められた。州・県・郡の評議会のほか、郡より下位の行政単位である村や街区には、宗派ごとに長老会が置かれた。のちに、郡と村の中間の行政単位である郷(nahiye)にも評議会が組織された。また、各都市に、住民から選出された評議員が参加するベレディィエ評議会(市参事会)が設置され、街路や公園の整備、ガス灯の設置、清掃事業、公衆衛生などを担当した。バルカン地方のベレディィエ評議会には、多数の非ムスリム評議員が選任された(佐原 二〇〇三)。一八六九年に制定された公教育法によって各州に教育委員会が置かれると、住民代表のムスリム、非ムスリムの無給委員がそれに参加した。

州制改革で導入された新機軸の一つに州議会がある。州内の各県から選出された議員から構成される州議会は、公共事業、産業振興、税制、教育、福祉などを議題として扱った。州議会は執行の決定権や予算の議決権をもたなかったため、地方自治という点では限界があったが、公共事業の提案が基金設立によって事業実現に至るといった例も見られ、地方名望家たちが政治的経験を積む場となった(Köksal 2017)。

視察

オスマン政府は法令を定め、中央から地方に官吏を派遣し、評議会を組織してその協力のもと改革を進めた。そして改革の実行を確かなものとするために、政府は各地に視察官(müfettiş)を派遣するという手段をしばしば採用した(Serbestoğlu 2018)。タンズィマート改革による徴税官の任命は一八四〇年一月に始まるが、早くも五月にはバルカン地方およびアナトリア地方にそれぞれ一名の視察官が派遣され、約一年にわたってタンズィマートの税制改革が施行された地域の視察(teftiş)を行った(Aydın 2013)。

一八五〇年一一月に、再びバルカン地方およびアナトリア地方に各一名の視察官の派遣が決定された。翌年の五月にはドナウ沿岸地方とアナトリア東部のトラブゾン・エルズルム方面に各一名の視察官が追加で派遣され、視察は五三年末まで続けられた。ドナウ沿岸地方への視察官派遣には、一八五〇年にヴィディンで起きた反乱の事後的な調査という目的もあった(Serbestoğlu 2018: 771-773)。

セルビアとの国境に近いブルガリア北西部では、一八四一年のニシュ(現セルビア領)反乱以来、断続的にキリスト教徒農民の反乱が起きていた。一八五九年にヴィディンで再び反乱が生じると、ヨーロッパ諸国による査察団派遣要求に対して、その介入を阻止するために大宰相自らが視察することになった。クブルスル・メフメト・パシャは大宰相に就任するとすぐに視察行に出発し、一八六〇年五月末から九月までの間、今日のブルガリア、北マケドニア、コソヴォに当たる地域を巡回した(Köksal and Erkan 2007)。

その後、地方行政改革が急務とされるなか、一八六三年から翌年にかけて、アナトリア方面に二名、バルカン地方とボスニアに各一名の視察官が任命された。アナトリア北西部に派遣されたのは、のちに帝国議会議長や大宰相に就任するアフメト・ヴェフィクであり、ボスニア視察官には歴史家として名高いアフメト・ジェヴデトが任命された。一八六四年にトゥナ州で州制改革が開始されたことにより、視察は一旦その役目を終えた(江川 一九九八、佐原 二〇〇三：七四―七五頁、Öntuğ 2009)。

数度にわたって実施された視察の内容には共通点が多い。派遣された視察官は一般的に、まず現地の地方官やその他の役人、そして評議会の委員と面会して調査を始めた。視察官は現地の帳簿を出させ、正しく徴税や支出が行われているか点検した。また、役人の不正の摘発は重要な任務として位置づけられており、実際視察を通じて多くの役人が更迭された。このように、視察官は単に視察した状況の報告だけにとどまらず、その場で決定を下して執行する権限を与えられていた。そのため、現地では住民の陳情や書面での嘆願書を受け付け、可能な限りその場で裁定した。アフメト・ヴェフィクはイェニシェヒルという小さな町で八三〇通もの嘆願書を受け取ったという(Arıkan 2021: 68)。視察官はその場で解決できない問題は中央政府に照会し、決定を仰いだ。また、現地の問題の解決策や開発事業などについての提言を中央に上申した。

自らが大宰相であったクブルスル・メフメト・パシャはもちろんのこと、いずれの視察官も地方官の頭越しに決定を行い、解決策を講じた。視察はつまり中央の意向を直接現地に反映させようとするもので、中央集権化を強力に推進する手段であった。その際、地方有力者はしばしば改革の障害と見なされ、彼らの政治的・経済的基盤を掘り崩す方向の施策がとられた。視察官が役人の不正の摘発に力を入れたのも、現地で採用された役人のほとんどが地方有力者だったからである。視察は中央集権化政策の一環だとはいえ、改革を現地の状況に応じて調整するという側面もあった。つまり、画一的な法令や制度を補完する役割ももっていた。また、現地の住民にとって視察は、中央政府と自分たちを直接つなぐチャンネルであり、交渉の場を提供したのである。

視察官はまた、現地の産業や人口、道路や公共建築の状況の調査も実施し、産業振興策や開発事業の提言を行った。これは、住民が豊かになることが人口や税収の増加を促し、国家の繁栄や強化に結びつくという、改革を支える思想にもとづいている。これを個人でもっとも熱心に取り組んだのがアフメト・ヴェフィクで、彼はブルサをはじめとする派遣先の各地で都市計画や公共建造物の修復計画を立案し、その一部を実行に移した。また、厳密には視察とは呼ばれないが、一八四五年にバルカンとアナトリアの各地に十手に分かれて派遣された「開発委員会」(iʿmar meclisi)は実質的に視察団であり、視察官と同様に地域の状況を調査し改革の提言を行った(Ünver 2009, Bilirli 2019)。

一八四五年五月に臨時に組織された開発委員会の第一の目的は、上述の収入調査の監督であったが、第二の目的は、その名の通り、各地の開発に必要な手段の調査であり、人口の職業別構成、農業、商業等の産業、道路や橋梁などの状況が調査され、各産業に必要な融資額や公共事業の予算が報告された。国土の情報を収集し、その後の政策の基礎とすることがめざされたのである。また、学校や医療体制の調査も行われ、修復や新設を要する学校数、医師の数、教師や医師の給与額見積もりなどが報告された。興味深いことに、開発委員会の任務に、結婚及び婚礼に慣例的にかかる費用を調査し、婚資や贈答品の金額に制限を設けることが含まれていた。これは、人口の増加が繁栄の基礎にあり、そのためには結婚を増やさねばならないという発想に基づいていた。すでに一八三八年に堕胎禁止令が布告されたが、それも、国力の強化は人口の増加にかかっており、人口の減少の原因を除去すべきとする考え方に由来していた(Demirci and Somel 2008; Balsoy 2013)。

一八三八年の堕胎禁止令は、同年に設立された公共事業評議会の提言にもとづくが、この評議会は、国土の繁栄のために産業の振興を図るという開発政策を推進するために置かれたものだった。「開発」(iʿmar)はタンズィマートの頻出用語の一つであり、その成否はともかく、種子の配布や税の免除などによる商品作物(綿花、桑等)の奨励、農民への融資、官営工場の設立、道路建設や鉄道敷設などが開発政策として試みられた(Güran 1998: 45-59)。視察は開発政策の一環でもあった。州制改革後は、中央の政府機関と並んで地方政府が開発政策の重要な主体となった。

教育

前述の堕胎禁止に次ぐ、公共事業評議会による主だった提言は、教育の普及に関するものであった。その意見書は、ほとんど実行に移されなかったとはいえ、知識や学問を富や産業に直結させる功利主義的な教育観を率直に表明している点で興味深い文書であり、初等教育における書き方の重視や学級制の導入といった新しい要素の採用を提唱した(秋葉 二〇一四、Somel 2001: 29-33)。オスマン帝国は早くから法と行政の専門家であるウラマーを養成するために国家事業としてマドラサを建設し、体系的な教育システムをつくり出してきたが、初等教育については、宗教的知識の重要性は認識されていたものの、国家として積極的な介入をしてこなかった。しかし、一九世紀には、臣民を国家の利益に資する存在に育てるために、幅広い層の民衆の教育に関心を向けるようになったのである。

教育政策においても一八四五年は一つの画期であり、教育が改革の重点項目の一つとして初めて位置づけられた。中央では初等・中等(rüşdiye)・大学(darülfünun)からなる三段階の教育制度の計画が策定され、地方には、上述のように開発委員会が派遣され、学校の調査が実施された。その後一八六〇年頃までの政府の実際の取り組みは、教科書の作成と配布、小学校や中等学校の建設、教師の派遣、そして視学官の派遣が中心であった。視学官は教育の分野における視察官というべき存在で、単に視察するだけでなく、学校の設立や教科書の配布に積極的に携わった(Somel 2001: 79-80; 長谷部 二〇一二)。

この間の政府の取り組みは、実学教育よりも、宗教的・道徳的教化の手段としての教育に力点があった。宗教心や道徳心が国家と君主に対する忠誠心に結びつくという考え方は伝統的に存在したが、その普及のために国家が直接関与し、教育に介入するところに新しさがあった。実際、一八五〇から六〇年代にかけてムスリム住民による反乱や騒擾を鎮圧した後に政府がとった施策の一つが学校の建設であった。信仰を強化し、道徳心を植え付けることで従順な臣民をつくり出すことが意図されたのである(Somel 2001: 67, 74-76)。

一八五六年の改革勅令で官立学校の非ムスリムへの開放が宣言されたことにより、学校教育の目的に、ムスリム・非ムスリムを問わない「オスマン国民」の養成が加わることになった。州制改革の一環としてトゥナ州に最初に設立され、その後各地につくられた孤児授産施設(ıslahhane)は、ムスリムと非ムスリム双方の孤児や浮浪児、難民の子供などを受け入れて職業訓練を施した。この施設には、孤児の救済以上に都市の公共空間からの「危険な」分子の排除と地場産業の振興という目的のもとに、犯罪予備軍と見なされた孤児や浮浪児たちを生産的な労働者に育てると同時に、改革を体現するオスマン市民を育成するという理念もこめられていた(Maksudyan 2011)。つまり、福祉、監視、開発そして国民化というさまざまな目的を同時に果たそうとする施設であった。

孤児授産施設を別にすれば、諸宗派の混合教育は、医学校や官吏養成のガラタサライ・リセ(一八六八年)など専門教育の場で実現した。学校制度の体系化を図った一八六九年の公教育法では中学校(i'dadi)以上が諸宗派混合とされたが、実際には中学校は基本的にムスリムのための学校だった。非ムスリムには各共同体の学校があったほかに、キリスト教宣教団の学校や外国の支援を受けた学校などで比較的水準の高い教育を受けることができたため、政府の学校は彼らにとって魅力に乏しかった。そのため、政府はムスリム向けに学校を設立することを優先課題としていたのである。

定住

遊牧民の定住化は一七世紀末以来のオスマン帝国の方針であったが、タンズィマート期には、遊牧部族を服従させ、農耕に従事させるために、定住化政策が強力に推進された。彼らを新たに建設された農村に定住させることにより、農業生産と税収の向上、そして徴兵対象者の増加が期待されていた(Orhonlu 1987; 江川 二〇〇六)。第一節で述べたチュクロヴァ(アダナ州)における定住化はその最たる事例である。この定住化(iskân)と同じ単語が、一九世紀後半以降、クリミア、カフカス、バルカンからの移民を、計画的に指定した移住先に定着させる政策についても使われるようになった。

クリミア戦争とロシアによる北カフカス占領によって、多数のクリミア・タタール人やチェルケス人がオスマン帝国領に流入した。移民の数は、一八五六年から七六年までの間に、一〇〇万から一二〇〇万人に達したとされる(Saydam 1997)。移民受け入れは少なくとも短期的に帝国社会に負担を強いるものであったが、むしろ政府が政策的に移民を奨励し、積極的に呼び込んだという側面もあった(Dündar 2021)。移民は何よりもまず、人口増をもたらすものだった。上述のように、政府は人口増を国力の源泉とみていた一方で、ムスリムの人口が減少することを恐れていた(Balsoy 2013)。それゆえ、移民はムスリム人口を増加させる点で歓迎された。実際、移民には土地の供与、家屋の提供あるいは建設費用の支援、一定期間の税や徴兵の免除などの好条件が提示された。移民の定住策は戦略的に行われ、クリミア・カフカス移民が集中的にドナウ川流域に移住させられた(一八六一年までの受入れ分の五割以上)のは、まさに国境地帯の防衛という観点にもとづいていた。移民が未開拓地を農地に変え、それが税収の増加につながることも期待されていた(Saydam 1997; Karpat 1985: 62-69)。このように、移民の定住は社会を変化させる政策として採用され、その後の時代に引き継がれていった。

三、アブデュルハミト二世の時代(一八七六―一九〇八年)

一八七六年のオスマン帝国憲法公布とその翌年の帝国議会開設は、タンズィマート改革の一つの到達点であった。代議院議員には地方評議会出身者が多く選出され、地方において行政・政治経験を積んだ名望家たちが一堂に会することとなった。しかし、一八七八年に対ロシア戦争の危機に際して政府批判が高まると新スルタン、アブデュルハミト二世は議会を閉鎖し、それによって、第一次立憲政は短命に終わった。地方評議会自体はその後も存続し、評議会を通じての政府と名望家間の調整関係は継続した。

議会を閉鎖し、憲法を事実上停止させたアブデュルハミトは、宮廷に権力を集中させて専制体制を築いた。厳格な検閲制度や、密偵を使った監視と密告のシステムなどが、その体制を象徴する。ただし、ハミト期が反動ではなく、むしろ多くの面でタンズィマートを継承したという理解が定着して久しい。地方行政においても、集権的な制度を通じて地方社会の統合が継続して進められた。ハミト期にはアラブ地域の統合が重要視された。官僚組織が地方に持ち込まれ、道路、港湾、郵便、電信など中央と地方を結ぶ交通通信網が整備されるとともに、学校、病院などの公共サービスが提供された。これらを通じて住民の社会生活に国家権力がますます浸透した。また、初のセンサス実施(一八八一―九三年)や各種統計の作成によって人口や国土の情報が可視化された。地方行政組織の拡大にともない、地方にさまざまな官職が作り出され、在地の名望家や知識人層出身者がまずそれらの職に就いた(Georgeon 2003)。各種評議会とともに地方の中下級官職は、地方住民がオスマン帝国のつくり出した制度に参加する入り口となった。つまり、国家による統合と住民の国家制度への参入という両方の意味で地方社会の「オスマン化」が進行した。

他方、リビアやイエメンなどの辺境地域に画一的な制度を施行することは困難をきわめた。ハミト期にはこれらの地域で土地調査、センサス、徴兵は実施できなかった。帝国のエリートは、辺境地域の住民を「野蛮」、「原始的」、「無知」などと見なし、彼らを「文明化」する義務があると考えていたが、現地の抵抗にあうなかで、それらの地域を「植民地」のように扱い、中核地域とは異なったやり方で統治すべきだという議論も現れた(Deringil 1998; Kuehn 2011)。部族学校(一八九二年)は、辺境地域に対する文明化政策の一例である。政府は、アラブの諸部族の有力家系の子弟をイスタンブルに設立した全寮制の学校に集めて、行政官や軍人とするべく教育を施すことで、彼らの「文明化」、オスマン化を狙ったのである(Rogan 1996)。

学校教育は、地方社会のオスマン化に欠かせない手段だった。政府は、初等教育と首都にある専門教育機関とを接続するために中学校を帝国各地に設置することに力を入れた。その結果、中学校は二〇世紀の初めには七〇校を超えた。軍事学校については、陸軍幼年学校と予科士官学校が地方の各地に設けられ、参謀科を頂点とする学校システムが確立した。幼年学校の配置にはアラブ地域重視の方針が明確に示され、シリアはもちろん、イラク、リビア、イエメンにも置かれた。イスタンブルの専門教育機関を頂点とする学校教育システムが帝国大に広がった結果として、帝国各地から学校の階梯を経た学生たちが首都に集まり、卒業してオスマン・エリートの仲間入りをするという回路ができ上がった(秋葉 二〇一四)。

新しい教育方法やカリキュラムを導入した学校の地方社会への普及は、学校での教育や儀礼などを通じて生徒たちに、また学校建築の存在によって住民に対しても、オスマン帝国の一部であるという事実をより身近に意識させる効果があった。住民が積極的に学校建設に資金を出し合い、子弟を学校に通わせるという主体的な動きがあった一方で、アレヴィーやシーア派など「異端的」信仰をもつ住民の多い地域では、政府が積極的に学校建設を行い、オスマン帝国への忠誠心の涵養と改宗の促進を図った(Deringil 1998)。

アブデュルハミトにとって、臣民の忠誠心は君主個人の身に集められるべきものであった。例えば、彼は巡幸(4)を行う代わりに、アラビア半島、イラクといった遠隔地を含む帝国各地に学校、病院、泉(給水施設)などの建設を積極的に行い、それらにしばしば自らの名(ハミディエ)を冠した。また、即位二五周年記念行事に合わせて各地にモニュメントを造らせるなどした。これらは恩恵や慈悲を施す君主のイメージを可視化させるとともに、君主個人に対する民衆の恭順、服従を引き出すことが意図されていた(Deringil 1998; Özbek 2002; Stephanov 2018)。

ハミト期において、東部アナトリアとマケドニアが国際問題の焦点になった。いずれにおいてもキリスト教徒による急進的な民族運動が盛んになり、列強はキリスト教徒の保護、地位向上を要求して干渉した。オスマン政府は列強の圧力をかわし、地域の秩序の回復を図るために、憲兵隊と警察に非ムスリムを加入させるなどの改革計画を策定し、それを実行するために強力な権限をもった視察官、監察総監(müfettiş-i umumi)を任命した。アナトリア東部の六州を管轄する監察総監は一八九五年に、マケドニアの三州への監察総監は一九〇二年に任命された(Karaca 1993; Georgeon 2013: 366-371)[5]。

東部六州改革の主眼の一つは、憲兵隊が徴税にかかわることを禁じ、新たに文民の徴税吏(tahsildar)の組織を作ることであった。しかし、東部地域ではハミディエ騎兵隊の存在が事態を複雑化させていた。ハミディエ騎兵隊は、クルド人部族を統合するために一八九一年に組織され、ロシア国境の防衛とアルメニア人民族主義者の抑え込みが期待されていた。しかし、彼らにアルメニア人農村の徴税請負権が与えられたことにより、不当な徴税や土地の押収がしばしば起きていた。結果的に、改革によっても徴税における暴力の介入は根絶されることはなかった(Özbek 2012)。

マケドニアでは民族主義者の武装組織がゲリラ戦を展開し、オスマン軍はその対応に追われていた。監察総監による改革も事態を収拾できず、列強のさらなる干渉を招いた。オスマン政府は、住民を武装組織と軍・官憲の暴力から守ることもできなければ、武装組織討伐にあたる軍隊に十分な支援もできなかった(永島 二〇二〇)。混乱が続く中、周知のように、マケドニアに配属された将校の反乱から、青年トルコ革命が始まったのである。

東部アナトリアとマケドニアにおいて人口は大きな争点の一つであった。ある地域における特定の民族集団の人口構成比を、その地域における権利主張の根拠とする考え方が広まりつつあった。それゆえ人口調査は政治的な重要性を帯びた。東部六州では、行政職員、警察官、憲兵隊員に各州の人口比に応じた数のムスリム・非ムスリムが採用されることが定められた(Karaca 1993: 218-220)。マケドニアでは、キリスト教徒の村がどの宗派に属するかが、ときに暴力によって決せられており、一九〇三年から〇七年にかけて実施されたセンサスは、分類をめぐって混乱を引き起こすとともに、人々の宗教的・民族的アイデンティティに対する意識を否応なく強めた(Yosmaoglu 2006)。

一八七七–七八年の対ロシア戦争の結果生じた大量のムスリム難民・移民は、その数一〇〇万から一五〇万人に上るとされる。人口構成の争点化という文脈からしても、移民の受け入れと定住政策がムスリム人口の増加という目標をもって行われたことは当然であった(İpek 1994: 156-157; Dündar 2021)。移民の定住策は、オスマン帝国の人口分布を大きく変化させるものであった。それは同時に、土地をめぐって、定住した移民と現地住民との間の対立を各地で引き起こした(İpek 1994: 231-233)。

四、改革の帰結

一九世紀のオスマン帝国の改革は、その成否はともかく、帝国領内の社会に不可逆的な影響を及ぼした。帝国の領土は縮小し、自治的制度の敷かれた特権州も存在したとはいえ、残された領域に対してオスマン帝国の国家権力は、かつてないほどに浸透した。本章では、国家中央に起源をもつ諸制度が地方社会に移植されることによる社会関係の再編、そして政府の建設事業、開発などによる空間の再編を、「オスマン化」と称したが、その意味でのオスマン化は確実に進行した。

一方、人々の「オスマン化」、すなわち人々を国家と一体化させること、「オスマン人」意識を醸成することは、限定的だった。もちろん、オスマン官憲と関わる機会は確実に増え、自分がオスマン帝国に属しているという意識は否応なく人々の間に広がっていただろう。学校教育、軍隊、官僚制を通じて自らオスマン帝国の制度に参入するというオスマン化も生じていた。実際、そのような軍人や役人こそが、民衆の目から見て「オスマン人」であったと思われる(秋葉 二〇一四：一〇七頁)。非ムスリムについても、ハミト期になると、地方の庶民層出身者が行政の末端の職に従事し、「オスマン役人」になることが広く見られた(高畑 二〇二二)。しかし、東部アナトリアやマケドニアのキリスト教徒農民が自らをオスマン国家の一員と意識することがあったかどうかは疑わしい。おそらく彼らにとっては、国家は暴力の主体として現れることのほうが多かったであろう。

もちろん、社会の変革は国家の改革によってのみ生じたわけではない。また、国家の改革も一方的に「上から」の計画が貫徹したわけではない。むしろ、オスマン帝国の改革は妥協と挫折、修正と想定外の展開の繰り返しであった。本章で十分に論じられなかったものの、社会の変容は、多様な要因と種々のアクターの介在によってもたらされたものであった。そのなかで、オスマン帝国は社会を変えるために積極的な働きかけを行い、結果的に、複雑な問題とともに社会に決定的な刻印を残したのである。

注

(1) 一般に、一八四四年に陸軍の主導で一斉人口調査が行われたとされるが、オスマン側の史料が現存していない(Karpat 1985: 23)。

(2) ただし、官報に掲載された最高評議会議長の地方代表者会議閉会の辞では、「調査」(tahrir)という言葉を出さずに、「住民の状況」の「点検」(tahkik)という遠回しな表現が使われた(*Takvim-i Vekayi*, 287; Takamatsu 2004: 22)。

(3) ただし、その先駆的形態は、一八三二年から四〇年までムハンマド・アリー支配下のシリア地方に設置された地方協議会に見出せる(藻谷 二〇一八)。

(4) 巡幸はマフムト二世によって初めて行われ、タンズィマート期のスルタンに引き継がれた。地方の民衆に対して君主の存在を可視化する効果をもった(Kırlı 2009; Stephanov 2018)。

(5) 東部六州は、エルズルム、スィヴァス、ヴァン、ビトリス、マアムーレトゥルアズィーズ、ディヤルバクルの六州、マケドニアの三州は、コソヴォ、マナストゥル、サロニカの三州。

参考文献

秋葉淳(二〇〇五)「近代帝国としてのオスマン帝国──近年の研究動向から」『歴史学研究』第七九八号。

秋葉淳(二〇〇七)「オスマン帝国における代議制の起源としての地方評議会」粕谷元編『トルコにおける議会制の展開──オスマン帝国からトルコ共和国へ』東洋文庫。

秋葉淳(二〇一四)「「伝統教育」の持続と変容──一九世紀オスマン帝国におけるマクタブとマドラサ」「オスマン帝国の新しい学校」秋葉淳・橋本伸也編『近代・イスラームの教育社会史──オスマン帝国からの展望』昭和堂。

江川ひかり(一九九七)「タンズィマート改革と地方社会──1840年のバルケスィル郡『資産台帳』にみる土地「所有」状況を中心に」『東洋学報』第七九巻第二号。

江川ひかり(一九九八)「タンズィマート改革期のボスニア・ヘルツェゴヴィナ」『岩波講座 世界歴史21 イスラーム世界とアフリカ』岩波書店。

江川ひかり(二〇〇六)「19世紀オスマン帝国における遊牧民と土地──ヤージュ・ベディルの事例を中心に」『西南アジア研究』第六四号。

大河原知樹(二〇一二)「オスマン帝国の税制近代化と資産税──十九世紀前半のダマスカスの事例」鈴木董編『オスマン帝国史の諸相』山川出版社。

佐原徹哉(二〇〇三)『近代バルカン都市社会史──多元主義空間における宗教とエスニシティ』刀水書房。

高畑遼平(二〇二一)「19世紀オスマン帝国における地方出身非ムスリム役人の教育選択と職歴──東部スィヴァス州出身のアルメ

ニア人の事例から」『欧米の言語・社会・文化』第二七号。
永島育（二〇二〇）「青年トルコ人革命前夜のオスマン陸軍と内戦――青年将校による武装組織討伐任務」『軍事史学』第五六巻第二号。
永田雄三（二〇〇九）『前近代トルコの地方名士――カラオスマンオウル家の研究』刀水書房。
長谷部圭彦（二〇一二）「オスマン帝国における「公教育」と非ムスリム――共学・審議会・視学官」鈴木董編『オスマン帝国史の諸相』山川出版社。
藤波伸嘉（二〇一四）「主権と宗主権のあいだ――近代オスマンの国制と外交」岡本隆司編『宗主権の世界史――東西アジアの近代と翻訳概念』名古屋大学出版会。
藻谷悠介（二〇一八）「ムハンマド・アリー占領期（1832～1840）のアレッポ高等協議会――占領下シリアにおける行政改革の一端」『東洋学報』第九九巻第四号。
吉田達矢・秋葉淳（二〇一三）「人口調査台帳（Nüfus Defteri）」東洋文庫研究部イスラーム地域研究資料室「オスマン帝国史料解題」http://tbias.jp/ottomansources/nufus_defteri 二〇二三年一月一三日最終閲覧。
Arıkan, Fatma Melek（2021）, *Modernization in the Late Ottoman Era: “Periphery” in the Heartlands*, London, Routledge.
Ateş, Sabri（2013）, *The Ottoman-Iranian Borderlands: Making a Boundary, 1843-1914*, Cambridge, Cambridge University Press.
Aydın, Mahir（2013）, *Ahmet Arif Hikmet Beyefendi: Bir Tanzimat Devri Şeyhülislamı*, Ankara, Türk Tarih Kurumu.
Balsoy, Gülhan（2013）, *The Politics of Reproduction in Ottoman Society, 1838-1900*, New York, Routledge.
Başaran, Betül（2014）, *Selim III, Social Control and Policing in Istanbul at the End of the Eighteenth Century: Between Crisis and Order*, Leiden, Brill.
Bilirli, Tahir（2019）, *Tanzimat Dönemi İmar Meclisleri (1845-1846)*, Ankara, Türk Tarih Kurumu.
Çadırcı, Musa（1970）, “Türkiye’de Muhtarlik Teşkilâtinin Kurulması Üzerine Bir İnceleme”, *Belleten*, 34（135）.
Çadırcı, Musa（1991）, *Tanzimat Döneminde Anadolu Kentleri’nin Sosyal ve Ekonomik Yapıları*, Ankara, Türk Tarih Kurumu.
Demirci, Tuba and Selçuk Akşin Somel（2008）, “Women’s Bodies, Demography, and Public Health: Abortion Policy and Perspectives in the Ottoman Empire of the Nineteenth Century”, *Journal of the History of Sexuality*, 17（3）.

Deringil, Selim (1998), *The Well-Protected Domains: Ideology and the Legitimation of Power in the Ottoman Empire, 1876-1909*, London, I. B. Tauris.

Dündar, Fuat (2021), *Hicret, Din ü Devlet*, İletişim Yayınları.

Düstur (1282[1866]), *Düstur*, [Istanbul], Matbaa-i Âmire.

Georgeon, François (2003), *Abdülhamid II: Le sultan calife (1876-1909)*, Paris, Fayard.

Gould, Andrew G. (1976), "Lords or Bandits? The Derebeys of Cilicia", *International Journal of Middle East Studies*, 7 (4).

Güran, Tevfik (1998), *19. Yüzyıl Osmanlı Tarımı Üzerine Araştırmalar*, Istanbul, Eren.

İnalcık, Halil (1964), "Tanzimat'ın Uygulanması ve Sosyal Tepkileri", *Belleten*, 28 (112).

İpek, Nedim (1994), *Rumeli'den Anadolu'ya Türk Göçleri (1877-1890)*, Ankara, Türk Tarih Kurumu.

Islamoglu, Huri (2000), "Property as a Contested Domain: A Reevaluation of the Ottoman Land Code of 1858", Roger Owen (ed.), *New Perspectives on Property and Land in the Middle East*, Cambridge, Mass., Harvard Center for Middle Eastern Studies.

Karaca, Ali (1993), *Anadolu Islahatı ve Ahmet Şâkir Paşa (1838-1899)*, Istanbul, Eren.

Karpat, Kemal H. (1985), *Ottoman Population, 1830-1914: Demographic and Social Characteristics*, Madison, The University of Wisconsin Press.

Kaya, Alp Yücel (2005), "L'économie politique des tanzimat: la réforme fiscale et la résistance antifiscale dans la région de Bayindir (Izmir) au milieu du XIXe siècle", Mohammad Afifi et al. (eds.), *Sociétés rurales ottomanes*, Cairo, Institut français d'archéologie orientale.

Kaya, Alp Yücel and Yücel Terzibaşoğlu (2009), "Tahrir'den Kadastro'ya: 1874 İstanbul Emlak Tahriri ve Vergisi: 'Kadastro Tabir Olunur Tahrir-i Emlak'", *Tarih ve Toplum: Yeni Yaklaşımlar*, 9.

Kırlı, Cengiz (2009), *Sultan ve Kamuoyu: Osmanlı Modernleşme Sürecinde "Havadis Jurnalleri" (1840-1844)*, Istanbul, Türkiye İş Bankası Kültür Yayınları.

Kırlı, Cengiz (2015), *Yolsuzluğun İcadı: 1840 Ceza Kanunu, İktidar ve Bürokrasi*, Istanbul, Verita Yayınları.

Köksal, Yonca (2017), "Local Demands and State Policies: General Councils (*Meclis-i Umumi*) in the Edirne and Ankara Provinces (1867-1872)", *Middle Eastern Studies*, 53 (3).

Köksal, Yonca and Davut Erkan (2007), *Sadrazam Kıbrıslı Mehmet Emin Paşa'nın Rumeli Teftişi*, Istanbul, Boğaziçi Üniversitesi Yayınevi.

Kuehn, Thomas (2011), *Empire, Islam, and Politics of Difference: Ottoman Rule in Yemen, 1849-1919*, Leiden, Brill.

Maksudyan, Nazan (2011), "Orphans, Cities, and the State: Vocational Orphanages (*Islahhanes*) and Reform in the Late Ottoman Urban Space", *International Journal of Middle East Studies*, 43 (3).

Öntuğ, M. Murat (2009), *Ahmet Vefik Paşa'nın Anadolu Sağ Kol Müfettişliği*, Konya, Palet Yayınları.

Orhonlu, Cengiz (1987), *Osmanlı İmparatorluğunda Aşiretlerin İskânı*, Istanbul, Eren.

Özbek, Nadir (2002), *Osmanlı İmparatorluğu'nda Sosyal Devlet: Siyaset, İktidar ve Meşruiyet, 1876-1914*, Istanbul, İletişim Yayınları.

Özbek, Nadir (2008), "Policing the Countryside: Gendarmes of the Late 19th-Century Ottoman Empire (1876-1908)", *International Journal of Middle East Studies*, 40 (1).

Özbek, Nadir (2012), "The Politics of Taxation and the 'Armenian Question' during the Late Ottoman Empire, 1876-1908", *Comparative Studies in Society and History*, 54 (4).

Quataert, Donald (1994), "The Age of Reforms, 1812-1914", Halil İnalcık and Donald Quataert (eds.), *An Economic and Social History of the Ottoman Empire, 1300-1914*, Cambridge, Cambridge University Press.

Rogan, Eugene L. (1996), "*Aşiret Mektebi*: Abdülhamid II's School for Tribes (1892-1907)", *International Journal of Middle East Studies*, 28 (1).

Sarıyıldız, Gülden (1994), "Karantina Meclisi'nin Kuruluşu ve Faaliyetleri", *Belleten*, 58 (222).

Saydam, Abdullah (1997), *Kırım ve Kafkas Göçleri (1856-1876)*, Ankara, Türk Tarih Kurumu.

Serbestoğlu, İbrahim (2018), "Tanzimat'ın Uygulanmasında Bir Yöntem Olarak Teftiş", *XVII. Türk Tarih Kongresi, Ankara: 15-17 Eylül 2014: Kongreye Sunulan Bildiriler, IV. Cilt-II. Kısım: Osmanlı Tarihi*, Ankara, Türk Tarih Kurumu.

Somel, Selçuk Akşin (2001), *The Modernization of Public Education in the Ottoman Empire, 1839-1908: Islamization, Autocracy and Discipline*, Leiden, Brill.

Stephanov, Darin N. (2018), *Ruler Visibility and Popular Belonging in the Ottoman Empire, 1808-1908*, Edinburgh, Edinburgh University Press.

Takamatsu, Yoichi (2004), "Ottoman Income Survey (1840-1846)", Hayashi Kayoko and Mahir Aydın (eds.), *The Ottoman State and Societies in Change: A Study of the Nineteenth Century Temettuat Registers*, London, Kegan Paul.

Takvim-i Vekayi, 287, 17 Cemaziyelevvel 1261 (24 May 1845).

Takvim-i Vekayi, 748, 8 Zilhicce 1280 (15 May 1864), "Tahrir-i Nüfus Talimatnamesi".

Turna, Nalan (2013), *19. Yüzyıldan 20. Yüzyıla Osmanlı Topraklarında Seyahat, Göç ve Asayiş Belgeleri: Mürur Tezkereleri*, Istanbul, Kaknüs Yayınları.

Ueno, Masayuki (2016), "Religious in Form, Political in Content? Privileges of Ottoman Non-Muslims in the Nineteenth Century", *Journal of the Economic and Social History of the Orient*, 59.

Ünver, Metin (2009), "Tanzimat Taşrasının İstanbul Buluşması: İmar Meclislerinin Kurulması Süreci", Feridün M. Emecen (ed.), *Eski Çağ'dan Günümüze Yönetim Anlayışı ve Kurumlar*, Istanbul, Kitabevi.

Yıldırım, Nuran (2014), *14. Yüzyıldan Cumhuriyet'e Hastalıklar-Hastaneler-Kurumlar*, Istanbul, Tarih Vakfı Yurt Yayınları.

Yosmaoğlu, İpek K. (2006), "Counting Bodies, Shaping Souls: The 1903 Census and National Identity in Ottoman Macedonia", *International Journal of Middle East Studies*, 38 (1).

一九世紀インドにおける植民地支配
――司法と教育

井坂理穂

はじめに

一九世紀のインドといえば、イギリスの植民地支配体制の確立や、その影響がインドの在地社会に浸透する過程などをまず思い浮かべるであろう。しかしいうまでもなく、これらの過程は、インドのどの地域や人々に焦点を当てるかによって大きく異なり、全体像をいかに描くかをめぐっては長く議論が続いてきた。さらに近年の研究では、支配・被支配という二分法的な描き方自体が複数の方向から問い直されてきた(Peers and Gooptu 2012)。そこでは、植民地統治のための政策や制度の導入・形成過程において、支配者側と在地社会とのやりとり、対話的プロセスがいかなる影響を及ぼしていたのかを、より意識的に描く試みが目立つ。植民地支配権力が、その内部に常に対立や矛盾を抱えていた様子や、在地社会とのやりとりのなかで統治のあり方を模索し、異なる方針の間で揺らぎ、変化を迫られ続けていた様子も明らかにされている。

こうした支配・被支配の二分法的な描き方への問い直しは、植民地支配の政策・制度に対する在地社会の人々の対応に関しても、受容か抵抗かという二分法的な捉え方ではなく、よりニュアンスに富む捉え方を促すことになった。

そこでは、植民地支配のもつ抑圧的側面に留意しつつも、そのもとで導入された諸制度に人々がいかに向きあったのかを、多様な個人・集団の視点から描く試みがみられる。在地社会の人々の対応には、受容・抵抗のいずれかだけではなく、制度を自らの状況にあわせて解釈し、自らの権利保護や地位上昇のために、利用できる制度は利用し、変えられるものは働きかけて変えていくといった、「戦略的」行為とでも呼びうるものもみられる。このように、制度を主体的に利用したり、それに働きかけていったのは、必ずしもいわゆるエリート層に属する人々に留まらない。

以下では、一九世紀のインドにおいて、イギリスの支配権力によって導入された諸制度が、在地社会とのやりとりのなかで形づくられ、変容していくありさまを、司法と教育という二つの領域に焦点を当てて描く。司法制度と教育制度は、イギリスにとって、長期的統治のための重要な役割を担っていた。前者は税を安定的に徴収し、治安を維持するために不可欠なものであり、後者はインド人口に比べて圧倒的に少人数であるイギリス人統治者たちが、広大な領土・人口を支配するうえで必要な現地協力者を育成するためのものとして捉えられていた。同時にこれらの制度は、「先進的」なイギリスが、「後進的」なインドを教え導くという「文明化の使命」の構図を裏づけるものとしても位置づけられていた。すなわちそこでは、無秩序なインド社会に「近代的」制度を導入することで秩序をもたらし、無知な人々を啓蒙するというイギリス像が描かれており、それが統治者にとって植民地支配を正当化する論理ともなっていたのである。(1)

植民地政府にとってこのような役割を担っていた司法・教育制度に対して、在地社会の人々はどのように向きあい、いかなるかたちで関わりあっていったのか。本章では、異なる立場や状況にある人々の視点から、これらの制度がもっていた意味や役割を明らかにしつつ、多様な人々との関わりを通じて制度が変容し、社会に定着していく過程を検討する。

一、司法制度と在地社会

ヘイスティングズの方針

まず、イギリスによるインド植民地化の流れを簡単に振り返ってみよう。一七世紀からインド亜大陸各地で商業活動を展開していたイギリス東インド会社は、一七五七年のプラッシーの戦い、および一七六四年のバクサールの戦いでの勝利を機に、インド東部のベンガル、ビハール、オリッサのディーワーニー(徴税権)を獲得し、インドにおける領土支配に乗り出す。一七七二年にはウォーレン・ヘイスティングズ(在任一七七二―八五年)がベンガル管区知事に就任し、翌年にはその地位はボンベイ、マドラス管区を含む全管区を統括するベンガル総督に改められた。(2)一七八四年には東インド会社の活動を統括するために、本国政府のもとに監督局が設けられ、インド統治体制はさらに整備されていく。東インド会社はそののちも領土を拡大し、一九世紀前半までに、インド亜大陸の大部分を支配下におくことになった。一八五七年にはインド大反乱が勃発し、これを鎮圧したイギリスは、インド統治を東インド会社からイギリス政府のもとへと移行する。ムガル帝国は滅亡し、一八七七年にはヴィクトリア女王がインド皇帝に即位する。

イギリスはこのように長い期間をかけてインド支配を確立していったのだが、行政・司法制度の土台づくりは、一八世紀後半のヘイスティングズの時代に始まった。司法に関するヘイスティングズの方針は、以下のようなものである。まず、各県に民事訴訟を扱う裁判所と刑事訴訟を扱う裁判所とを別々に設けることとした。そのうえで、刑事訴訟についてはそれまでベンガルで用いられていたイスラームの法を踏襲し、法官のカーディーやムフティー、および二人のマウラヴィー(ムスリムの識者)がこれを解釈し、刑罰を決定することとした。(3)次に、「相続、婚姻、カースト、その他の宗教的な慣習や慣行」に関わる民事訴訟においては、ヒンドゥーにはシャーストラ(ヒンドゥーの宗教その他に関する文献)の法を、ムスリムにはクルアーン(コーラン)の法を適用することが定められた。これらの民事訴訟の際には、バラモン、およびマウラヴィーが、法の解釈に関してイギリス人判事に助言を行い、判決を下すのを助けるものとされた(Cohn 1997: 26; 歴史学研究会 二〇〇九:二四-二五頁)。

民事訴訟についての方針は、一見すると、在地の宗教的な法慣習と、それを遵守するための宗教的権威を、東インド会社がそのまま追認しているかにみえる。しかし実際には、ヒンドゥー、ムスリムの内部には、起源の異なる多様な社会集団が含まれており、それらの法慣習は互いに異なっていたうえ、地域による相違も存在した。それらを統括して、ヒンドゥー全般、あるいはムスリム全般に適用されるような法典が、インドに既に存在していたわけではない。東インド会社統治以前のベンガルにも法官はいたものの、民事事件、とりわけ家族に関する事件については、各カースト、あるいは村落、地域のパンチャーヤト(自治組織)などが処理していたと考えられている(山崎 一九九〇:二七九頁)。これに対してヘイスティングズの方針は、ヒンドゥーとムスリムをそれぞれ一括し、その内部で同じ法が共有される状態を想定しており、現地の係争処理のしかたに明らかな変化をもたらすものであった。

その後、ヘイスティングズやその後継者たちのもとで、裁判の際に参照するためのヒンドゥーとイスラームの法の編纂が進められていく。また裁判の過程でも、法慣習がいかなるものであるのかが論じられ、規定されていく。そこでは現実には曖昧さや流動性を伴う各地域・社会集団の法慣習が、裁判に関わっていた人々の解釈や同時代の背景を反映しながら、より明確に、かつ固定化されたかたちで表されていった。

婚姻や相続などの家族に関わる係争に関して、宗教コミュニティごとの法を適用するという方針は、その後も長く引き継がれることとなった。やがて、ヒンドゥー、ムスリム以外の宗教コミュニティからも、「自分たち」に固有の法を制定することを求める動きが起こり、これを受けてパールシー(インドのゾロアスター教徒)、インド人キリスト教徒、ブラフモ(ヒンドゥーの宗教改革組織ブラフモ・サマージの成員)、シクに適用される家族法が、一九世紀後半から二〇世紀初めにかけて次々に制定されている(Singh and Kumar 2019: 33)。[4] 二〇世紀にはナショナリズム台頭やインド独立を背景に、ヒンドゥーやムスリムをはじめ、宗教コミュニティごとの家族法はさらに変容を重ねていった(藤音 二〇一八)。

法と裁判所

ヘイスティングズは在地社会の知識人たちを動員し、ヒンドゥー法の編纂や、イスラーム法に関する文献をアラビア語からペルシア語、さらに英語へと翻訳させる作業にあたらせた(Newbigin 2013: 32, 35; 山崎 一九九〇：二八二一二八三頁)。彼はまた、イスラーム法に通じたインド人の人材育成のための教育機関、カルカッタ・マドラサを一七八〇年に設立した。一方、ヒンドゥー法に通じた人材育成については、一七九一年にワーラーナシーにサンスクリット・カレッジが設立されている(Nurullah and Naik 1951: 57-58)。このふたつの教育機関は、サンスクリット語やペルシア語、アラビア語で表されたそれまでの知の伝統を引き継ぎつつ、東インド会社の統治体制や権威を築くという、当時の会社の方針を反映したものとなっていた。[5] ヒンドゥー法やイスラーム法の編纂作業は、ヘイスティングズ以降も、ウィリアム・ジョーンズ(一七四六—九四年)、H・T・コールブルック(一七六五—一八三七年)、ウィリアム・ヘイ・マクナトン(一七九三—一八四一年)など、東インド会社の判事や官僚としてインドに勤務した人々のもとで継続する。

ヒンドゥーやイスラームの法の編纂が進む一方で、各地に設立された裁判所においては様々な判例が積み上げられ、判例集の編纂・刊行が進められた。これによって先例拘束の原理が、イギリスと同様にインドにおいても尊重されていくことになる(山崎 二〇〇〇：三九八頁)。編纂された法のなかには相矛盾する規定も存在し、また、これらの法に記された規定とカーストごとの慣習とが矛盾することも少なくなかった。そのために、それぞれの係争に適用すべき法慣習が何であるのかをめぐり、判事はしばしば難しい判断を迫られた。また、そもそも裁判所が宗教コミュニティやカースト内部の問題にどこまで介入しうるのかについても判断が分かれた。例えばボンベイ管区では、一八二七年の法令によって、カーストに関わる問題には民事裁判所が介入しない旨を明らかにしたのに対して、ベンガル、マドラス管区ではカースト問題に関する係争も裁判所で審議されており、明らかな地域差がみられる(小谷 二〇一〇：一七六頁、小谷・吉村・粟屋 一九九四)。(6)

司法制度の導入によって新たに設置された裁判所の形態もまた、時代とともに変化する。東インド会社時代には二系統の司法機関が存在した。ひとつは、カルカッタ、マドラス、ボンベイの各管区都市に設けられた国王裁判所であり、これらはヨーロッパ人の訴訟、および管区都市内のインド人の訴訟を扱っていた。もうひとつの系統は、東インド会社の裁判所であり、こちらは管区都市以外の地域のインド人に関する訴訟の管轄権を有していた。会社裁判所の最上位には、管区ごとに首位民事裁判所と首位刑事裁判所がおかれ、そこでは下位裁判所から上訴された係争が扱われた。(7)

こうした裁判所のあり方は、一八五七年のインド大反乱、および東インド会社の支配からイギリス政府の支配へという統治体制の移行を経て、大きく改変される。一八六一年には高等裁判所法が制定され、その翌年にはそれまでの国王裁判所、および東インド会社のもとにあった首位民事裁判所・首位刑事裁判所の三つが合体して高等裁判所となり、カルカッタ、マドラス、ボンベイにそれぞれ設置された。これにあわせて下位裁判所の再編も進められた。

インド大反乱は裁判所の再編以外の面でも、司法のあり方に影響を及ぼした。大反乱後のインド統治の方針を示すべく、一八五八年に出されたヴィクトリア女王による宣言には、イギリスがインドの人々の信仰や慣習を尊重する旨が明確に記されている(*Proclamation by the Queen* 1858; 歴史学研究会 二〇〇九：四〇―四一頁)。在地社会からの反発を避けるために、人々の信仰や慣習には介入しないというイギリスの姿勢は、「文明化の使命」の理念とときに対立しながらも、以前から繰り返し示されてきた。インドの諸勢力による復古主義的な動きを含んだ大反乱の経験(「展望」参照)は、この姿勢をより一層強化させ、そのことは司法の場での議論にも影響を与えていく。さらに同宣言は、教育や能力などに応じてインド人を官職に登用する方針も示していた。これもまた、反乱後の懐柔策として出されたものであったが、この流れを受けて、一八六二年にカルカッタ高等裁判所で初のインド人判事が誕生する。一八八〇年代には、各高等裁判所に、常に一、二名のインド人判事がいる状態となっている(山崎 二〇〇〇:三九六頁)。インド人判事の数は二〇世紀に入るとさらに増加し、裁判所の「インド化」が進展した(Chandrachud 2015: 105-111)。

一九世紀後半には、英領インド全体に適用される法の整備も進展し、一八五九年に民事訴訟法典が、一八六〇年に刑法典が、一八六一年に刑事訴訟法典が制定された(Singh and Kumar 2019: 20, 32)。司法制度が整備されていくなかで、訴訟件数は増加し(Bayly 2012: 185; 藤井 二〇〇三:四二頁)、インド社会の多様な層の人々が、身の回りで起きる各種の対立や紛争を解決する手段として、裁判所を利用するようになっていく。(8)

法廷に立つ人々

植民地支配下での法や裁判所の役割といえば、統治の道具としての側面に焦点が当てられがちだが、近年の研究では、在地社会の広範な人々がそれらを利用する様子や、法廷で原告や被告として、それぞれの論理に沿って権利を主張する様子が、より詳細に明らかにされつつある(Kolsky 2010; Mallampalli 2010; Sharafi 2014; Siddiqi 2017; 稲垣 二〇一八、二〇二〇)。法廷には、親族、宗教コミュニティ、カーストなどのそれぞれの社会集団内の争い、あるいは社会集団間の紛争が、様々なかたちでもち込まれた。それらの内容も、相続や負債の問題、婚姻や親権をめぐる訴訟など、多岐にわたった。人々は、ときには植民地権力のもとで編纂された法を根拠に、ときには法に記されているものとは異なる、自らの属する社会集団に特有の慣習を根拠に、またときにはイギリスの掲げる人道的観点を盾にするなど、

する人々の視点からみれば、法や裁判所は多くの場合、植民地当局や在地の支配勢力が彼らを統治し、その権力を維持する道具にすぎなかった。ただし、ここで注目したいのは、訴訟の当事者となった人々が、法や裁判所に対して必ずしも受動的な存在であったわけではないということである。彼らは、自らの利害に沿うように法や裁判所を利用し、植民地支配の枠組みのなかで自らの主張の正当性を訴えた。それに対応する司法の側は、

異なる戦略を用いて、原告や被告、あるいは証人として、自らの主張の正当性を訴えた。それに対応する司法の側は、人々の相異なる主張を前に、在地の慣習、法が何であるのかについて、しばしば難しい判断を迫られた。(9) また、ときには次節で紹介する事例のように、「慣習」を尊重するという植民地統治の方針と、「啓蒙」「文明化の使命」という統治理念との間で、司法の判断が揺れ動くこともあった。在地社会の広範な人々が裁判所に関わるようになったことは、法や裁判所のあり方に影響を及ぼすとともに、イギリスの導入した司法制度を社会のなかに定着させ、それに多様な意味を与えていくのに寄与した。

ただし、法や裁判所を通じて自らの権利を主張することが、誰にでも同じように可能であったわけではない。社会のなかで個人や集団がおかれた立場、状況によって、司法制度への関わり方には大きな差異があった。例えば、東インド会社のもとで商業活動などを通じて経済的・社会的地位を上昇させたパールシーは、パールシー同士での紛争解決のために、司法制度を積極的に利用している(Sharafi 2014)。パールシーはその高い教育水準を背景に、弁護士や裁判官として司法の世界に関わる人材も数多く輩出しており、そのことも彼らの間で法や裁判所をより身近なものとしていた。彼らはさらに、自らに適用される法そのものの変革にも乗り出す。ヒンドゥーやムスリムにはそれぞれの宗教に基づく法が適用されているにもかかわらず、自分たちにはイギリス法が適用されていることに不満を抱いたパールシー・エリートは、自身のための法律を求めて政府に働きかける。この結果、一八六五年にはパールシー婚姻離婚法、パールシー無遺言相続法が新たに制定された(Dobbin 1972: 104-111; Sharafi 2014: 90)。

こうして自分たちのための法の制定にまで関わることのできたパールシー・エリートの状況は、植民地支配下で高等教育を受ける機会をもたず、司法の世界につながるような人的ネットワークをもたない経済的・社会的下層の人々の場合とは、きわだった対照をみせている。トライブ(部族、先住民)や下位カーストなど、在地社会の周縁部に位置する人々の視点からみれば、法や裁判所は多くの場合、植民地当局や在地の支配勢力が彼らを統治し、その権力を維

持するために用いる手段のひとつであった[10]。彼らにとって、司法の場を利用して、自分たちの権利を主張したり、自分たちのおかれた状況について異議申し立てを行うことが、いかに困難であったかは想像に難くない。しかしそのような状況にあっても、法廷に関わる人々の範囲が広がるにつれて、司法に関する知識が、断片的なかたちながらもより多様な社会層に伝わっていったことが、裁判記録をもとにした近年の研究からはうかがえる。そこでは例えば、屠畜を生業としていたムスリムの夫に先立たれた、字を読むこともできない女性が、法廷において可能な限りの証拠や論理を駆使しながら、自らの財産を守ろうとする姿なども浮かび上がっているのである(Siddiqi 2017: 157-191)。

社会改革運動と司法

裁判所に様々な係争がもち込まれるなかで、法廷内での対立や議論が、法廷外で展開されていた社会・宗教改革運動と連関することで、広範な議論を巻き起こす現象も起きていた。一九世紀半ば以降、インド各地では社会・宗教改革運動が活発化し、女性に抑圧的な慣習の改革を求める動きや、カーストや宗教にまつわる「悪しき」慣習の廃止を求める動きなどが起こっていた。これらの慣習に関連する事件が起きると、改革推進派、反対派はともに、自ら訴訟に関わったり、判決をめぐって新聞、雑誌などで論戦を繰り広げるなどした。

ここでは社会改革運動と連関した裁判の一例として、一八八〇年代にボンベイ高等裁判所で争われた幼児婚をめぐる訴訟を取り上げる。この裁判は、幼児婚で決められた相手との同居を拒む女性に対して、夫が婚姻権の回復を求めて訴えを起こしたことで始まった。この女性、ラクマーバーイー(一八六四―一九五五年)は、スタール・カースト(大工を伝統的生業とするカースト)の出身で、父を早くに失い、母とその再婚相手である医師――社会改革にも関心をもつ人物――に育てられる。彼女は当時の幼児婚の習慣に従い、一一歳のときに親戚の男性と結婚し、通っていた学校も退学するが、育ての父の意向により、夫婦としての生活は彼女が成長するまで待つこととされた。実家に留まり独学を続けた彼女に対して、夫は自らのもとで結婚生活を送ることを再三要求するが、彼女はこれを拒み続ける。一八八四年、彼女が二二歳のときに、夫はヒンドゥー法に基づき婚姻権の回復を求めて裁判所に訴えを出す。その背景には、ラクマーバーイーとの結婚によって得られるであろう財産への期待もあったといわれている(Chandra 1998)。

法廷の内外において、ラクマーバーイーは本人の意思なく決められた幼児婚の無効性を主張し、幼児婚の弊害や女性が抑圧されている状況を訴えた。この裁判は、当時、幼児婚や寡婦の窮状に関して社会改革を呼びかけていたベーフラームジー・マラバーリー(一八五三―一九一二年)ら知識人の注目を集め、ラクマーバーイーを支援する動きも起こる。裁判では第一審でラクマーバーイーが勝訴したにもかかわらず、控訴審では夫の主張が認められて裁判は差し戻しとなり、そこで下された判決でも夫が勝利した。そこには、「人道的」立場と在地の慣習の尊重という方針の間で、司法判断が揺れているありさまがうかがえる。裁判の経緯はインドばかりでなくイギリスのメディアでも広く論じられ、各方面から打開策が模索された結果、一八八八年に両者間の和解が成立し、彼女が夫に賠償金を支払うかわりに、夫は結婚を強要しない旨に同意する。のちにラクマーバーイーは資金援助を得てロンドンで医学を学び、帰国後は医師として働いている(*Ibid.*)。

この裁判は、一八九〇年のカルカッタにおける幼児婚に関連した裁判とともに大きな議論を喚起し[11]、幼児婚の法的規制を求める動きを後押しすることになった。一八九一年、植民地政府は限定的なかたちながらも、幼児婚抑制のための法の改定に乗り出す[12]。このように、「慣習」をめぐる訴訟は、社会・宗教改革運動と結びつくことで、原告や被告などの当事者たちばかりでなく、より広範な人々に変化をもたらす契機ともなっていた。統治のために導入された司法制度は、在地社会の状況にあわせて利用され、多様な役割を帯びていくなかで、インド社会に徐々に根づいていった。

二、教育制度と在地社会

植民地支配と教育

イギリスの植民地権力にとって、安定的な徴税や治安の確保のために司法制度が不可欠であったように、教育制度もまた、インドを長期的に統治するうえで必要な現地の人材を確保するという重要な役割をもつものであった。東インド会社が関わった最初期の教育活動は、植民地インドの司法制度を支えるイスラーム法、ヒンドゥー法に通じたインド人の人材育成を目的としたカルカッタ・マドラサ、およびサンスクリット・カレッジの設立であった(前節参照)。さらに一九世紀に入ると、領土拡大を背景に、東インド会社は現地の人々に対する教育に、より積極的な関心を向けるようになる。一八一三年に東インド会社特許状法が改定され、政府は「文学の復興・改善、インドの学識ある現地民への励まし、およびインドの英領地域の住民の間での科学的知識の導入と普及」のために、毎年一〇万ルピー以上の予算をあてることを定める(Nurullah and Naik 1951: 80-82; Zastoupil and Moir 1999: 90-91)。ここには在地の知の伝統を引き継ぐ姿勢と、インドに西洋の知を導入するという姿勢との両方が示されている。また、在地社会からの反発を恐れて、会社が一時期禁じていたキリスト教宣教師の英領インドでの活動についても、同特許状は方針を改めてこれを承認し、以降、宣教師による教育活動も活発化した。

一八一〇年代後半からは、教育促進のための組織が、ヨーロッパ人とインド人との協力のもとで、東インド会社からの支援を受けながら活動を開始した。ボンベイ教育協会(一八一五年)、カルカッタ教科書協会(一八一七年)、カルカッタ学校協会(一八一八年)、マドラス教科書協会(一八二〇年)、ボンベイ現地学校・教科書協会(一八二二年)などのこうした組織は、在地諸語や英語を媒介とした学校の設立・再編・管轄や、教科書の作成などに携わる(Government of

Bombay 1958: 3-5; Tschurenev 2019: 109-110)。イギリスのインド進出以前にも、読み書き、算術を中心とした教育活動を行う寺子屋式の「学校」は存在した。また、在地の有力者や教師の家、あるいは宗教施設などでサンスクリット語、ペルシア語、アラビア語を用いた高等教育も行われていた(Nurullah and Naik 1951: 38-40)。しかしこれらの多くは一九世紀を通じて、ヨーロッパの制度をモデルとした新たな教育制度のなかに徐々に統合されていく。

このように各地で、ヨーロッパ人と現地のエリートの協力のもとに教育活動が発展するなかで、インド総督参事会においては教育方針をめぐり、ふたつの異なる見解が対立していた。一方には、在地の知の伝統を重視し、サンスクリット語、あるいはペルシア語、アラビア語を用いた教育を望ましいとする人々(「オリエンタリスト」)がいた。[13] これに対して、西洋の知をより積極的に取り入れることを目指し、英語による教育を説く人々もおり、彼らは「アングリシスト」と呼ばれている(Zastoupil and Moir 1999)。

こうした教育方針をめぐる統治者間での見解の相違は、インド人エリートの間での見解の相違とも対応していた。とりわけアングリシストたちの主張は、英語による高等教育の機会を求める在地エリートの主体的な動きと呼応していた。例えばカルカッタでは、ヒンドゥー富裕層が、英語や西洋の学問を若者が学ぶための機関として、一八一六年にヒンドゥー・カレッジを設立している(*Ibid.*: 13-14)。また、一八二三年には、宗教・社会改革運動で知られるラームモーハン・ローイ(一七七二/七四—一八三三年)がインド総督に書簡を送り、東インド会社がインドの伝統的な知を引き継ぐためのサンスクリット・カレッジを、新たにカルカッタにも設けようとしていることを批判した。同書簡には、西洋の「有益な」学問の普及を強く求めるローイの姿勢が明白に表れている(*Ibid.*: 110-114)。ボンベイにおいても在地のエリートたちの募金をもとに、英語を媒介とする高等教育機関設立に向けた動きが一八三五年から始まった。この試みはまもなく、エルフィンストン校(のちのエルフィンストン・カレッジ)の誕生へとつながる(Dongerkery 1957: 2)。

これらの在地社会の動きは、一見すると、イギリスのインド進出以降、在地の知のあり方や言語状況に決定的変化が生じていたことを示唆するかにみえる。確かに重要な変化は生じているのだが、しかし同時に、イギリス進出以前から、インド亜大陸のエリートたちが複数の言語を習得し、それぞれの言語を通じた知の体系に触れつつ、それらを使い分けて暮らしていたという連続性にも留意すべきであろう。例えばムガル期の北インド在住の知識人であれば、居住地域の言語に加えて、リンガ・フランカとして北インドのより広域に流通している言語や、ムガルの行政語であるペルシア語の知識を多少なりとももち、さらにヒンドゥーであればヒンドゥーの宗教文献や知識人の共通語としてのサンスクリット語、ムスリムであればアラビア語に精通していた可能性が高い(Kaviraj 2010: 96; Isaka 2022: 5, 24-26)。こうした重層的言語の世界に身をおいていたエリート層からみれば、英語はそのなかに新たに加わったもう一つのことばにすぎなかった。イギリス支配の拡大に伴い、英語の重要性が高まるなかで、在地エリートたちの間から、かつてムガル朝支配のもとでペルシア語を学んでいたように、英語習得に対する積極的な姿勢がみられたことは、自然な流れであったと考えることもできる。

このような在地エリートたちの動きにも後押しされながら、植民地政府内では、英語を媒介とした高等教育を重視するアングリシストの主張が優勢を占めるようになっていく。総督参事会で法を担当していたトマス・B・マコーリ(一八〇〇-五九年)は、教育に関する「覚書」(一八三五年)を著し、インドのエリート層の知的発展のために用いられるべき言語は、インド各地の在地諸語やサンスクリット語・アラビア語ではなく、英語であると主張した。マコーリによれば、東洋をよく知る人々のあいだでさえ、「ヨーロッパの良質な図書館の本棚一つ分は、インドとアラビアのすべての文献と同じだけの価値をもつ」ことを否定できた者はいなかった。彼の主張では、「血や肌の色はインド人だが、嗜好、見解、道徳、知性においてはイギリス人であるような人々」で、「我々と我々が統治する何百万もの人々の間の通訳者たりうる人々」を創出することに彼らは最善を尽くさなければならなかった(Zastoupil and Moir 1999:

161-173)。ここではアングリシストの立場から、英語教育を通じてインド人エリートを養成する必要性が改めて強調されており、在地諸語を通じた「大衆」への教育、つまり広範な初等教育は、こうしたエリートを通じて徐々になされるものとされた(いわゆる「浸透理論」)。この路線は、インド総督ベンティンクによって承認される。

ただし、植民地政府のなかで、インド社会の広範な人々に対する教育への関心が存在しなかったわけではない。一八五四年には監督局総裁のチャールズ・ウッドのもとで、教育制度を整備するための諸提案がなされたが(「ウッドの教育通達」)、ここでは英語による高等教育と並んで、在地諸語による「大衆教育」に注意が促されている。この通達においては「浸透理論」が見直され、初等・中等教育の活性化が目指されている。管区・州ごとの教育庁の設置も促され、民間の教育機関に対する政府の援助方針も定められ、一定の条件を満たした機関は、制度のなかに公的に取り込まれていく(Nurullah and Naik 1951: 206-214; Tschurenev 2019: 242-243)。しかしながら、広大な人口を対象とした、在地諸語による初等教育の発展・普及の速度は緩慢なままであり、インドの識字率は一八九一年センサスの時点でも、男性が一〇・九一%、女性が〇・五七%にすぎなかった。ちなみに同センサスによれば、英語を解する者の割合は、識字能力をもつ人々のうちの五%にも満たず、英語教育を受けることのできた層がいかに限られていたかが明らかである(Baines 1893: 210, 224)。

高等教育については、一八五七年にカルカッタ、ボンベイ、マドラスに大学が設置され、その傘下にそれまでに設立されたカレッジが入り、各大学のもとでカリキュラムや試験が統一されていくことで、さらに制度が整えられていく。高等教育に進んだ人々は、卒業後は官僚職、あるいは弁護士などの専門職についたり、商業活動で活躍するなど、各分野でエリート層として大きな存在感を示すこととなった。これらの高等教育機関に通う学生たちの出身集団は、地域差はあるものの、上位カーストが大部分を占めており、ボンベイ管区についてはその他に前述のパールシーも存在感をみせている(Dobbin 1972)。

カレッジに通う学生たちは、異なる地域出身の学生たちと交流し、西洋の文献に触れ、社会のあり方を論じ、文芸活動に携わり、ときにはクリケットなどのスポーツに興じながら、その後の活動につながるような人的ネットワークを構築していった。高等教育を受けた人々の間からは、西洋思想の影響を反映しながら、活発な社会改革運動を行う者たちも現れる。彼らは社会・文化活動のための結社を各地で設立し、出版物を通じて様々な議論を展開した。また、英語を介した全インド的な公論の場も発達していった。一八八五年一二月には、こうしたエリートたちが集う場としてボンベイでインド国民会議の第一回大会が開催される。周知のように、国民会議はのちに、インド独立運動を率いる主要組織へと発展していく。

宗教コミュニティ、カースト、教育

植民地期に導入された「近代的」教育制度のもとでは、学校教科書の作成や導入が進められ、各地で統一的なカリキュラムがつくられた。一九世紀後半には管区・州の教育庁のもとでの視察や報告書の作成なども行われ、教師育成のための師範学校もつくられる。また、初等教育から中等教育を経て、カレッジでの高等教育へとつながる一連の体系が整備されていった。しかしながら、植民地インドにおける教育活動は、「上から」画一的な制度・組織が導入されていくイメージからはかけ離れている。そこでは在地社会の構造や慣習、そこに住む人々の主体的な動きなどを反映しながら、多様な教育活動が展開していた。

イギリス支配下のインドでは、植民地権力の統治政策や、西洋の思想・学問からの影響を受けて、各地のエリートたちの間で、宗教、カースト、地域などに基づく帰属意識をより明確なかたちで表そうとしたり、それらの帰属意識に基づく「自分たち」の集団が、インド社会においてどのような立ち位置にあるのかを強く意識する傾向が現れていた(井坂 二〇一九)。教育が地位上昇に果たす役割が広く認識されるのに伴い、こうした人々は、「自分たち」の経済的・社会的地位の上昇を目指し、その成員に対して教育の必要性を説くようになる。ときにはこれらのエリートたちが中心となり、「自分たち」の子弟を対象とした独自の教育機関が設立されることもあった。以下、特定の宗教コミュニティやカーストと結びついたかたちでつくられた教育機関の事例をいくつか紹介しよう。

植民地支配下で「自分たち」のための教育活動にいち早く着手したのは、インド西部に住むパールシーであった。八―一〇世紀にイランからインドに渡ったとされるゾロアスター教徒を先祖にもつ彼らは、一七世紀以降、その一部がヨーロッパ勢力の商業活動の仲介者として活躍し、経済的・社会的地位を大きく上昇させる。一九世紀に入り、東インド会社の支援のもとで教育活動が展開されるようになると、パールシーのエリートたちはこれにいち早く関心を示した。一八四九年には、パールシーの資本家ジャムシェードジー・ジージーバーイー(一七八三―一八五九年)らの資金をもとに、パールシー慈善協会が設立され、パールシーのための教育活動に対する積極的な援助が行われる。ボンベイ市やグジャラート地方各地に、英語教育のための学校や、彼らの母語であるグジャラーティー語で教育を行う学校が次々と設立され、複数の女子校も設立されている。パールシー・エリートたちが「自分たち」のための教育活動を始めた背景のひとつには、一八三九年に二名のパールシー青年がキリスト教に改宗する事件が起こり、彼らの間にキリスト教宣教師による教育活動への警戒感が高まっていたことがあった(Palsetia 2001: 105, 136-139)。このように、宗教コミュニティを基盤とした教育機関の設立にあたっては、コミュニティの地位向上とあわせて、「自分たち」の宗教や伝統の保持という目的も意識されていた。

ムスリム・エリートの間でも、一九世紀後半になると、近代的な教育制度を取り込みつつ、ムスリムの伝統や彼らのおかれた状況を踏まえた、「自分たち」のための教育機関設立の動きが活発化する。イスラームの改革思想を打ち出したサイイド・アフマド・カーン(一八一七―九八年)は、イスラームの価値観に基づきつつ、西洋の学問や英語の知識を身につけたムスリム・エリートの育成を目指し、一八七五年にアリーガルにムハンマダン・アングロ・オリエンタル・カレッジ(のちのアリーガル・ムスリム大学)を設立する。一方、イスラーム諸学問を中心とした伝統的な教育を主張するウラマー(イスラームの識者)たちは、一八六七年に北インドの都市デーオバンドに学院を設立し、カリキュラムの作成や組織、運営面でイギリス式の教育の要素を取り入れつつも、イスラームの教えを伝えることを目的とした教育活動を始めた。この学院は、インドの広範な地域からムスリムの子弟をひきつけ、また、デーオバンドをモデルとした学校も各地につくられている(Jones 1989: 57-70)。

シクの間でも、過去の「純粋な」シク教の復興を説く宗教改革運動組織のシング・サバーが、一八九二年にアムリトサルでシクの子弟のための高等教育機関創設に着手し、一八九七年にはパンジャーブ大学に付属するかたちでカールサー・カレッジが開校されている(Jones 1989: 109-115; Brunner 2020: 35)。「自分たち」のための教育機関設立の試みは、ヒンドゥーの宗教改革運動と結びついたかたちでも起こっている。ヒンドゥーの改革組織として北インドで影響力を広げていたアーリヤ・サマージ(一八七五年設立)は、一八八六年に近代教育のためのダヤーナンド・アングロ・ヴェーディック・カレッジをラーホールに設立した。同カレッジは、一八八九年にはパンジャーブ大学の傘下に入っている。一方、同じアーリヤ・サマージのなかでも、サンスクリット語やヴェーダ文献などを通じた宗教教育を重視する人々は、グルクルと呼ばれる独自の教育機関を創設した(Jones 1989: 98-103; 藤井 二〇〇三:一六〇頁)。

さらにこの時代に、ごく例外的な試みであるとはいえ、下位カーストを対象とした学校設立の動きも起こっていたことは注目に値する。当時、インドでは、一部のキリスト教宣教師たちのもとで、不可触民やトライブに対する教育活動が始められていたが、それ以外の教育機関においては、不可触民が排除されることが少なくなかった。彼らは上位カーストの人々からの反発によって入学を拒まれたり、入学できたとしてもそこで様々な嫌がらせや差別を受けた。ときには、上位カーストの生徒たちが不可触民の入学を理由に退学し、学校運営に支障をきたすこともあった(Education Commission II Evidence 1884; Tschurenev 2019: 304-308)。カースト差別を批判する植民地政府も、建前としては政府の教育機関は全ての階級に開かれたものであるとしつつも、この問題に介入することには消極的であった。

こうしたなかで、インド西部における反バラモン運動の指導者として知られるジョーティラーオ・フレー(一八二七—一八九〇年)は、一九世紀半ばからプネーにおいて、不可触民であるマハールやマーングをはじめとする社会的下層の人々を対象とした教育活動を開始する。フレー自身はマーリーと呼ばれる農業や花卉栽培を職業とするカースト(ヴァルナにおいてはシュードラに属する)の出身で、スコットランド系宣教師の学校で学んだ経験をもつ。彼はバラモンによる非バラモンへの抑圧に強い反発を抱くようになり、不可触民も含めた非バラモンの権利を主張した。彼はバラモンの友人たちとともに、植民地政府からの支援も得ながら、不可触民を対象とした学校(女子校も含む)を複数設立した。こうしたフレーらの試みに対しては、不可触民が学ぶこと自体に批判的な上位カーストの人々から激しい反発が起こり、フレーらを社会的に排斥する動きも生じていた(O'Hanlon 1985: 110-119; Tschurenev 2019: 278, 308-309)。

フレーの教育活動の様子は、当時、そこで学んでいたマーング出身の一四歳の少女が書いた作文から垣間見ることができる(Muktabai 2008; O'Hanlon 1985: 120-121; Tschurenev 2019: 290-291)。一八五五年にキリスト教宣教師団の発行するマラーティー語紙に掲載されたこの作文には、バラモンによる不可触民への抑圧や残虐な行為に対する批判が強い口調で綴られている。また、彼女が教育をどのように捉えていたかをうかがわせる以下のような文章も記されている。

> 何人かの崇高な魂の持ち主が、マハールとマーングのための学校を始め、そのような学校は慈悲深いイギリス政府によって支援されています。ああ、マハールとマーングよ、あなたたちは貧しく病いにかかっています。知という薬だけが、あなたを治し、癒すでしょう。[中略]それはあなたに対する搾取を終わらせるでしょう。あなたを動物のように扱っている人々は、もはやそのようにはしなくなるでしょう。
>
> (Muktabai 2008: 75)

この作文からは、教育を受けることで自分たちを取り巻く状況が変わりうるとの認識が、フレーらの学校で学ぶなかで、不可触民出身の生徒たちに育まれていった様子を感じとることができるだろう。[14]

女性と教育

インド各地のエリートたちの主導下で、在地社会の状況を反映させた教育活動が展開されていった様子は、女子教育においてもみることができる。前述のように、一九世紀以前のインドにも寺子屋式の「学校」は存在していたのだが、そこでは女子の姿はほとんどみられなかった。こうした状況に対して、女子教育にいち早く関心を示したのはキリスト教宣教師たちであったが、まもなくインド人エリートたちもこれに積極的に取り組むようになる。しかしその過程では、女性が読み書きをすることを嫌う風潮や、幼児婚により女性が早くから妻、母としての役割を担わされていた状況などが、大きな障害となっていた。さらに上位カーストの女性たちの場合には、近親者以外の男性との接触を避けることを求める慣習が広く共有されており、男性と同じ場で教育を受けることは難しかった。そのためこの時代の女子教育の試みは、主に家庭や女子校を通じて行われていた。

一九世紀後半になると、インド人エリートの間で女子教育の必要性を訴える動きが活発化し、都市部にはキリスト教宣教師たちが運営する学校に加えて、在地エリートによる社会改革運動と結びついた女子校が次々に設立されるようになる。インド人エリート(男性エリート)が女子教育に取り組んだ背景には、ヴィクトリア時代のイギリスの女性観・家族観の影響のほかに、イギリス人官僚やキリスト教宣教師たちによるインド社会批判のなかで、インドにおける女性の地位の低さがとりわけ強調されていたことがあった。在地エリートの間では教育を通じて女性を啓蒙し、「よき妻、よき母」として養成することが、自分たちの属する社会集団やインド社会の向上につながるとの考え方が広まっていく。また、このような女性は、男性エリートを支える理解者・「同志」としての役割をも担いうると考えられていた。

一九世紀終わりになると、女子校で教育を受けたのちに、カレッジに進学して男性とともに英語を媒介とした高等教育を受ける女性たちも、ごくわずかながら登場するようになる。一八八〇年代には、カルカッタ大学、ボンベイ大学で相次いで女性の学位取得者が誕生している。ただし、カレッジに通う女性たちが、同じカレッジの男性たちに比べて行動の自由を大きく制約されていた様子が、彼女たちの回顧録その他からうかがえる。女子教育に理解を示す男性エリートの間でも、教育を受けたことで女性たちが過度に「西洋化」することを警戒する声は少なくなかった。当時の男性エリートたちの言説には、女性を在地社会や自らの属する社会集団の「精神」「真なる自己」を象徴し、保持する存在として捉える認識がしばしば現れている。そこでは、女性たちは「内」なる領域＝「精神的」領域＝「家」を守る役割を担うものとされ、植民地支配や近代化のもとで変容する「外」の領域＝「物質的」領域＝「世界」に身をおく男性たちと対比させられていた(Chatterjee 1993: 116-134)。

こうした状況のなかで、様々な困難に直面しながらも、カレッジで学んだり、あるいはさらに例外的な存在だが、イギリスやアメリカに渡って高等教育を受けた女性たちのなかから、その教育経験をもとに、社会改革運動に携わったり、教師や医師などの専門職に就く人々も現れるようになる。ただし留意したいのは、こうした女性知識人たちと「外」の世界との関わりもまた、多くの場合、「伝統」や「慣習」との折り合いを経て成り立っていたことである。例えば、彼女たちにとって教師や医師になる道が比較的進みやすかったのは、女性が近親者以外の男性との接触を避けるためには、女子生徒や女性患者に対応する同性の教師・医師が必要とされていたことによる。また、「外」の世界に関わるようになってからも、女性たちはその装いやふるまいにおいては依然として「伝統」を守ることを強く期待されていた。

このように「伝統」「慣習」を維持しつつ、「近代的」教育のもたらしうる成果を女性にも広げようとする試みは、寡婦に対する教育活動にも象徴的に現れている。上位カーストの間では、夫に先立たれた女性は不吉で罪深い存在として差別され、年齢が若くとも再婚を許されず、行動の自由を大きく制限されながら暮らすことを強いられていた。

こうした寡婦をめぐる社会状況については、一九世紀半ばからインド各地のエリートたちによって「女性問題」のひとつとして取り上げられ、寡婦再婚奨励運動も起こるものの、上位カーストからの強い反発により、その多くは挫折する。[15] これに対して、彼女たちの窮状を救うためには、寡婦再婚の推進よりもその経済的自立を目指すべきであるとの主張が打ち出されるようになる。バラモン出身で女性知識人として知られるパンディター・ラマーバーイー(「パンディター」は識者を意味する「パンディット」の女性形、一八五八―一九二二年)もこうした声を上げた一人である。自らも夫に先立たれた彼女は、イギリス滞在やアメリカへの渡航を経てインドに帰国したのち、一八八九年に上位カーストの寡婦を対象とした寄宿学校をボンベイに開設する(のちにプネーに移転)(押川 一九九六)。教育者として知られるドーンドー・ケーシャヴ・カルヴェー(一八五八―一九六二年)も、一八九六年に、寡婦を保護・教育するための施設をプネーに設立し、寡婦の経済的自立を目指した(Forbes 1996: 51)。[16] この他に、植民地政府の管轄下にあった女性師範学校においても、在学者のなかに寡婦の姿がみられ、そのなかには卒業後に女学校の教師や校長となることで収入源を得るようになった者もいた(Education Commission II Evidence 1884: 275)。

以上のように、植民地インドに導入された「近代的」な教育制度は、植民地統治を支える人材養成という政府の意図を反映しつつも、在地社会の人々からの主体的な動きを受けながら、在地社会に固有の状況を反映したかたちで発展していく。この時代に教育の機会を得ることのできた社会層は大きく限られていたことから、教育制度は在地の権力構造を保持し、強化する方向にも働いていた。しかし同時に、一九世紀終わりまでには、教育制度のなかに自らの地位向上の糸口を見いだす人々が、社会の下層部に位置する人々や女性たちのなかからも、ごく限られた範囲とはいえ現れはじめていたこともまた、見逃すべきではないだろう。

結びにかえて

本章では、植民地期インドで導入された「近代的」制度が、統治者側の理念・方針と、在地社会の様々な立場の人々とのやりとりを通じて形づくられ、変化していく様子を、司法と教育を例として検討した。ここで試みたように、在地社会の人々が、イギリス支配下で導入された諸制度に多様なかたちで関わっていく様子に着目しながら、一九世紀インドの植民地支配を再検討することは、支配・被支配、受容・抵抗などの二分法的図式では捉えきれない支配の複雑な様相や、そのなかでそれぞれの状況に応じて、自らの権利や利益を守る手段を模索した人々の営みを理解するうえで重要である。広範な人々との関わりあいのなかで、社会に定着していった植民地期インドの制度・機関は、その過程で在地の状況を反映した新たな役割や特徴を加えながら、二〇世紀前半のナショナリズムの時代を経て、独立以降へと引き継がれていくことになる。

注

(1) イギリスのインド統治の理念については、Metcalf(1995)他を参照。
(2) ベンガル総督の職は一八三三年にインド総督に改められる。
(3) 一七九三年のコーンウォリス総督時代の司法制度改革により、首位民事裁判所・首位刑事裁判所、およびそれぞれの下におかれた地方控訴裁判所・巡回裁判所の判事には、いずれもイギリス人が就くようになった(安田 一九七七：四一六頁)。
(4) 宗教に基づかない婚姻に関しては、一八七二年に特別婚姻法が制定されている。なお、現在においてもインドでは統一民法典が制定されておらず、その是非をめぐり議論が続いている。
(5) 一八〇〇年には、東インド会社官僚のための教育機関として、カルカッタにフォート・ウィリアム・カレッジが設立される。

ここでは西洋の学問・言語とともに、アラビア語、ペルシア語、サンスクリット語、インドの在地諸語やヒンドゥー法、イスラーム法などが教えられている(Raj 2007: 148; ラジ 二〇一六：一四〇頁)。

(6) インド帝国領は、イギリスの直接統治下におかれた「英領インド」と、在地の支配者である藩王との協定に基づき、イギリスが宗主権をもちつつも彼らに内政権を認めていた「藩王国」の領域に分かれる。本章では前者を扱っているが、英領インドの内部においても司法制度や教育制度には管区・州ごとの違いがみられた。

(7) これらの裁判所の詳細については、稲垣(二〇一八)、山崎(二〇〇〇)他を参照。国王裁判所では、インド人同士の訴訟を除いてはイギリスの法が適用されたのに対し、東インド会社の裁判所では、インド総督・各管区知事の参事会が制定した法や、インドの法慣習が適用された。

(8) のちに「インド独立の父」として知られるようになるモーハンダース・カラムチャンド・ガーンディー(一八六九―一九四八年)は、人々が紛争の解決を裁判所に求める状況に批判的であった。彼は一九〇九年に執筆した『ヒンド・スワラージ(インドの自治)』のなかで、イギリス権力の主要な鍵のひとつは法廷であり、そこで活動する弁護士たちによって、「イギリスの軛が私たちの首にしっかりと当てられた」(Gandhi 2010: 51; ガーンディー 二〇〇一：七三頁)と論じている。

(9) 例えばイスラーム法の規定が、係争の当事者であるムスリムが属する特定のコミュニティ(例えばホージャー)の慣習と明らかに異なっているような場合、裁判所は慣習を優先する方針を示していたが、それには論点となっている「慣習」が、そのコミュニティの「慣習」として認めうるかどうかを判断する必要があった。具体例については、Dobbin (1972: 113-121); Mallampalli (2010)他を参照。

(10) 「クリミナル・トライブ法」(一八七一年)の例にみられるように、植民地当局は、自らの経済的利益や治安への脅威となっていると判断した場合には、法律を用いて人々の慣習・生活様式に強力に介入することも辞さなかった。詳細については竹中(二〇一〇：一一八―一二五頁)、藤井(二〇〇三：一三四―一三六頁)他を参照。

(11) この裁判は、三〇代半ばだった夫が、一〇歳(あるいは一一歳)とされる妻を性行為で死亡させた事件に関するものであり、当時の刑法の規定に沿って、夫は一年の刑を受けたのみであった(粟屋 二〇〇三：一七一頁)。

(12) その内容は、インド刑法典の強姦に関して定めた第三七五条を修正し、夫婦間の性交渉が許される最低年齢を一〇歳から一二歳に引き上げるというものであった(「同意年齢法」)。この限定的な変更に対しても、ヒンドゥー教への介入であるとして保守派からは強い反発が起こった(粟屋 二〇〇二)。

(13) ムガル朝の行政に関わっていた人々は、宗教コミュニティが何であるかにかかわらず、行政語であるペルシア語の知識を広く身につけていた。一八三七年まではベンガル管区の司法行政がペルシア語で行われていたことにも留意したい。

(14) この作文が発表された六年後に生まれたマハール出身のB・R・アンベードカル(一八九一—一九五六年)は、エルフィンストン・カレッジを卒業したのち、奨学金を得てアメリカ、イギリスに留学し、やがて不可触民差別撤廃運動を率いる著名な政治指導者へと成長した。インド独立後の初代法相にもなったアンベードカルの生涯は、不可触民のように社会のなかで周縁化されていた人々にとって、教育がいかなる意味をもちえたのかを改めて示すものとなっている。

(15) イーシュワル・チャンドラ・ヴィッディヤーサーガル(一八二〇—九一年)らの働きかけを受けて、一八五六年に植民地政府はヒンドゥー寡婦再婚法を制定して寡婦再婚を合法化している。また、サティー(寡婦殉死)の慣習に関しては、一九世紀前半のラームモーハン・ローイの運動を受けて、一八二九年にサティー禁止条例が制定された。一九世紀の女性をめぐる慣習に関する社会改革運動については、粟屋(二〇〇三)、Forbes (1996) 他を参照。

(16) カルヴェーは一九一六年に、日本女子大学校をモデルにしたインド初の女子大学(今日のSNDT女子大学)をプネーに設立したことでも知られている。

参考文献

粟屋利江(二〇〇二)「カースト秩序とジェンダー——承諾年齢法(一八九一年)をめぐって」『岩波講座 天皇と王権を考える7 ジェンダーと差別』岩波書店。

粟屋利江(二〇〇三)「南アジア世界とジェンダー——歴史的視点から」小谷汪之編『現代南アジア5 社会・文化・ジェンダー』東京大学出版会。

井坂理穂(二〇一九)「植民地インドの社会と文化」長崎暢子編『世界歴史大系 南アジア史4 近代・現代』山川出版社。

稲垣春樹(二〇一八)「令状、騒擾、税金滞納者——19世紀前半英領インドにおける現地人の司法利用と行政官の危機意識」『歴史学研究』九七三号。

稲垣春樹(二〇二〇)「インドの伝統社会とリベラルなイギリスの植民地支配——一八三〇〜一九〇〇年代における行政と司法の対

立に着目して」『メトロポリタン史学』一六号。

押川文子（一九九六）「解説　パンディター・ラマーバーイー——その生涯と時代」バーバー・パドマンジー、パンディター・ラマーバーイー『ヒンドゥー社会と女性解放——ヤムナーの旅・高位カーストのヒンドゥー婦人』小谷汪之・押川文子訳、明石書店。

ガーンディー、M・K（二〇〇一）『真の独立への道（ヒンド・スワラージ）』田中敏雄訳、岩波書店。

小谷汪之（二〇一〇）『インド社会・文化史論——「伝統」社会から植民地的近代へ』明石書店。

小谷汪之・吉村玲子・粟屋利江（一九九四）「「カーストの自治」政策の展開」小谷汪之編『叢書カースト制度と被差別民2　西欧近代との出会い』明石書店。

竹中千春（二〇一〇）『盗賊のインド史——帝国・国家・無法者《アウトロー》』有志舎。

藤井毅（二〇〇三）『歴史のなかのカースト——近代インドの〈自画像〉』岩波書店。

藤音晃明（二〇一八）『世俗主義と民主主義——家族法と統一民法典のインド近現代史』風響社。

安田信之（一九七七）「インドの下位裁判所（I）——裁判官の任命・昇任を中心にして」『アジア経済』一八巻五号。

山崎利男（一九九〇）「イギリス支配とヒンドゥー法」『世界史への問い7　権威と権力』岩波書店。

山崎利男（二〇〇〇）「イギリスのインド統治機構の再編成——一八五八―七二年」中央大学人文科学研究所編『アジア史における法と国家』中央大学出版部。

ラジ、カピル（二〇一六）『近代科学のリロケーション——南アジアとヨーロッパにおける知の循環と構築』水谷智・水井万里子・大澤広晃訳、名古屋大学出版会。

歴史学研究会編（二〇〇九）『世界史史料8　帝国主義と各地の抵抗I　南アジア・中東・アフリカ』岩波書店。

Baines, J. A. (1893), *Census of India, 1891, General Report*, London, The Indian Government.

Bayly, C. A. (2012), *Recovering Liberties: Indian Thought in the Age of Liberalism and Empire*, Cambridge, Cambridge University Press.

Brunner, Michael Philipp (2020), *Education and Modernity in Colonial Punjab: Khalsa College, the Sikh Tradition and the Webs of Knowledge, 1880–1947*, Cham, Palgrave Macmillan.

Chandra, Sudhir (1998), *Enslaved Daughters: Colonialism, Law and Women's Rights*, New Delhi, Oxford University Press.

Chandrachud, Abhinav (2015), *An Independent, Colonial Judiciary: A History of the Bombay High Court during the British Raj, 1862–1947*, New

Delhi, Oxford University Press.

Chatterjee, Partha（1993）, *The Nation and Its Fragments: Colonial and Postcolonial Histories*, Princeton, Princeton University Press.

Cohn, Bernard S.（1997）, *Colonialism and Its Forms of Knowledge: The British in India*, New Delhi, Oxford University Press.

Den Otter, Sandra（2012）, "Law, Authority, and Colonial Rule", Douglas M. Peers and Nandini Gooptu（eds.）, *India and the British Empire*, Oxford, Oxford University Press.

Dobbin, Christine（1972）, *Urban Leadership in Western India: Politics and Communities in Bombay City 1840-1885*, London, Oxford University Press.

Dongerkery, S. R.（1957）, *A History of the University of Bombay 1857-1957*, Bombay, University of Bombay.

Education Commission（1884）, *Report of the Bombay Provincial Committee*, II, Calcutta, Superintendent of Government Printing.

Forbes, Geraldine（1996）, *Women in Modern India*, Cambridge, Cambridge University Press.

Gandhi, M. K.（ed. Suresh Sharma and Tridip Suhrud）（2010）, *M. K. Gandhi's Hind Swaraj: A Critical Edition*, New Delhi, Orient Blackswan.

Government of Bombay（1958）, *A Review of Education in Bombay State 1855-1955*, Poona, Government Printing, Bombay State.

Isaka, Riho（2022）, *Language, Identity, and Power in Modern India: Gujarat, c. 1850-1960*, Abingdon, Routledge.

Jones, Kenneth W.（1989）, *Socio-religious Reform Movements in British India*, Cambridge, Cambridge University Press.

Kaviraj, Sudipta（2010）, *The Imaginary Institution of India: Politics and Ideas*, New York, Columbia University Press.

Kolsky, Elizabeth（2010）, "Introduction", *Law and History Review*, 28-4.

Mallampalli, Chandra（2010）, "Escaping the Grip of Personal Law in Colonial India: Proving Custom, Negotiating Hindu-ness", *Law and History Review*, 28-4.

Metcalf, Thomas R.（1995）, *Ideologies of the Raj*, Cambridge, Cambridge University Press.

Muktabai（tr. Braj Ranjan Mani）（2008[1855]）, "Mang Maharachya Dukhvisayi"（About the Grief of the Mangs and Mahars）, Braj Ranjan Mani and Pamela Sardar（eds.）, *A Forgotten Liberator: The Life and Struggle of Savitribai Phule*, New Delhi, Mountain Peak.

Newbigin, Eleanor（2013）, *The Hindu Family and the Emergence of Modern India: Law, Citizenship and Community*, Cambridge, Cambridge University Press.

Nurullah, Syed and J. P. Naik (1951), *A History of Education in India (During the British Period)*, Bombay, Macmillan.

O'Hanlon, Rosalind (1985), *Caste, Conflict, and Ideology: Mahatma Jotirao Phule and Low Caste Protest in Nineteenth-century Western India*, Cambridge, Cambridge University Press.

Palsetia, Jesse S. (2001), *The Parsis of India: Preservation of Identity in Bombay City*, Leiden, Brill.

Peers, Douglas M. and Nandini Gooptu (eds.) (2012), *India and the British Empire*, Oxford, Oxford University Press.

Proclamation by the Queen in Council to the Princes, Chiefs and People of India (1858), London: The Governor-General at Allahabad. https://www.bl.uk/collection-items/proclamation-by-the-queen-in-council-to-the-princes-chiefs-and-people-of-india.（二〇二一年一二月二三日閲覧）

Raj, Kapil (2007), *Relocating Modern Science: Circulation and the Construction of Knowledge in South Asia and Europe, 1650-1900*, Basingstoke, Palgrave Macmillan.

Sharafi, Mitra (2014), *Law and Identity in Colonial South Asia: Parsi Legal Culture, 1772-1947*, Cambridge, Cambridge University Press.

Siddiqi, Asiya (2017), *Bombay's People, 1860-98: Insolvents in the City*, New Delhi, Oxford University Press.

Singh, Mahendra Pal and Niraj Kumar (2019), *The Indian Legal System: An Enquiry*, New Delhi, Oxford University Press.

Tschurenev, Jana (2019), *Empire, Civil Society, and the Beginnings of Colonial Education in India*, Cambridge, Cambridge University Press.

Zastoupil, Lynn and Martin Moir (eds.) (1999), *The Great Indian Education Debate: Documents Relating to the Orientalist-Anglicist Controversy, 1781-1843*, Richmond, Curzon.

コラム | Column

環ベンガル湾世界の植民地化
――ミャンマー／ビルマに焦点を当てて

長田紀之

ベンガル湾はインド洋の北東部に位置し、西はインド亜大陸・スリランカ島、東はインドシナ半島・マレー半島・スマトラ島に挟まれて、南に向けて大きく口を広げている。北側では峻険なヒマラヤ山脈が南北の往来を妨げる一方、その東方の雲貴《うんき》高原からインドシナ半島へと広がる山地帯は、古くから中国とインド洋を結びつける内陸の主要ルートだった。この湾を取り囲む諸地域の全体が政治的に統一されたことは歴史上ほとんどなく、地域ごとに独特の勢力が割拠するのが常態であった。現在でも南西から時計回りに、スリランカ、インド、ネパール、ブータン、バングラデシュ、ミャンマー(ビルマ)、タイ、マレーシア、シンガポール、インドネシアの一〇カ国が存在する。

一八世紀半ばの時点では、この数を大きく超える多数の勢力が入り乱れていた。スリランカ島の沿海部はオランダ東インド会社が領有し、内陸部にキャンディ王国が存続した。インド亜大陸ではムガル帝国の衰退にともない諸地方政権が自律性を高めるなかで、勢力拡大を目論むイギリスとフランスの両東インド会社が対立した。現在のミャンマーに当たる地域では、西部でアラカン王国が独立を維持し、地方反乱によって旧王朝が瓦解したエーヤーワディー川流域で、新興のコンバウン朝が急拡大を始めるところだった。ベンガル湾の北および北東の山地帯では、盆地ごとに立つ小政体がときに近隣の強国と名目的な宗属関係を結びながら、おおむね個々の自律性を保っていた。マレー半島とスマトラ島では、複数のムスリム港市国家が互いに競い合いつつ併存した。そもそも山地や海域の大部分には、近年の研究で「ゾミア」とも呼ばれる非国家的空間が広がっていたことも忘れてはならない。

政治的な統一はなくとも、地域間の緊密な交流は連綿と続いてきた。政体同士の外交や戦争のみならず、人の移動や貿易を通じた社会的・文化的な接触と相互作用が繰り返された。こうした交流の舞台として、これらの諸地域をひとつの世界――環ベンガル湾世界――と捉えることもできるだろう。上座部仏教を共通項とするミャンマー、タイ、スリランカは一〇〇〇年以上にわたって結びつきを維持し、北インドの仏教の聖地ボードガヤー(ブッダガヤ)への巡礼も行われた。ヒンドゥーやムスリムの商業ネットワークはより広範に張り巡らされ、ムガル帝国のもとで洗練を遂げたインド＝ペルシア文化も、ムスリムが多数派である地域を超えて浸潤した。一八世紀末、ミャンマーの仏教王権とイギリス東インド会社の外交使節との間で用いられた共通の言語はペルシア語だった。

環ベンガル湾世界のほとんどが単一の政治勢力のもとに置

かれたのは、長い歴史のなかでも、一九世紀末から二〇世紀半ばまでの短期間だけである。この間、多くの地域がイギリスの植民地支配を受けたが、そこに至るまでの過程は緩慢かつ段階的であった。一八世紀後半、インド支配の地歩を固めつつあったイギリスは、対中国貿易促進のためにインド以東にも関心を向け始める。フランスとの植民地争奪戦を背景に、一〇〇年近くにわたって在地の諸勢力との交渉や戦争が重ねられ、結果として一九世紀末までに、スマトラ島、マレー半島中部、ブータンを除くベンガル湾周辺のほぼ全域がイギリスの植民地支配下に入った。

いまや広大な英領インドは本国政府直轄の最重要植民地であり、ミャンマーもその一州(ビルマ州)となっていた。一方、マレー半島の複数の植民地やスリランカは本国での管轄省庁がインドとは異なった。こうした個々の植民地の領域を一応の単位としつつ、類似の法体系をもつ近代国家機構群が生み出された。ただし、新たな土地が植民地化されると、その都度、状況に応じた統治方法が採用されたため、本国との、あるいは植民地内/間での頻繁な相互参照にもかかわらず、制度上の地域差が残った。従来の王統を廃絶して官僚制支配が貫徹されたところもあれば、ラジャやスルタンなど旧支配者の名目的な主権が「保護」されたところもあり、ひとつの植民地のなかでそれらが併存する場合すらあったのである。ビルマ州では低地部で官僚制支配が敷かれたが、山地部では在来首長層を温存する間接統治が採られた。

環ベンガル湾世界の各地域は、イギリスの植民地支配下で輸出用一次産品の生産地として世界的な分業体制のなかに組み込まれていった。とくに従来から人口が比較的少なかった湾東岸の諸地域では、開発に伴う外部からの移民流入が社会の再編成を促した。南シナ海の華人ネットワークがマラッカ海峡からマレー半島沿いに北へ延び、ミャンマーから雲南へとつながる内陸ルートと接続した。イギリス帝国の内海となったベンガル湾では、華人以上にインド人の存在感が大きく、亜大陸内の諸地域とミャンマー、マレー半島、スリランカとのあいだにかつてない規模での膨大な人口環流が生じた。

二〇世紀には、こうした植民地状況下での紐帯から新しいかたちの分断が兆してもいく。植民地支配に抵抗しつつ、近代国家機構を継受すべき主体を形成しようとする思想・運動が各地で勃興するなかで、「民族」や「宗教」の境界がより越えがたいものとして現われてきた。例えば、ミャンマーの多数派の間では、過去の諸王朝の記憶と上座部仏教をアイデンティティの拠り所とし、反インド人感情を多分に含むナショナリズムが高揚した。こうした思想・運動はやがて、帝国と植民地行政の地理的枠組みをも揺るがしながら、「分離独立《パーティション》」の連鎖へと帰結し、現在へと続く複数の国民国家を生み出していく。ただし、独立した諸国家もやはり内部に抱える多様性と不均質性に対峙していかねばならなかった。

朝鮮の経済と社会変動
――財政と市場、商人に注目して

石川亮太

はじめに

一九世紀の半ば、中国と日本、朝鮮はそれぞれの形で「開港」=自由貿易体制への参入を遂げた。朝鮮に「開港」への直接の圧力を加えたのは日本であった。一八七五年の雲揚号《うんようごう》事件と翌年の日朝修好条規締結は、日朝関係史の最大の画期の一つである。しかしこれは、朝鮮史の文脈における「近代」の起点と必ずしも一致しない。

二〇一六年に韓国で出版されたある通史は、朝鮮史における近代の起点として次の五つの見解を紹介する。①資本主義的な経済体制の胎動が始まった一八世紀後半、②西洋帝国主義の侵略とこれに抗する民族運動が始まった一八六〇年代中盤、③日本との条約締結により世界市場に編入された一八七六年、④開化運動が本格化した一八八〇年代初め、あるいは開化派官僚のクーデタである甲申《カプシン》《こうしん》政変が起きた一八八四年、⑤開化派が権力を掌握し身分制廃止や租税金納化などが実施された一八九四年の甲午《カボ》《こうご》改革(연・주・도 二〇一六：九頁)。

このように、対日開港を画期とする見方は諸説の一つに止まり、必ずしも有力とは言えない。その背景には、第二次大戦後の朝鮮史研究が、日本との接触こそが朝鮮に「近代」をもたらしたという外因論の克服を大きな課題としてきたことがある。一方でいずれの見解も、資本主義化や国民国家の成立といった西欧的な理念型を近代の指標としており、開港までに形成されていた伝統社会のあり方への関心は必ずしも明らかでない。

朝鮮王朝では一八〇〇年に純祖《スンジョ》が一一歳で即位し、その後も憲宗《ホンジョン》・哲宗《チョルチョン》と幼年の王が続くなかで、外戚にあたる特定家門の官僚が要職を占めるようになった。これを一般に勢道《セド》《せいどう》政治と呼ぶ。また社会的には「三政の紊乱《びんらん》」と表現される過酷な収奪が問題化し(後述)、これに抗う民衆の抵抗運動(民乱)が続発した。こうした時代状況の背景を内在的に説明し、開港後の社会変化と連続させて理解することは依然として課題となっている。

本章ではこうした関心を念頭に、一九世紀朝鮮の経済史について、伝統的な財政と市場のあり方、両者をむすぶ商業の役割に注目し、それらが開港を通じてどう変化したか／しなかったかを素描する。財政と市場はいずれの社会でも希少資源を配分する回路として重要な役割を担い、両者の関係はそれぞれの社会の個性を反映する。一九世紀朝鮮におけるその様相を明らかにすることは、東アジアにおける近代の多様性を考える上でも意味があろう。

一、一九世紀の経済基調——「一九世紀の危機」論をめぐって

一九五〇年代後半から南北朝鮮の学界で提起された資本主義萌芽論は、開港以前の朝鮮が外部からの刺激を待たず独自に資本主義への道を歩んでいたという立場であり、これに基づく研究は、朝鮮後期における諸産業の成長や身分制の解体など、多くの実証的成果を挙げてきた。これによれば勢道政治や民乱の多発のような一九世紀の変化も、もっぱら支配体制の揺らぎと民衆の力量の成長という形で理解されることになる。

それに対して韓国の経済史学界では、二〇〇〇年頃から「一九世紀の危機」論と呼ばれる議論が提起された。これは資本主義萌芽論とは反対に、一九世紀の朝鮮がむしろ全般的な危機に直面していたと主張するものである。個々の

論点についてはなお落着していないものも多いが、計量的・長期的な指標を活用し、この時期の朝鮮社会で起きた現象を他の時期・地域と比較可能な形で位置づけようとする指向は刺激的である。また資本主義の発生を目的論的に証明しようとする議論を批判し、朝鮮時代の経済体制の固有の特徴をモデル的に論じる点も興味深い(日本語での解説として李榮薫 二〇〇八、須川 二〇二〇)。ここでは農業に焦点を絞り、この「危機」論を参照しつつ、一九世紀の朝鮮経済について概観する。

朝鮮後期には耕地の私的所有が事実上確立し、盛んに売買されただけでなく、耕地を賃借する並《へい》作《さく》制《ビョンジャク》(小作制)も普及していた。例えば一八三〇年頃、朝鮮南部のある地方では耕地の六〇パーセント以上が小作地であった。こうした並作制の拡大について、富農による大規模借地経営の展開という資本主義萌芽論にふさわしい像が提起されたこともあった。しかし現在では、耕作者の中心は家族労働に依拠した小農であり、その経営規模はむしろ零細化していったことが明らかになっている(이영훈 二〇一六：四五九―四七五頁)。

「危機」論の最大の論拠となったのは、在地地主の史料を通じて明らかになった、並作制における地代量の減少傾向である。並作制では収穫量の三分の一から二分の一が現物で収取された。これまでに発見された複数の地代量のデータを、耕地の単位面積あたりの長期系列にして比較すると、いずれも一七世紀から長期的な低落傾向にあり、特に一九世紀に入っての下落幅が大きい(박기주 二〇〇五：八一頁)。この現象について、小作慣行の変化による地代率の低下を意味するという見解もあるが(許粹烈 二〇一六：二九〇―三〇九頁)、「危機」論はこれを収量そのものの減少、すなわち土地生産性の下落を反映したものと捉えている。

土地生産性を低下させた原因として有力視されているのは山林の荒廃である。一九一〇年代の調査では、林野の二六パーセントが立木なしと記録されている。そうした状況は遅くとも一八世紀後半には進行していたことが、木材価格や建築用材の変化、山林訴訟の増加、動物相の変化から推測されている。その理由としてはオンドル(床下暖房)の

普及による燃料材の需要や、山間部への耕地拡大が挙げられる。朝鮮半島の土壌は風化しやすい花崗岩《かこうがん》質で、いったん立木が失われると急速に侵食され、洪水の被害が起きやすい。一九世紀には水利施設が土砂に埋没して機能しなくなったという記録が多数残されている(이우연 二〇一〇a)。

こうした現象と人口の関係は当然注意されるところである。戸籍に基づく推計値では、一七世紀半ばに一〇〇〇万人程度であった朝鮮の人口は、一八世紀末に一八〇〇万人程度でピークに達した後、一九世紀初めの大飢饉で一六〇〇万人程度まで急減、以後世紀末まで停滞したとされる(權泰煥・愼鏞廈 一九七七)。一方で個別家門の族譜をもとにした出生・死亡率の研究は、一九世紀の人口増加率は一八世紀よりもむしろ高かったとし、この値の方が耕地経営の狭小化や山林荒廃といった現象に整合的だとする(차명수 二〇一四：五七—六七頁)。戸籍・族譜とも脱漏率の把握に困難があるが、いずれの推計によるにせよ、一八世紀末までの人口増加が環境制約を悪化させた可能性は否定できない。

二、開港以前の財政と市場

一九世紀前半の財政構造

朝鮮王朝の初期に成立した財政制度の特徴は、各官庁がそれぞれに財源を持ち、物品や労働力を直接に取り立てるという点にあった。これを「経費自弁の原則」と表現することがある(金玉根 一九八四：一四三頁)。こうした体制は一七—一八世紀に整理され、多くの税物が戸曹《ホジョ》《こそう》や宣恵庁《ソンヘチョン》《せんけいちょう》、均役庁《キュンヨクチョン》《きんえきちょう》などの財政官庁にいったん集約された後、実支出機関に配分されるようになった。収取の対象は各種の消費財や労働力から米穀・綿布など計数性の高い品目に集約され、賦課の基準も耕地と人口とに集約されていった。ただし経費自弁の原則が否定されたわけでなく、個々の官庁が特定の場所や産物に対する収税権を獲得したり、法定外の付加税を課して財源を調達することは引き続き行われた。

こうした政府の公的財政とは別に、王室の私財政も存在した。その運用を担う宮房《クンバン》《きゅうぼう》は最大で四〇を超え、王族の生計を維持し死後の祭祀を行うため、それぞれ宮房田《クンバンジョン》《きゅうぼうでん》と呼ばれる耕地をはじめ固有の財源を持っていた。一八六〇年頃の中央財政の収入規模は米に換算して年一一五万石であり(一朝鮮石＝〇・六日本石)、王室財政はその二六パーセントを占めた(조영준 二〇一〇：一三三頁)。同じ時期の地方財政の規模は中央財政と同程度であったが(이우연 二〇一〇b：一五一頁)、中央財政との制度上の区分はなく、地方で徴収された租税のうち地方経費を控除した残余がソウルに上納される形であったため、その比率は可変的であった。

ところで、一九世紀に多発した民乱には、非暴力的な請願から、宗教的な世界観に導かれて王朝交替を謀るものまで様々な類型があったが、その多くは租税の過重や不公平への不満を引き金としたものであった。そのことは当時から認識されており、「三政の紊乱」と表現された。三政は、土地税に関する「田政《チョンジョン》《でんせい》」、軍役に関する「軍政《グンジョン》《ぐんせい》」、備蓄穀物(還穀《ファンゴク》《かんこく》)の運用に関する「還政《ファンジョン》《かんせい》」の三つを指している。

政府が把握する耕地と人口は実態から乖離しており、一八世紀後半には中央で徴税予定額を決定し各地方に割り付ける総額制がさまざまな税目で適用されるようになった。加えて政府は租税の上納比率を高めていったので、地方官は様々な名目の非法定的な付加税でこれを補おうとした。土地税について言えば、一八世紀末から一九世紀初めにかけて、法定の租税が水田一結《キョル》《けつ》あたり米二〇斗程度であったのに対し、付加税もこれとほぼ同程度に達していた。さらに雑多な経費を賄う基金(民庫)を維持する負担と、後述する還穀に起因する負担も、水田一結あたり各々一五斗前後に上った(이헌창 二〇一〇：四四九頁、結は土地の肥沃度に応じて定められる相対的な面積単位、約一―四ヘクタール)。この頃、土地生産性自体が低下していたとすれば、そのことは非法定的な財政の膨張にいっそう拍車をかけたはずであり、農業不振と相まって農民の生活をさらに追い詰めたと考えられる。

国家的再分配の危機

中央・地方の官庁はそれぞれ穀物を備蓄し、災害時の救恤《きゅうじゅつ》に用いるほか、平常時には旧穀の更新を兼ねて農民に貸し付け、収穫後に一割の利子を付して回収した。これを還穀という。一七九七年の備蓄総量は九六七万石で、その七割が当年に貸し付けられ、残余は翌年に繰り越された。この繰越高は穀物生産量の四・八パーセントに相当し、生産の変動を埋め合わせるに十分な規模であった(박이택 二〇〇五：五四頁)。

しかし一九世紀初めの気候不順で救恤が増加したのをきっかけに備蓄は減少に転じた。特に一八〇九年の朝鮮南部の飢饉は深刻で、延べ八四〇万人の飢民に五四万石が無償給付された(文勇植 二〇〇一：二二二頁)。貸し付けられた還穀の未回収も累積し、一八六二年には帳簿上の備蓄のうち五四パーセント超が実際には在庫していなかった。一九世紀になると、官庁が還穀の利子を経常財源に織り込み、旧穀の更新に必要な量を超えて貸し付けたことも焦げ付きに拍車をかけた(同：二五一―二五八頁)。先述した非法定的な財政の膨張とあいまって、還穀制の変質＝租税化は民衆の負担を増すことになった。

村落の共同性が弱く、近世日本のような村請制のなかった朝鮮において、財政的な物流や備蓄は人びとの再生産により大きな役割を果たしていたと考えられるが、その分、このような還穀の変容が与えたショックも大きかったと考えられる。「一九世紀の危機」論では、こうした事態を国家的再分配の危機と表現している(이영훈 二〇一六)。

市場経済の位相

朝鮮では支配層である両班《ヤンバン》《りょうはん》を含め人口の多くが農村部に居住しており、一万人を超える都市に住む人口の割合は一八世紀末で二・五パーセント程度に過ぎなかった(이영훈 二〇一六：五一五頁)。それでも一八世紀には密度の濃い定期市のネットワークが農村部を含めて展開するようになっていたし、海岸や河川の要衝地には浦口《ボグ》《ほこう》(港町)が成立し、船

商による遠隔地間の特産物交易が盛んに行われるようになった(高東煥 二〇一九)。

「一九世紀の危機」論は、一九世紀になると隔地間交易が衰退したとし、市場経済の停滞・退歩を主張する(이・박 二〇〇四)。しかし隔地間交易の衰退が事実であったとしても、農村の人びとが市場経済から切り離されていたわけではない。一九世紀半ばの地方両班の家計では、多様な消費財を購入するばかりでなく、販売を前提とした綿布などの生産もしていたし、農作業や焚き木集めの労働力は手間賃を支払って調達していた。村落の内部で様々な分業が行われ、それを前提とした生活が営まれていたのである(安・李 二〇〇一)。耕地の売買が盛んに行われたことは先述の通りだが、耕作者つまり小作人の交替も頻繁であった。全羅道《チョルラド》のある地主家では、一八五五年から一九〇三年までの間、記録に残っている小作人五〇九名のうち六二・九パーセントが一、二年で姿を消している(鄭勝振 二〇〇三：二一八頁)。土地の所有権だけでなく耕作権の市場化も進んでいたことが窺われる。

ただし市場化の進行がただちに生活水準の向上を意味するわけではない。二〇世紀初めの府郡別統計の分析によれば、主穀以外の商品作物や織物の生産はその地域の人口密度と有意な関係があり、かつその主な担い手は貧農層であった(禹大亨 二〇〇三)。人口圧が高まり耕作地も零細化していくなかで、家族労働を総動員して多角的な収入源を確保する小農というイメージは、「一九世紀の危機」論の描く時代像とも矛盾しない。還穀に代表される国家的再分配の機能不全は、民衆の市場への依存をむしろ高めた可能性もある。

商人と公権力の関係

朝鮮時代における商人としては、ソウルに店舗を構える市廛《シジョン》《してん》や、官庁・宮房に物品を供給する貢人《コンイン》《こうじん》がよく知られている。これらの商人は、国家への物品や労役の提供と引き換えに一定の特権、例えばソウルにおける特定物品の専売権や、市場価格と切り離された高額の代価の支払いなどを約束されていた。加えて一八世紀までには各地に客主《ケクチュ》《きゃくしゅ》と呼ばれる仲介商人が発生し、褓負商《ボブサン》《ほふしょう》と呼ばれる行商人が定期市を巡回するようになった。

これらが市場経済の浸透に棹さしたことは疑いないが、公権力と関わりなく自由な成長を遂げたわけではない。右の客主を例に見てみよう。客主は流通の要衝で取引を仲介して手数料を徴するほか、宿泊や貨物の保管、金融など多様なサービスを提供した。ソウル近郊のいわゆる京江《キョンガン》《けいこう》には一七世紀から地方船商を顧客とする客主が出現しており、一八世紀になると地方の浦口でも広く客主が活動していた(李炳天 一九八三)。

京江客主はそれぞれ特定の地方との取引を独占する権利を持っていた。地方浦口の客主も、その浦口での取引を独占する権利や、特定の品目の取り扱いを独占する権利を持っていた。こうした権利＝主人権には、中央・地方の官庁や宮房がそれぞれに保証を与え、引き換えに税を徴収した(李榮昊 一九八五、高東煥 一九八五)。

このように主人権には、「経費自弁の原則」の下、各官庁・宮房が個別税源を求めて創出したという面があった。例えば一七五〇年の軍役制の改革(均役法《キュンヨクポプ》《きんえきほう》)で、軍役負担者の納税義務が半減された代わり、それまで地方財源であった魚塩税《オヨムセ》《ぎょえんぜい》や船税が中央財源に移されたことは、地方官による商業税の創設や主人権の設定を促す大きなきっかけとなった。商業税の濫徴は一八三〇年代から社会問題化し、政府はこれを無名雑税と呼んで禁断しようとしたが、十分な効果は得られなかった(須川 一九九四：一二〇—一三九頁)。

客主の側から見ると、主人権の認定を通じて特定の官庁・宮房と結びつくことは、様々な機関が個別財源を求めて競合する状況の中で、他の機関からの侵奪を防ぐ意味もあった。定期市を巡回する褓負商も、一八三〇年代から各地で相互扶助を目的とする団体を形成し、特定の地方官の公認を受けることで、郡県の境界を越えた移動にあたって様々な機関の侵奪を受ける弊を避けようとするようになった(조재곤 二〇〇一：六一—六八頁)。

権利の流動性と公権力の役割

客主の主人権はしばしば売買の対象となった。売買の際には権利の内容と売買の条件を記した証文、いわゆる文記《ムンギ》《ぶんき》が作成され、それ以前の文記と共に買い手に引き渡された。現存する客主の文記のうち古いものは一七世紀に遡るが、それ以後、多くは数十回の売買を経て一九世紀末に至っている。元来はそれぞれ異なる経緯で個々の人物に付与された権利が、特定のヒトやイエに固着することなく流通した点が注目される。

文記の内容を見ると、最初は個々の浦口についての権利が売買されていたのが、後には複数の浦口の権利がまとめて売買されたり、逆に分割されたりするようになる。まとめて売買される浦口は必ずしも隣接していないことから、主人権の保有者が直接に客主業を経営していたとは考え難い。さらに主人権の買い手には、他の経済的権利、例えば官庁・宮房に物品を納入する貢人の権利の保有者として他の史料に現れる者もいる。主人権は多様な資産の一つとして保有者のポートフォリオに組み込まれていたと見ることができる(조영준 二〇一三)。先に触れた土地所有権や耕作権とあわせて考えると、経済的な諸権利の市場化と流動性の高さは、この時期の朝鮮社会の特徴の一つと言える。

このように流動性の高い権利の正当性を保証していたのは公権力すなわち官であった。主人権の売買に伴って引き継がれる文書の中には、売買の当事者が作成する文記のほか、紛争に際して官が権利の所在を裁定した文書がしばしば含まれている。主人権に限らず、朝鮮の官は私人間の経済紛争に頻繁に介入した。全羅道霊光郡《ヨングァングン》では一八七〇―七二年、九七年の四年間について計七二九一件分の郡守による裁判記録(民状置簿冊《ミンジャンチブチェク》《みんじょうちぼさつ》)が残っている。この記録では、官を相手どった税役問題と並び、金銭貸借や山林・田土の所有などをめぐる私人間の争いが、全件数の三分の一を占めている(鄭勝振 二〇〇三：九三―一一三頁)。

また官が私人に発給する完文《ワンムン》《かんぶん》という形式の文書は、一六世紀に税役の免除を保証するものとして出現したが、一九世紀になると私人間の多様な対立を調停し、第三者への効力を保証する性格を帯び、住民の求めに応じて頻繁に発出されるようになった。これを見出した金赫《キムヒョク》は、当時の朝鮮では自律的な中間団体が成熟しておらず、民間の個別の

利害調整に公権力が深く浸透することになったと解釈する(김혁 二〇〇八：四七五頁)。

中間団体に類するものとして各種の商人団体は存在したが、それらは個々の経営に介入したり利害を調整したりする機能を十分に備えていなかった。例えばソウルの市廛は取り扱う品目ごとに団体を形成していたが、そのうち絹織物を扱う綿紬廛《ミョンジュジョン》《めんちゅうてん》の、一八六〇年代以後の文書が残されている。これによれば市廛団体の活動はもっぱら政府への労役や物品の上納、そのための基金の運用、葬儀等の相互扶助であって、取り扱い品目の専売権の維持を政府に訴える以外、個々の経営に立ち入るような協調行動は見いだせない(須川 二〇一〇)。先述の褓負商団体も内部的には相互扶助を超える機能はなかったようである。権利の流動性の高さを考えても、共同性の高い組織が成立したとは考えにくい。商人団体は専ら公権力との関係において、負担と権利の窓口としてのみ機能していたのである。

先にも触れたように、村請制の普及した近世日本と比較して、村落の共同性が弱く住民の流動性も高かった朝鮮では、税役の負担等を通じて人々が個別的に国家に把握される傾向が強かったという見方がある(이영훈 二〇一六：四九一—四九五頁)。商業においても、市場の秩序を維持し商人の権利を保証する役割を公権力が集中的に担っていたと考えられる。

大院君執権期の変化

一八六三年に哲宗が嗣子を儲けずに死ぬと、傍系の王族から高宗《コジョン》が養子に入って即位し、その実父である興宣大院《フンソンテウォン》君《グン》(以下、大院君)が実権を握った。その政策としては外戚の力を削いで王権の強化を図ったことや、西欧列強との軍事対決＝洋擾《ようじょう》に至る非妥協的な外交姿勢が知られるが、ここでは財政面に絞ってその意義を考えておく。

大院君執権期の財政政策は、王権を可視化するための宮殿再建や、対外的な危機感を背景とした軍備増強に応じるための財源の調達に重点が置かれていた(연갑수 二〇〇一)。半強制的な寄付金の徴収や悪貨鋳造、ソウル城門での通

過税の徴収などは大院君の剛腕を物語るエピソードとしてよく知られる。その他にも様々な形で財源の拡充が追求されたが、その多くは付加税の創設や既存財源の付け替えなど、それまでも採られてきた方向を踏襲するものであった。その例として、薬用人蔘《インサム》《にんじん》の加工品である紅蔘《ホンサム》《こうしん》の輸出税を軍営の財源に振り向けたことや、浦口の取引額の一パーセントを徴収し軍需に充てたことなどが挙げられる(須川 一九九四：一三五頁)。それまで個々の官庁や宮房が行ってきた財源確保の方式を政権自身が主導し、その強化に利用したことになる。

大院君は一八七三年に失脚し、国王高宗と王后閔氏《ミンシ》(いわゆる閔妃《ミンビ》)、その出身家門である驪興《ヨフン》閔氏の提携の下に閔氏政権が成立した。この政権の下で日本その他との条約締結も実現した。だが政権の所在と政策の変化にも拘らず、王権自身が独自財源の確保を図るという財政運営のスタイルは引き継がれた。これについては第四節で改めて触れる。

三、開港と国際市場への参入

開港前の対外貿易

朝鮮後期の対外貿易は、東萊倭館《トンネウエグアン》(現釜山市)の対日貿易と、国境を通じた対中貿易とに大別される。いずれも日本人・女真人の侵略を経て一七世紀に整備されたもので、国家間関係の位相を示す儀礼的な性格と、民間商人の交易の場としての意味をあわせ持っていた。

倭館の対日貿易には、朝鮮政府が主体となる官営貿易と民間商人が主体となる開市《ケシ》《かいし》とがあった。朝鮮政府が開市参加を認めた朝鮮商人は商賈《サンゴ》《しょうこ》と呼ばれ、都中と呼ばれる団体を形成した。もともと商賈の定数は二〇—三〇名であり、ソウルや開城《ケソン》の有力商人が東萊に下っていたが、日本銀の供給途絶に伴う貿易の衰退を背景に、一九世紀には一〇名ほどの現地商人が商賈に任じられるに過ぎなくなった(田代 二〇〇七、김동철 二〇一六)。

中国との貿易には複数の経路があったが、一九世紀には北京に赴く使節が国境を越える際に開かれる柵門後市《チェンムンフシ》《さくもんこうし》が最大の交易の場となっていた。朝鮮政府はこれを一七五二年に公認し、義州《ウィジュ》商人に限って参加資格を与え、その団体である都中に後市税の納入を請け負わせた。一八一四年には義州に管税庁が設けられ陸路貿易への課税を担当したが、実際の業務は引き続き義州商人が当たった（寺内 一九九二、李哲成 二〇〇〇）。

中国から輸入された絹織物や毛皮帽子は、ソウルの市廛が独占的に販売した。また一七九二年からは北京に派遣される使節の随員に紅蔘の輸出が認められた。その定額は初め一二〇斤だったのが年々増額され、一八四七年には四万斤に達した。紅蔘の輸出税は初め使節の経費に充当されたが、後に過半が中央の戸曹の財源に吸い上げられた（李哲成 二〇〇〇）。紅蔘輸出の増加には人蔘の栽培技術の確立も与っていたが、新たな課税対象としての意味も大きかったと考えられる。その収入が大院君執権期に軍事費に付け替えられたのは前節で述べた通りである。

条約に基づく国際関係

一八七六年の日朝修好条規の締結以後、一八八二年まで、朝鮮が条約を締結していたのは日本だけであった。朝鮮側から見れば、これは明治維新によって途絶した交隣関係の回復であり、西欧的な条約体制への参加という意識は希薄であった。日本が求めた最恵国条項の挿入も、欧米諸国との条約締結の意思はないという朝鮮側の反対で実現されなかった。最初の開港場となった釜山では、かつての倭館がそのまま居留地に転用された。

こうした両国のずれが最初に表面化したのは関税問題であった。日朝修好条規の本文には関税の規定がなく、付属書簡のなかで日朝双方が関税の免除を約束した。そのため朝鮮側は税関を設置しなかったが、一八七八年になって釜山居留地に近接する豆毛鎮《トゥモジン》に税所を設け、居留地に出入する朝鮮人商人に課税した。朝鮮側では貿易に従事する自国商人への課税は先例に従って問題ないと考えていたのに対し、日本側は課税そのものを自由貿易の侵害と主張し、軍艦で威圧して課税を中止させた(李穂枝 二〇一六：三三一―三三六頁)。

朝鮮は一八八二年にアメリカと条約を結び、続いて他の列強とも条約を締結していった。これにより朝鮮は初めて協定関税の賦課を認められた。清朝との宗属関係は維持されていたが、同じ一八八二年の中朝商民水陸貿易章程により、中国との間でも開港場を通じた貿易が認められた。これらの条約には片務的な最恵国条項が含まれ(日本も一八八三年に最恵国待遇を得た)、各国の権益は相互に連動した。中朝商民水陸貿易章程は属国への恩典とされ、他国の均霑《きんてん》対象ではないと謳われたにも拘らず、実際には他の条約国も清朝が得たのと同等の権益を認められ、清朝もまた他国の権益に均霑した。この後、一八九四年の日清戦争勃発まで、宗属関係と条約関係は矛盾をはらみつつ併存した(岡本 二〇〇四、酒井 二〇一六)。

開港場貿易の構成

日朝修好条規では釜山ほか二港の開港を約しており、一八八三年までに元山《ウォンサン》と仁川《インチョン》が開港された。日清戦争後には木浦《モッポ》など六港が追加開港された。国境貿易や非正規の沿岸貿易も存在したが、規模においてはこれら開港場を通じた貿易が圧倒的であった。

一八七六年の開港直後から朝鮮の輸入品の過半は機械製綿織物で占められていた。それらはイギリス製品で、上海から長崎を経て再輸入された。朝鮮は既に間接的ながら上海を中心とする開港場間貿易のネットワークに連なっていたと言える。一八八二年に中国との開港場貿易が開始され、八八年に上海―仁川航路が開設されると、イギリス製綿製品も上海から直に輸入されるようになった。日清戦争後には日本製の綿製品の輸入が急増し、イギリス製品を追い抜いた。綿製品など繊維製品が輸入総額に占める割合は次第に減じたが、一九〇一年時点でも五〇パーセントを超えていた(梶村 一九七七、古田 二〇〇〇)。

輸出は開港当初から一貫して日本向けが最大であり、その中では大豆と米穀の比重が増していった。これらは専ら大阪などの都市労働者の需要に応じるものであった。朝鮮と日本の間では、日本の産業革命を背景に、衣料品と食糧品の分業＝綿米交換体制が植民地化を待たずして形成されていた(村上 一九七五)。

このように朝鮮の貿易相手先として重要だったのは日本・中国で、欧米諸国は高度な工業製品の原産地としては意味があったものの、朝鮮が欧米向け一次産品を産出しなかったことから直接の取引は少なく、来航する欧米商人も限られていた。朝鮮の貿易構造が植民地化を待たず対日貿易に集中していったことは、植民地化以前の台湾が茶や砂糖、樟脳《しょうのう》などの産地として中国や欧米の市場に開かれていたのと対照的であった(堀 二〇一三)。

朝鮮経済への影響

綿織物は農村部における代表的な手工業品であったが、機械製綿織物の輸入が直ちに手織り綿布の生産を縮小させたわけではない。当初の主な輸入品目であった薄手の機械製綿布は、日常衣料というよりは奢侈品としての性格が強かった。しかし日清戦争後、日本からより厚手の機械製綿布が輸入されるようになると在来綿布の商品生産は減退していった(梶村 一九七七)。

一方で米穀や大豆の輸出拡大は、それらの商品としての生産を刺激したと考えられる。開港場における米穀・大豆と綿布との相対価格は遅くとも一八八〇年代から前者に有利な形で変化していき、日本領事報告にも農民がワタから大豆等に転作する様子が描かれている。小農が市場の変化に合わせて作付けや家族労働の組み合わせを変えるのは自然であり、在来綿布の生産縮小もこうした対応の一部であった(河元鎬 一九九七)。

だが穀物の輸出拡大は、国内の食糧需給との摩擦を引き起こした。その具体的な現れが穀物の搬出禁止措置、いわゆる防穀令である。防穀令は開港以前から地方官の判断によって行われていたが、ソウルへの穀物供給の安定を重視する政府はこれを禁じていた。しかし一八八〇年代半ばから穀物の対日輸出が増加したことで、地方官だけでなく政府自身が主体となった防穀令も発出されるようになった。一八八五年から九四年まで、中央・地方あわせて四五件の防穀令の事例が見いだされている(同：一七六—一九四頁)。日本は条約上、朝鮮側に防穀の権利を認めていたが、その運用をめぐって両国の見解はしばしば食い違った。これが一八九三年に深刻な外交紛争(防穀令事件)を引き起こしたことはよく知られている。

後に甲午農民戦争を主導することになる東学教徒は、一八九二年の集会において政府に弾圧中止を求めるとともに、日本との貿易が農民の生活を困窮させていることを訴えている(趙景達 一九九八：九三頁)。開港期の米穀の輸出は植民地期と比してなお少なく、生産量に占める輸出の比率も大きくはなかった。しかし農村には端境期に飯米を自給できない農民も存在した。先述した農業経営の零細化もこれを助長した可能性がある。還穀が租税化し再生産を支える機能が失われる中で、そうした人びとは飯米を市場での購入に頼ったと見られる。もともと限られた商品米の一部が日本市場に向かい、価格が上昇したことは、それらの人びとを窮迫させ、地域社会の緊張を高めたと考えられる(吉野 一九七八)。

四、開港後の財政と商業

政府機構の変化と財政

朝鮮王朝の政府機構は開港後も大きく変わらなかったが、一八八〇年に統理機務衙門《トンニキムアムン》《とうりきむがもん》が設置され外交・内政の全般を管掌することとなった。これは一八八二年に統理交渉通商事務衙門と統理軍国事務衙門に再編され、前者が外交・通商、後者が内政を管轄した。

統理交渉通商事務衙門は各国公館との交渉窓口となったほか、各開港場に新設された監理署を通じて、外国人の関わる訴訟などの渉外事務を統括した。財源としては国王から田土や柴山《しさん》が賜与されたほか、浦口からの収税も行った(酒井 二〇一六：八八―九六頁)。開港以前の官署と同様、「経費自弁の原則」に基づいて財源を調達したのである。

一方の統理軍国事務衙門は一八八五年に内務府に再度改編され、高官には閔氏政権の主要人物が名を連ねた。内務府は内政の全般にわたる権限を持ち、開化事業の多くを管轄下に置いた。例えば典圜局《チョンファングッ》《てんかんきょく》は既存の銅銭の五倍の名目価値を持つとされた当五銭《タンオジョン》《とうごせん》を鋳造した。鉱山事業を担当する鉱務局や、汽船で税米を輸送する転運局も内務府の下に置かれた。壬午《イモ》《じんご》軍乱と甲申政変を経て、高宗と閔氏一門に対抗しうる国内勢力は除かれ、列国のパワーバランスの下、政権は一応の安定を見ていた。この時期の開化事業は、そうした政権の軍事・財政基盤の確保を目指したものであった(한철호 二〇〇九：二一三―二六三頁)。

いわゆる開化事業のほかにも内務府は様々な財源を掌握した。第二節で触れた褓負商もその一つである。褓負商は一九世紀に入って各地で団体を形成し、地方官の庇護を受けるようになったが、中央権力との関係が見られるようになるのは大院君の執権以後である。一八六六年のフランス艦隊侵入＝丙寅洋擾《ピョンインヤンヨ》《へいいんようじょう》の際に軍事力として動員されたほか、一八八二年の壬午軍乱の際も反乱軍の鎮圧に動員されている。内務府も彼らを傘下に置き、地方官を通じて各地の褓負商団体を管理・収税した(須川 一九九四：二八七―二九二頁、조재곤 二〇〇一)。個別機関が商人を庇護して税源とするパターンが踏襲されたと言える。

このような内務府の活動と截然とは切り分けられない形で、王室の私的財政も急速に膨張した。その全容は明らかでないが、宮房のうち王后に属する明礼宮の場合、その収入は一八五三―五四年から一八九二―九三年にかけ、物価上昇分を割り引いても三・八倍の増加を見た。そして一八九二―九三年の収入約二九一万両(銭建て)のほぼ九割は先述の当五銭の「内下《ないか》」、すなわち国王からの賜与であった。典圜局が鋳造した当五銭の一部が明礼宮に付け替えられたとみられる(李榮薫 二〇一三：七八—八二頁)。

こうした収入の増加にも拘らず、同じ一八九二—九三年における明礼宮の支出は収入を大幅に上回る四四四万両で、その差額は何らかの借入によって埋められたと見られる。こうした支出の大部分は宴会や祭祀のための食糧費で占められていた(同前)。これが他の宮房にも当てはまるかは不明だが、高宗と閔氏一門の権力が拡大する中で、その権威を確認するための消費が王室財政の肥大化を助長していたことは間違いない。

当五銭のほかには紅蔘も王室の重要な財源となった。朝鮮が諸外国と結んだ条約・章程は紅蔘の輸出を禁止もしくは朝鮮人にのみ許すと規定しており、朝鮮政府が紅蔘の輸出権を官吏・商人に与えて収税する在来の仕組みが維持された。そして一八八〇年代からは国王自身が紅蔘輸出権の相当部分を握り、腹心を通じて上海などで売却するようになった(石川 二〇一六：一〇一頁)。政府の財源を国王の私的財源に付け替える、当五銭の「内下」と同じ手法がここでも採られていたと言える。

さて、右のような政府・王室の財政と一応は区別される形で海関財政が存在した。対欧米条約の締結によって関税権を得た朝鮮は一八八三年に海関を設置したが、清朝の影響下で中国海関と同様の外国人税務司制度を採用し、責任者である総税務司も累代中国から招聘した。海関税収は当初、海関運営のほか開化事業の経費にも活用されていたが、一八八九年頃から海関税を担保とした外国からの借り入れが常態化して、海関税収ももっぱらその償還に充てられるようになった(須川 一九九四：二〇五—二一一頁)。

居留地貿易に関わった人びと

開港場貿易は内外の商人が居留地で取引する形で行われた。日清戦争前には三つの開港場に日本と中国の専管居留地がそれぞれ置かれ、仁川には各国居留地も設定されたが、来航する外国人のほとんどは日本人と中国人であり、西洋人の来航は限られていた。

朝鮮の開港場と日本の間では、三菱会社や第一国立銀行などの日本企業によって輸送・通信や金融のサービスが提供された。一方で中国との間でも義州経由で電信が敷設され、輸船招商局により上海―仁川航路が開設された。これらが日清の政府の支援を受けていたことは言うまでもないが、これを利用する商人たちの活動は出身国との二国間に必ずしも止まらなかった。例えば朝鮮に進出した中国人商人は、日本にいる中国人商人との間で情報やサービスを相互に提供しながら対中国貿易を行っていた(石川 二〇一六)。このような越境的な商業活動を通じて朝鮮は東アジアの開港場間貿易に組み込まれていったのである。

朝鮮人の居留地内での居住は認められなかったが、近接する朝鮮人集落には客主が店舗を構え、開港場外からやってくる朝鮮人商人と外国人商人を仲介した。これら開港場客主は、外国人商人に前貸しを受けて輸出品を買い付ける場合もあった(李炳天 一九八四)。自身の店舗を持たないブローカーや通訳者も活動していた。これら朝鮮側の商人は記録をほとんど残していない。しかし開港前の倭館や義州で活動していた商人や通事が、開港場に移動して活動を続けた事例は散見される(石川 二〇一六:一一四頁、同 二〇二二)。開港以前の貿易で培われた人的関係やノウハウは開港後も何らかの形で引き継がれた可能性が高い。

外国人は居留地での取引に加え、一八八三年の朝英条約によって開港場外の商用旅行、いわゆる内地通商も認められた。これに主に従事したのも日本人と中国人で、一八九〇年代には毎年それぞれ数十人から一〇〇人程度の申請が記録されている(李炳天 一九八五:一二八、一三五頁)。ただし外国人商人が生産者や消費者と直接に取引するのは困難で、多くはその地の客主を通じて取引した。現地の客主に資金を提供して輸出品の買い付けを依頼するとともに、ソウルへの送金や書信の送達も依頼した例がある(石川 二〇一六:二三五―二四五頁)。客主が持つ在来の国内商業のネットワークが外国人商人の内地通商を支えていたのである。

伝統的商業体制の持続

一八七六年の日朝修好条規は「彼此の人民、各自己の意見に任せ貿易せしむべし。両国官吏毫《ごう》も之れに関係することなし」(第九条)とする。西欧諸国との条約にも、それぞれ政府による取引への介入や、貿易品への関税以外の課税を禁じる条項が盛り込まれた。これは従来の倭館で見られたような、特定商人による取引の独占を排除するものだったが、実際には一八八〇年代から開港場客主が団体を形成し、あわせて外国人との取引を独占する動きが繰り返し見られるようになった。その手数料の一部は税として政府に納められた。

このような動きは条約違反として紛争の種となった。例えば一八八九年一一月、統理交渉通商事務衙門は三開港場の客主に営業税の納付を命じるとともに、その定員を各港二五名とし、国内での取引地域を割り当てた。翌年一月には客主らに均平《キュンピョン》《きんぺい》会社を組織させ、全ての貿易品を計量して不正のないことを証明させると同時に、朝鮮人の荷主から手数料を徴収することとした。日本ほか各国の公使はこれに共同で抗議した。均平会社の手数料は貿易品への課税に他ならず、客主の定員制は自由貿易を阻害しているという理由からであった。朝鮮政府は客主営業税の撤廃には応じなかったが、定員制を廃止して自由な参入を認め、均平会社も廃止した(전우용 二〇一一：九五―一〇二頁、石川 二〇二二)。

撤廃に追い込まれたとはいえ、客主の取引地域の指定は第二節で見た京江客主の例に倣ったものであり、客主の定員制も東萊商賈のそれを想起させる。朝鮮政府が開港以前と同様、納税と引き換えに特権を付与することで開港場客主を管理しようと考えていたことが窺われる。

もう一つ興味深いことは、均平会社が計量の公正性の維持を標榜していたことである。こうした発想はここで初めて現れたものではない。例えば定期市で穀物の売買を仲介する商人は監考《カムゴ》《かんこう》と呼ばれたが(村山 一九九九：三八頁)、地方官のハンドブックである牧民書《ぼくみんしょ》《モンミンソ》には、監考が市場税の徴収にあたるのと同時に計量や価格の公正にも責任を負うとする記述がある(金大吉 一九九七：一八三頁)。客主についても、取引の仲介権を公権力から保証されるのと引き換えに、納税だけでなく市場の秩序の維持にも一定の責任を負うという観念が成立していたことは十分に想定される。

このことは、朝鮮の商人団体が公権力とのチャネルに止まり、自律的に秩序を生み出す機能を持っていなかったこと(第二節)と表裏をなすように思われる。均平会社もまさにそうした存在であったと言えよう。開港場には均平会社以外にも様々な名目の客主団体が現れたことが知られており、それらが外国人に対する商権自立の担い手になり得るものであったかは、これまでも繰り返し論じられてきた(梶村 一九八六など)。均平会社をはじめとする開港場の客主団体の性格を右のように考えれば、それが外国人の浸透に対する障壁として自律的な機能を発揮するのは難しかっただろう。

さて、客主による仲介の独占や徴税が問題化したのは開港場外においても同様であった。内地通商に従事する外国人商人はしばしばこれを条約違反として批判し、領事館を通じて朝鮮政府に抗議した。しかし実際のところ、仲介行為と一体のものとして行われる徴税を回避することは困難であった(石川 二〇一六：二四二頁)。

さらに外国人商人にとって、客主を通じて取引することは、納税を通じて取引の正当性を獲得するという意味もあり、必ずしも否定的なものとは捉えられていなかった可能性がある。やや極端な例を挙げてみたい。一八八〇年代末、朝鮮西海岸の浦口では、開港場ではないにも拘らず、山東半島や遼東半島からの在来船による交易が広く見られた。日本公使は、こうした事態の放任は非開港場貿易の権利を清朝に与えることに等しいとして朝鮮政府に抗議した。統理交渉通商事務衙門が現地に人を派遣して調べてみると、来航する中国船から朝鮮側の軍営の収税員が直接に、あるいは客主を通じて収税したうえで取引を行わせていた(石川 二〇〇九：一七六―一八〇頁)。中国船から見れば、客主との取引はとりもなおさず納税であり、非開港場貿易という逸脱行為を正当化する根拠となったと言える。

これは特殊な例としても、各地の客主がそれぞれに異なった公権力と結びついて主人権を保証されている状況において、彼ら自身に外国人の内地浸透を妨げる動機はほとんどなかったと考えられる。朝鮮の開港後、外国人の内地市場の浸透がいち早く進んだことは日本や中国と比しての大きな特徴と言えるが、その理由を条約上の規定や国家間の力関係だけに帰すことはできず、在来の商業体制との関係からも考えてみるべきであろう。

五、日清戦争―大韓帝国期への展望

日清戦争後の変化については紙幅の制約から見通しを述べるに止める。一八九四年七月二三日、東学の主導する農民軍の鎮圧を名目に出兵した日本軍が朝鮮王宮を占領した。豊島《プンド》沖で日清の海軍が衝突した七月二五日、朝鮮政府は清朝との宗属関係の破棄を宣言した。七月二七日には軍国機務処が設置され、開化派官僚の主導による甲午改革が開始された。この改革により身分制の廃止や租税の金納化などが実現し、それまでの国制は大きく転換することになった。しかし改革が王権の制約を指向していたことに加え、一八九五年一〇月に三浦梧楼公使が主導して王后閔氏を殺害したことにより、国王高宗は日本の支持する改革に強い不信を抱いた。さらに改革を伝統的な秩序の破壊と捉えた在野の儒者が、各地で義兵を率いて蜂起した。一八九六年二月に国王自身がロシア公使館に保護を求めたこと(俄館播遷《アグァンパチョン》《がかんはせん》)を契機として開化派政権は崩壊し、甲午改革も終焉した。

高宗は一八九七年に皇帝に即位し、国号を大韓帝国と改めた。その後、一九〇四年に日露戦争が勃発し、日本軍による再占領下で保護国支配が事実上始まるまでの間、高宗の主導で実施された政策の方向性は、甲午改革とは反対に、皇帝権の絶対化を図るものであった(光武《クァンム》《こうぶ》改革)。財政面では皇室財政が急激に膨張し、それまで宮房が保有していた田土や浦口収税権・紅蔘輸出権などの経済的諸権利が引き続き皇室の管理下に置かれたほか、新式通貨の発行や鉱山開発、鉄道敷設といった近代化事業も皇室財政の一部として実施された。

これを高宗のリーダーシップによる近代化の促進と見るか、財政の私物化と見るかは見解が分かれる(이태진 二〇〇〇、이영훈 二〇一六：六三五頁)。しかし大院君政権から閔氏政権にかけて追求されてきた王室の独自財源の確保がより直接的に進行したことは疑いがない。甲午改革によって新設の度支衙門《たくしがもん》《タクチアムン》(のち度支部)への政府財政の一元化が図られ、各機関が独自に財源を確保する経費自弁の原則は少なくとも理念上否定されたが、独り皇室財政においてのみ、それが維持・拡大されたのである。

こうした体制の下、皇室財政を管理する内蔵院《ないぞういん》《ネジャンウォン》への納税と引き換えに独占的な営業権を認められた商人団体が叢生する。その業種は多岐にわたるが、開港場の客主団体もその一つであった。例えば一八九七年に開港された木浦の務安《ムアン》士商会社は、内蔵院の長官が社長を兼ね、その加盟者に限って同地での客主業を認め、営業税の納入を義務付けるものであった(須川 一九九四：二九六―三二〇頁)。先に見た日清戦争前の客主団体のあり方がここでも基本的に引き継がれていたと言える。

大韓帝国期には、こうした同業団体的な組織のほか、会社としての実態を備えた合本形態の組織も現れるが、それらについても政府・皇室との関係が無視できなかった。例えば一八九九年に設立された大韓天一銀行は、最初期の朝鮮人銀行として知られるが、銀行長に驪興閔氏の有力者である閔丙奭《ミンビョンソク》や高宗の子である英親王《ヨンチンワン》を据えたほか、株主・経営陣には皇帝側近の財務官僚、紅蔘利権を通じて皇室と結びついた人蔘産地開城の商人、ソウルの市廛商人や仁川客主などが名を連ねていた。業務内容についても通常の銀行業務のほか、租税の徴収請負や公金運用が大きな比重を占めていた(이승렬 二〇〇七)。皇室財政の膨張のなかで形成された、皇族・側近官僚と有力商人のコネクションを背景として、特権的な性格の強い業務を展開していたと言える。

おわりに

本章では一九世紀朝鮮の経済について、財政と市場のあり方、双方にまたがる商人の活動に注目しながら通観しようとした。そして一九世紀の終着点であり、植民地化の直前期でもある大韓帝国の時代について、皇室財政の膨張およびこれと結びついた特権的な商人・資本家の出現を強調した。そのいずれも、「経費自弁の原則」と表現される分散的な財政システムを前提に、一八世紀末から一九世紀にかけての変化の延長線上に起きた現象であった。列強の軍事力と国際市場の圧力の下で朝鮮がとった対応を、中国や日本と比較する際には、こうした朝鮮王朝の固有の体制を念頭に置く必要がある。

また、そうした変化の背景となった経済基調について、ここでは韓国学界における「一九世紀の危機」論を援用して説明した。この「危機」論は、一八世紀までに深刻化した環境制約が耕地の生産性を低下させたことで、一九世紀の朝鮮社会が全般的な危機に直面したと主張する。実証的に決着していない論点も多いが、朝鮮史を長期的な経済トレンドのなかで位置づける視点を開いたことに加え、同じ頃それぞれに社会・経済の動揺に直面していた日本・中国と比較する上でも示唆的な議論といえる。

なお、こうした一九世紀史への視角は、その後に続く時代の認識と結びついていることに留意したい。「一九世紀の危機」論の中心的な提起者である李榮薫《イヨンフン》は、二〇〇七年に韓国で出版した概説書『大韓民国の物語』のなかで、「危機」論の立場から、一八九四年の甲午農民戦争の勃発までに「李朝は事実上の「死に体」だった」(李榮薫 二〇〇九：六五頁)と述べた。同時に李榮薫は、植民地期における市場制度の導入と人材育成が、結果として戦後韓国の経済発展を準備したことは否定できないとも述べた。このような李榮薫の見解は、朝鮮王朝の滅亡をやむを得ないものとし、植民地支配の正当化につながりかねないものとして物議を醸した。

李榮薫の議論はまた、植民地時代を経験し戦後の韓国社会を牽引した朝鮮人エリートへの評価とも関係する。この点について、第五節で紹介した大韓天一銀行とその後継である朝鮮商業銀行を分析した李承烈《イスンニョル》の研究は、李榮薫と対照的な立場に立つ。李承烈によれば、政治権力と強く結びついた朝鮮人資本家の行動様式は、日本人が支配者となった後も変わることなく、さらに解放後にも引き継がれ、権力からの独立性が弱く外国勢力に対して妥協的な韓国ブルジョワジーの特性を形作ったという(이승렬 二〇〇七：三五三頁)。このような李承烈の研究は、植民地支配からの受益者＝「親日派」がどのように現れたかを植民地化に遡って検討し、同時に解放後の権威主義政治における彼らの責任を問おうとしたものと言える。

このように韓国学界における一九世紀史の見方は、様々な角度から解放後そして現代の社会についての評価と結びついている。日本の読者にとって、韓国における史料発掘の進展と新たな史実の提示は魅力的であり、日本から見た歴史像を豊かに広いものとするうえでも有用であるが、こうした研究の同時代的な背景も見失うべきではないだろう。

参考文献

李穂枝(二〇一六)『朝鮮の対日外交戦略――日清戦争前夜 1876-1893』法政大学出版局。

李榮薫(二〇〇八)「朝鮮における「一九世紀の危機」」今西一編『世界システムと東アジア――小経営・国内植民地・「植民地近代」』日本経済評論社。

李榮薫(二〇〇九)『大韓民国の物語――韓国の「国史」教科書を書き換えよ』永島広紀訳、文藝春秋、原著二〇〇七年。

李榮薫(二〇一三)「大韓帝国期皇室財政の基礎と性格」森山茂徳・原田環編『大韓帝国の保護と併合』東京大学出版会。

石川亮太(二〇〇九)「一九世紀末の朝鮮をめぐる中国人商業ネットワーク」籠谷直人・脇村孝平編『帝国とアジア・ネットワーク――長期の一九世紀』世界思想社。

石川亮太(二〇一六)『近代アジア市場と朝鮮——開港・華商・帝国』名古屋大学出版会。

石川亮太(二〇二一)「交隣と貿易——開港前後の海藻輸出」岡本隆司編『交隣と東アジア——近世から近代へ』名古屋大学出版会。

岡本隆司(二〇〇四)『属国と自主のあいだ——近代清韓関係と東アジアの命運』名古屋大学出版会。

梶村秀樹(一九七七)『朝鮮における資本主義の形成と展開』龍溪書舎。

梶村秀樹(一九八六)「近代朝鮮の商人資本等の外圧への諸対応」『歴史学研究』五六〇。

高東煥(二〇一九)『朝鮮後期ソウル商業発達史研究』宮嶋博史訳、東京堂出版、原著一九九八年。

酒井裕美(二〇一六)『開港期朝鮮の戦略的外交 1882-1884』大阪大学出版会。

須川英徳(一九九四)『李朝商業政策史研究——十八・十九世紀における公権力と商業』東京大学出版会。

須川英徳編著(二〇二〇)『朝鮮の歴史と社会——近世近代』放送大学教育振興会。

田代和生(二〇〇七)『日朝交易と対馬藩』創文社。

趙景達(一九九八)『異端の民衆反乱——東学と甲午農民戦争』岩波書店。

寺内威太郎(一九九二)「柵門後市管見——初期の実態を中心に」『駿台史学』八五。

古田和子(二〇〇〇)『上海ネットワークと近代東アジア』東京大学出版会。

許粋烈(二〇一六)『植民地初期の朝鮮農業——植民地近代化論の農業開発論を検証する』庵逧由香訳、明石書店、原著二〇一一年。

堀和生(二〇一三)「韓国併合に関する経済史的研究——貿易・海運を素材として」森山・原田編前掲書。

村上勝彦(一九七五)「植民地」大石嘉一郎編『日本産業革命の研究』下、東京大学出版会。

村山智順(一九九九)『朝鮮場市の研究』国書刊行会。

吉野誠(一九七八)「李朝末期における米穀輸出の展開と防穀令」『朝鮮史研究会論文集』一五。

朝鮮語(出版地はいずれも大韓民国)
高東煥(一九八五)「18・19세기 外方浦口의 商品流通 발달」『韓国史論』一三。
權泰煥・愼鏞廈(一九七七)「朝鮮王朝時代 人口推定에 関한 一試論」『東亜文化』一四。
金大吉(一九九七)『朝鮮後期 場市研究』国学資料院。

김동철(二〇一六)「一九세기 후반 동래상인의 존재와 활동」『지역과 역사』三八。

金玉根(一九八四)『朝鮮王朝財政史研究』一潮閣。

김혁(二〇〇八)『특권문서로 본 조선사회——완문(完文)의 문서사회학적 탐색』지식산업사。

文勇植(二〇〇一)『朝鮮後期 賑政과 還穀運営』景仁文化社。

박기주(二〇〇五)「조선후기의 생활수준」李大根(외)『새로운 한국경제발전사——조선후기에서 20세기 고도성장까지』나남출판。

박이택(二〇〇五)「조선 후기의 경제체제——中国・日本과의 비교론적 접근」李大根(외)前掲書。

須川英徳(二〇一〇)「시전상인과 국가재정——가와이 [河合]문고 소장의 綿紬廛 문서를 중심으로」이헌창編『조선후기 재정과 시장——경제체제론의 접근』서울대학교출판문화원。

安秉直・李榮薰編著(二〇〇一)『맛질의 농민들——韓国近世村落生活史』一潮閣。

연갑수(二〇〇一)『대원군집권기 부국강병정책 연구』서울대학교출판부。

연갑수・주진오・도면회(二〇一六)『국민 국가 수립 운동과 좌절(한국 근대사 1)』푸른역사。

禹大亨(二〇〇三)「조선후기 인구압력과 상품작물 및 농촌직물업의 발달」『경제사학』三四。

李炳天(一九八三)「朝鮮後期 商品流通과 旅客主人」『経済史学』六。

李炳天(一九八四)「居留地貿易機構와 開港場客主」『経済史学』七。

李炳天(一九八五)「開港期 外国商人의 侵入과 韓国商人의 対応」ソウル大学校博士論文。

이승렬(二〇〇七)『제국과 상인——서울・개성・인천 지역 자본가들과 한국 부르주아의 기원 1896~1945』역사비평사。

李榮昊(一九八五)「19세기 浦口收税의 類型과 浦口流通의 性格」『韓国学報』四一。

이영훈(二〇一六)『한국인의 역사적 전개(한국경제사 1)』일조각。

이영훈・박이택(二〇〇四)「농촌 미곡시장과 전국적 시장통합、1713~1937」이영훈編『수량경제사로 다시 본 조선후기』서울대학교출판부。

이우연(二〇一〇a)『한국의 산림 소유제도와 정책의 역사 1600~1987』일조각。

이우연(二〇一〇b)「『賦役実摠』에 나타난 조선후기 지방재정의 규모와 특질」이헌창編前掲書。

李哲成（二〇〇〇）『朝鮮後期 対清貿易史 研究』国学資料院。
이태진（二〇〇〇）『고종시대의 재조명』태학사。
이헌창（二〇一〇）「조선왕조의 経済統合体制와 그 변화에 관한 연구」이헌창編前掲書。
전우용（二〇一一）『한국 회사의 탄생』서울대학교출판문화원。
鄭勝振（二〇〇三）『韓国近世地域経済史——全羅道 霊光郡 一帯의 事例』景仁文化社。
조영준（二〇一〇）「조선후기 왕실재정의 구조와 규모」이헌창編前掲書。
조영준（二〇一三）「조선 후기 여객주인（旅客主人）및 여객주인권（旅客主人権）재론」고민정（외）『잡담（雑談）과 빙고（憑考）』소명출판。
조재곤（二〇〇一）『한국 근대사회와 보부상』혜안。
차명수（二〇一四）『기아와 기적의 기원——한국경제사 1700-2010』도서출판해남。
河元鎬（一九九七）『韓国近代経済史研究』新書苑。
한철호（二〇〇九）『한국 근대 개화파와 통치기구 연구』선인。

焦　点 | *Focus*

変容する「アラブ社会」

黒木英充

はじめに

いささか断片的であるが、一九世紀の初めと末にアレッポ州総督または知事が州都アレッポに出入りした様子を紹介する。（カッコ内は黒木による補記で、……は省略部を示す。）

事例一　ドイツ出身旅行探検家ウールリッヒ・ヤスパー・ゼーツェンの日記より、州総督メフメト・パシャの追放と帰還（出戻り）の光景

一八〇四年七月五日

……午後五時ごろ、総督は私兵三〇〇人を連れて北西部の門から市外に出た。総督らの移動する通りを数千の人々が埋め尽くし、悪態をつきながら騒々しい音を立てるのが、テラスにいても遠くから聞こえてきた。市内各所から女性たちの「リリリリー」という歓喜の叫びが上がった。暫くして人々が喜びの歌声とともに帰路に就くのが見えた。……総督の手下三人が市内移動中に射殺されたという。総督の嫌がらせに苦しんだ者たちの恨みを

買って、同じ運命をたどる者がほかにも出てくるだろう。……

(Seetzen 2011: 137)

同年一一月一日

……(騎乗の)総督は右手を左胸に当てたまま、両脇の物見高い群衆と武装した市民たちに、あちら側、こちら側とゆっくり寄りながら挨拶を送り続けた。通常の入市時に見せる大人然とした威厳を保ち、感情を押し殺していた。彼は赤い色の衣装を身に着けていたが、それはアレッポの人々に対する敵対感情の表れだと説明する者がいた。緑や白ならば良い感情なのだろう。私は武装した市民の中にキリスト教徒が数人いるのを認めたが、何とも稀なことであった。出迎えの市民が武装しているのだから、総督の気分が良いはずはなかった。普通、こんなことは決してない。……総督入市の際、何人かのムスリム女性が不注意にも、総督を称賛する詩句を唱え、歓喜の叫び「リリリリー」をあげた。(騒動を恐れた)有力者らが死罪をもって禁じるとした行為であった。すぐに銃が放たれ、一瞬混乱が生じた。一行は立ち止まり、総督は裏切られたとばかりに顔面蒼白になった。しかし一人の有力者が馬で素早く脇に駆け寄り、彼を勇気づけたので、行進は元に戻った。……

(*Ibid*.: 241-242)

事例二　歴史家カーミル・アル・ガッズィーによるアレッポ都市史記述より

ヒジュラ暦一三一八年(一九〇〇年五月一日―一九〇一年四月一九日)

「ラーイフ・パシャの更迭」

この年、ラーイフ・パシャが更迭されたが、彼は有能で信頼のおける素晴らしい知事であった。……しかし彼はオスマン憲法の英雄ミドハト・パシャのバグダード州知事在任時の側近であったため、スルタンのアブデュルハミトから目をつけられていた。ラーイフ・パシャがアレッポ州を離任しイスケンデルンよりイスタンブルに海路帰任するためベイラン(港の手前一〇キロの町)まで来たところで、イスタンブル発の電報により足止めを喰らい、アレッポに戻るよう指令を受けた。パシャはアフマド・エフェンディ・ケトフダー宅の客人となった。……二カ月以上の間、事実上の流刑状態となったラーイフ・パシャの苦悩は深かった。……スルタンは密偵を使って自分に対するパシャの忠誠心を確認し、ようやくイスタンブル帰任を命じた。ラーイフ・パシャ出立の日、大勢のウラマーや有力者がサビール公園(アレッポ北西郊外でパシャ自身の造園になる)に集まった。しばしの歓談の後、イスケンデルンに旅立つパシャとの別れを惜しみ、道中の安全と知事の長命を祈って餞《はなむけ》とした。

「アニース・パシャのアレッポ州知事就任」

ラーイフ・パシャのイスタンブル出立の数日前、アニース・パシャがアレッポ州知事として着任し、州庁舎にて人々の出迎えを受けた。翌日、アニース・パシャは大モスクとシャリーフ廟を訪れた後、市内巡回して昔日の貴顕たちの廟を参詣し、宿所に戻った。それから何日経っても(ヨーロッパ)諸国の領事は知事を訪問しなかった。やがて領事らがスルタンに対して知事の交替を求めている、との噂が広がった。アニース・パシャが前任地ディヤルバクルにてムスリムの人々(al-umma)を扇動してアルメニア人を襲撃・殺害させたがゆえ、かような者のアレッポ州統治は認められない、というのである。実際に領事らがその旨を明らかにすると、アニース・パシャは蟄居を命じられ、停職令を受けた。気の毒なことに謹慎が二カ月以上続いた後、代わりにアレッポ州・アダナ州の軍司令官アリー・ムフセン・パシャが知事に任じられた。……

(al-Ghazzi 1926: vol. 3, 451-454)

本章は、一八世紀後半から二〇世紀初めまでのスパンで、「歴史的シリア」(以下「シリア」)とエジプトを中心に、「アラブ社会」なるものが人々に想像されるようになった過程とその背景を、大摑みに描くことを目指す。右の二事例は、ほぼ一世紀を通じた、アレッポにおける人々とオスマン政府との関係の質的変化を示し、「アラブ社会」の概念が生まれた背景の一つをなす。

今日、我々が「アラブ社会」というとき、それは「アラブ諸国の(諸)社会」、あるいは「アラビア語を第一言語とする人々がつくる社会」を意味するであろう。しかしそれをそのまま二〇〇年前に投影することはできない。巨大な多言語環境のオスマン帝国において、アラビア語を第一言語とする人々が多数を占めた空間は、現在のシリア、イラクからアラビア半島全域、エジプト、スーダン、アルジェリアにかけて拡がっていた。本章では以下これを便宜的に「アラブ地域」と呼ぶが、一九世紀までこの領域を一括りにした地域名称は存在しなかった。

日本語で「社会」という言葉の初出は一八七〇年代であるが[1]、現代アラビア語で「ムジュタマー」(mujtamaʻ)が「社会」を意味するようになったのは一八九〇年代以降のことである[2]。もちろん、「ムジュタマー」が「社会」を意味しなくとも、現代日本語で「社会」としか訳しようのない概念「イジュティマー」(ijtimaʻ)がより頻繁に使われてきており、それは一四世紀のイブン・ハルドゥーンの『歴史序説』においても確認される[3]。そして「ムジュタマー」が「社会」となる直前には、宗教共同体や民族を意味する「ウンマ」(umma 事例二参照)や、「社会有機体」(al-hayʼa al-ijtimaʻiya)といった言葉が使われていた[4]。

「ムジュタマー」の頻度が増し、形容詞「アラブ」がついて「アラブ社会」(al-mujtamaʻ al-ʻarabi)が雑誌『マナール』に登場するのは一九一九年とされる(Zemmin 2018: 6215-6229/18785)。ここに至る過程と背景を二つの観点から探ってみたい。

一、オスマン帝国統治機構の近代化と宗派間対立への国際介入

第一の観点は、オスマン帝国の近代化改革(タンズィマート)という大きな流れの中で、暴力が前面に出る日常的な

圧政が低減し、政府の統治機構の合理化が進んだことである。それは帝国が徐々に国民国家的な性格を強めていく過程でもあり、宗教・宗派の違いによらぬ法的な身分の平等性が追求される一方で、エスニックな対立が引き起こされ、そこに外国勢力が介入・扇動する余地が生まれた。

統治機構の近代化

オスマン帝国はメッカ・メディナ両聖地の守護者たることを支配の正統性の一つとしたが、エルサレムも含め三聖地はすべてアラブ地域に存在した。アレッポは、イスタンブルから聖地に向から陸路が最初にアラブ地域に交わる要地であり、一八世紀まで帝都とカイロに次ぐ第三の人口(一〇—一五万人程度)を擁する国際貿易都市であった。その都市においてすら、**事例一**のような騒乱は稀ではなく、一八世紀後半から約一〇〇年の間にアレッポで頻発した暴動のうち、総督を追放・入市不能としたのは六回にも上る。暴動の要因は時代を追って変化し、総督とその私兵集団による暴行や苛斂誅求への抵抗から、重税や穀物退蔵を許す政治への抗議、徴兵反対へと移行した。一九世紀初頭まで、イスラーム法官は蜂起した人々の側に立ち、その要求を中央政府に伝えていた。その際には帝国の地方統治の両輪である総督と法官の間で厳しい対立関係も生じていた。ここから覗えるのは、仮に総督と都市民との間に暴力的紛争が発生しても、都市民はイスラーム法官を通じて正義を主張し、広い意味での秩序を維持していたことである。反乱主体を「まちの人々」(ahl al-balad)と呼び、「まちが蜂起した／立ち上がった」(qamat al-balad)と表現していることから、「まち《バラド》」が当時の「社会」に代わる帰属観念であったと考えられる。イスラーム法官は包囲され攻撃される都市の中に留まり、体を張って「社会」を支えていたのである。しかし、そのイスラーム法官も、一九世紀の最後の二回の都市騒乱では、速やかに総督の許に逃走し、もはや社会の柱石たりえないことを示した(Kuroki 1999; 黒木 二〇〇〇)。

ここで注意すべきは、いずれの反乱も帝国の支配体制を否定するのではなく、その担い手たる総督の悪政を正すための交渉の一形態として発生したことである。こうした主要都市における統治の混乱状況は一九世紀後半には概ねおさまり、総督の暴力的追放はなくなった。**事例二**が示すように総督よりも州知事と訳す方がふさわしく、都市民に追放されるどころか、むしろ仕事ぶりに応じて住民に慰撫される上級官吏と化していた。

事例一のような反乱の直接的原因は総督の圧政にあったが、その背景には、総督職の売官や徴税請負制(イルティザーム iltizam、その終身請負制度としてのマーリキャーネ malikane)の浸透があった。[5] 中央政府が目先の収入を確保するための徴税権競売が多段階的に地方に拡がり、債権・債務の連鎖がアレッポのような拠点都市の名望家らを経由して農村部にまで拡がる構図である。**事例一**の筆者ゼーツェンは、総督の市外追放中に、イギリス領事ジョン・バーカー[6]に連れられてアレッポ近郊の村に泊りがけの小旅行に出た。そこで村長から聞いた話として、アレッポの有力者の「借受人」(Pächter)がイスタンブル(元請人のことか)に年額八〇〇ピアストルを送る一方、村から三〇〇〇ピアストル相当以上の穀物を得ている、と記している。領事が自分がこの村の「借受」(Pacht)が可能かイスタンブル(中央政府か)に交渉してみたい、と語ると、村長はたいそう喜んだ(Seetzen 2011: 155, 160)。徴税請負のことを領事が冗談めかして語り、村人には領事の方が実際の請負人よりも好ましく思えたのであろう。

こうした搾取は農民の逃散による農村荒廃を招き、流動人口が都市に流入して非正規軍の要員となり、騒乱時の武装集団の一部を構成した。こうして徴税請負が浸透したシリア内陸部では、農村の矛盾は、不在地主が名望家として集積する都市にて暴動の形で解決されることがあった。一九世紀半ば以降、タンズィマート改革により徴税請負制が正式に廃止され、地方政府の直接的徴税の仕組みが整うと、農村の矛盾と結びついた大規模な都市暴動はなくなっていった。一方、レバノンやパレスチナの山間部や丘陵地のように「領主」的な層が近隣に居住する地域では、農民がそれに反発するなり扇動されるなりして反乱を起こすことが多かった(Baer 1982: 253-323)。

近代化と宗派主義の起源

もっとも、シリア地域はタンズィマート改革よりも早い一八三〇年代に、エジプト軍の占領下で近代化改革の洗礼を受けていた。

一七九八年にナポレオン率いる仏軍がエジプトを占領した後、一八〇一年にオスマン軍は英軍の支援を得てようやく仏軍をエジプトから撤退させたが、そのオスマン軍司令官ムハンマド・アリー(メフメト・アリ)がカイロで総督となった。オスマン朝期にもエジプトでは依然コーカサス出身者中心の奴隷軍人マムルークが支配層を形成し続け、イスタンブルから派遣されるオスマン総督をお飾り的に遇しつつ、そのトップが「くに《バラド》の長」(shaykh al-balad)として実権を握り、帝国内最大の地方自立勢力となっていた。一七六〇年代から七〇年代初めにかけて、「くにの長」アリー・ベイは、ロシアのエカテリーナ二世と連絡を取り合いつつ、実質的な支配領域をパレスチナ沿岸部にまで拡げ、メッカに遠征軍を送った(Hathaway 2013: 85-87; du Quenoy 2014)。アルバニア出身のムハンマド・アリーはこうしたマムルーク有力者層を一掃し、徴兵制・専売制・地租改正といった近代国民国家に特有の制度を導入し、エジプトの事実上の独立国家化に着手した。一八二六年に前述のバーカーがアレクサンドリア領事に任命され、カイロにてムハンマド・アリーに面会した際、その野心は露わであった(Fahmy 1997: 1-3)。

ムハンマド・アリーはオスマン政府の命を受けて、徴兵制導入前の軍を一八一一年からワッハーブ派掃討のためにアラビア半島へ、一八二〇年から兵士獲得のためにスーダンへと送っていた。一八二四年からはギリシア独立反乱の鎮圧にも赴いた。しかしフランスの軍事指導も得た徴兵軍がその強さを発揮したのは、中央政府に公然と刃向かって一八三一年に始めたシリア遠征においてであった。

総司令官イブラーヒーム・パシャは、父親ムハンマド・アリーとは異なりアラビア語を流暢に話し、オスマン政府の圧政からの解放者としてシリアに乗り込んだ。各地でオスマン軍を撃破し、アナトリアのコンヤまで北上し、軍事的優位を見せつけてからオスマン政府の譲歩を引き出し、シリア占領統治を開始した。その際にヨーロッパ諸国外交団には「アラブ国家」建設を喧伝していた(Laurens 2013: 288-289)。

シリア占領支配の詳細についてはエジプト側資料を使った本格的研究が始まったところであるが(藻谷 二〇一八)、エジプトで開始した徴兵制のシリアへの導入など、人口調査と登録を通じて直接個人の把握に向かう政策が実施されたことは論じられている(Fahmy 1997: 76-111)。都市部におけるムスリムも含めた成人男性の人頭税(ferde)や非ムスリム人頭税(jizya)の徴収、イナゴ狩りなど強制労働への動員も人口調査に基づいていた。ジズヤについては占領以前のオスマン統治下では宗派毎の顔役による一括前払いであったのが、一八四〇年のエジプト軍撤退後にタンズィマート改革の一環としてようやく個人徴収となった(Kuroki 2003; 2018)。こうした税をめぐる近代化も、事例一から事例二への人々と政府の間の関係変化の背景をなした。

エジプト軍占領期のもう一つの重要な変化は宗教・宗派間関係にある。イブラーヒーム・パシャはパレスチナ進駐直後の段階で布告を発し、エルサレム巡礼にまつわる諸税の廃止を表明し、キリスト教徒・ユダヤ教徒優遇の方針を明らかにした(大河原 二〇〇九)。またムスリム住民の中には、宗教に関わりなく一律に直接個人を捕捉する近代化政策を好まず、従来のオスマン政府の回帰を望み、オスマン支配下のアナトリア方面に移住する者も多数現れた。一方、キリスト教徒やユダヤ教徒は領事館通訳や貿易などを通じてヨーロッパ諸国との関係が深い者が一定数おり、ヨーロッパ諸国領事館のベイルート、ダマスクス、エルサレムでの新規開設を認めたエジプト軍支配を歓迎する傾向にあった。特にギリシア・カトリック(ギリシア正教からの分派でローマ教皇に服属)は、占領政府の財務長官がシリア出身の同宗派であったこともあり、ダマスクスに後に総大司教座となる教会を建立し、オスマン政府に対し、ミッレト(公認の宗教共同体)としての独立を求めて活動した(黒木 二〇一〇)。

パレスチナにて直接課税や強制労働に耐えかねた農民が反乱を起こすと、レバノン山地の首長バシール・シハーブ

(東方カトリックの一派、マロン派に帰属)が私兵を率いてこれを鎮圧し、さらに同山地のドルーズ派(シーア派からの分派)有力者がオスマン政府への忠誠を維持して反乱を起こした際には、これを再度エジプト軍と連合して鎮圧した。このためエジプトとの関係をめぐり、同山地の二大有力宗派たるマロン派・ドルーズ派間の亀裂が深まった。

一八三九年、オスマン政府軍とエジプト軍の間で戦闘が再開し、エジプト側が再度圧倒したため、慌てた中央政府はムハンマド・アリーのシリアの世襲的支配権を認めようとした。これに危機感を抱いたイギリスが、親エジプトのフランスを外す形でロシア、オーストリア、プロシアと連合し、翌年オスマンの艦船も従えてベイルートを中心にエジプト軍を攻撃し、シリアから撤退させた(Farah 2000: 30-51)。

アレッポでは最初エジプト軍勝利の報が届くと店舗や市門すべてにカンテラが取り付けられて明りが灯され、盛大な祝祭となったが、ムスリム住民は気分を害して飾りつけなかった。逆にエジプト軍が退却を始めると、ムスリム住民がキリスト教徒住民に暴力をふるい、ラマダーンの断食明けの時期に重なり、盛大な祝祭となった(Qushaqji 1985: vol. 1, 104, 151)。こうした宗派間の分断の延長線上に、一八五〇年、アレッポにて徴兵反対の騒乱がキリスト教徒地区襲撃に転化する事件が発生した(Kuroki 1999; Krimsti 2014)。

一方、レバノン山地においてはエジプト軍撤退後からマロン派・ドルーズ派間で衝突が繰り返され、それぞれフランスとイギリスが武器を供給して扇動し、オスマン政府も手を焼いて地域行政枠組みを改編するうちに、一八六〇年にキリスト教徒を中心に一万人以上の死者を伴う大規模な内戦が発生するに至った。その直後、今度はダマスクスにてキリスト教徒地区襲撃事件が発生、数千人の死者と地区の徹底的破壊という結果を招く(Farah 2000; Makdisi 2000; 若林 二〇一九)。

エジプト占領支配期以来、レバノン山地を中心に次の二つの対抗軸が成立していた。

マロン派とキリスト教徒全般―エジプト占領軍―フランス

ドルーズ派とムスリム全般―オスマン政府―イギリス

内戦後の処理は必然的に国際問題化し、オスマン政府は自国領にもかかわらず一存で決定できず、英仏露墺普の五カ国領事が介入し、四年にわたる二度の規約交渉がなされた。この結果、レバノン山地は周辺の州統治体制から切り離された特別直轄県となり、内部は七区に細分化のうえ、各区行政会議の定員が宗派別に傾斜配分されるに至る（黒木 二〇〇九）。

この宗派別縦割り制こそが、今日までレバノンの政治体制を規定している宗派主義の起源である。外国の介入による定数配分の結果、人々は宗派別人口の多寡を意識し、ムスリムは非ムスリムの背後にヨーロッパ諸国の存在を意識することとなった。さらに宗派の違いが権益化し、分断が村落レベルにまで根を下ろし始めた（田中 二〇一二）。

こうした宗派間対立をいかに乗り越えるかは、一九世紀後半以降のシリアの人々、特に知識人層の大きな課題となってゆく。オスマン政府や欧米のキリスト教伝道団による各地での学校設立と近代教育の普及は、こうした思想の営みを下支えすることとなった。

二、人の移動とアラビア語公共圏

「アラブ社会」が想像されるに至る第二の要素は、人の移動、特にシリア・エジプト間を核として、グローバルに拡大した移民の動きである。

一八世紀以来、東地中海沿岸とナイル川を通じて活発化する通商を土台に、シリアのギリシア・カトリックを中心としたキリスト教徒で複数言語を操り書記・計算能力に優れた者たちが、エジプトやパレスチナ北部に移住し、そこでマムルーク層や地方自立勢力化した徴税請負人の家産官僚として活躍し始めた（Philipp 2009）。前述のようにエジプト占領軍財務長官(ハンナー・バフリー)が自らの出身地シリアに支配者として乗り込んだ背景である。

一八四〇年以降ムハンマド・アリーの世襲的エジプト支配権が認められ、オスマン帝国宗主権下ながら半独立王朝となったため、シリアから商人のみならず、オスマン政府の言論統制を嫌う知識人らが自由と活躍の機会を求めて数多くエジプトに渡った。カイロ北郊ブーラークのエジプト初のアラビア文字印刷所(一八二〇年設立)はアレッポ出身のマロン派が、今日まで続くエジプトの代表的新聞『アフラーム』(一八七五年創刊)はベイルート出身のギリシア・カトリックが設立したのであった。一八七八年にスルタン・アブデュルハミト二世が「ミドハト憲法」を停止して専制政治を開始すると、この動きは一挙に強まった。カイロ、アレクサンドリアを中心にシリア出身の移民が刊行する新聞・雑誌が増加し、これにベイルートのものも加わって、シリアとエジプトの人々が共にアラビア語の言論空間を形成していった。ブトゥルス・アル・ブスターニーをはじめ主にレバノンのキリスト教徒文化人によるアラビア語辞書の編纂やヨーロッパの諸思想の翻訳活動の基盤の上に、アブデュルハミト二世の専制政治批判が、イスラーム改革思想から進化論に依拠するものまで多彩なスペクトルをもって展開した(岡崎 二〇二二)。「アラブの覚醒/復興」(al-nahda al-ʻarabiya)と呼ばれたこの動きは、後の「アラブ・ナショナリズム」の萌芽と位置付けられてきた。

シリアとエジプトを中核とした言論活動は、当時の移民の動きと共にグローバルに拡大した。一八八〇年代から第一次世界大戦開戦までの約三〇年間、レバノン山地の農民を中心に、アレクサンドリアやマルセイユを経由して大西洋を越え、南北アメリカへ、一部は西アフリカ・南アフリカへ、あるいはスエズ運河を通ってオーストラリア、さらにはフィリピンにまで至る移住が本格化する。シリア中部やパレスチナ北部の農村地域、アレッポやダマスクスなどの都市部からも含めて、大半がキリスト教徒であった。レバノン山地は三〇―四〇万人規模の人口のうち一〇万人程度が流出したと言われる(Gualtieri 2009: 45)。村人のほぼ全員が船に乗ってしまい、置いてけぼりにされた教会の司祭が急いで追いかける、という例もあった。人口増による土地所有の細分化、生糸生産への依存と国際市場における価格変動の影響(日本・中国産の安価な生糸との競争に敗れる)が移住の主要因である。オスマン政府はしばらく移民渡航を禁止していたが、移住圧力があまりにも強かったため、一八九八年に解禁した。以後第一次世界大戦で渡航困難になるまで、シリアからの移民は、オスマン帝国内では突出した形で増加し続けた。同時期は南欧・東欧からやはり大西洋を越えて百万単位の膨大な人口が新大陸に向かった時代であり、レバノン山地・シリアからの移民は、こうしたヨーロッパ移民と同じ船に乗ってニューヨークやリオデジャネイロなどの港を目指した。

移住先では商業に従事する者が多かったが、世界各地にアラビア文字印刷機を運んで週刊・日刊新聞を続々と発刊した。一九〇〇年から一〇年の間にアメリカ合衆国では一八、メキシコでは七、ブラジルでは一三の新聞がそれぞれアラビア語で、または英語、スペイン語、ポルトガル語とのバイリンガルで刊行されていた(Jacobs 2015: 271-278; Pastor 2017: 45-46; Raddawi 1989: 108)。移住先の国やシリア、オスマン帝国のニュースのほか、移民たちの情報交換のための記事、ビジネス広告が多かったが、これら在外の新聞に雑誌が加わった印刷物がエジプトやシリアに送られたり、その逆があったり、新大陸の各地で横につながって流通したりして、グローバルなアラビア語公共圏と呼びうるものが生まれたのである(Khuri-Makdisi 2010: 49-59)。

こうした人や情報の移動が可能になった最大の条件は、蒸気船の発達であった。一八三〇年代から地中海航行が始まり、一九世紀後半には英仏独を中心に船会社が大型船を定期的に運行させ、港町では手配師が新大陸における一攫千金の噂や成功談を振りまいて可能な限り多人数の乗船を目指すようになる。通商活動も完全に海運が中心となり、地中海沿岸のベイルート、ハイファー、アレクサンドリアなど港湾都市の人口が急増した。一八六九年のスエズ運河開通により、紅海沿岸のジェッダはむろん、アデンからアラビア海を回ってペルシア湾の沿岸都市、その最奥部のクウェートからシャットルアラブ川沿いのバスラ、そしてチグリス・ユーフラテス両川を遡るまで、蒸気船が結んでいった。(7) これによりアラビア半島のペルシア湾岸地方の諸首長に対するイギリスの関与が強まったため、一八六九年にバグダード総督に着任したミドハト・パシャ(事例二参照)は危機感を覚え、従来明確に認識されてこなかったオスマン帝国の主権を主張するべく、一八七一年に内陸のワッハーブ派・サウード家に対して軍事行動を起こした(Anscombe 1997: 16-33)。シリア、イラクからアラビア半島にかけてはオスマン帝国領とはいえ、アラビア半島の紅海沿岸とペルシア湾沿岸の現在のカタル国までの領域支配は確立していたが、その間の半島中央部からシリア沙漠にかけての広大な内陸は、移動性の高い遊牧民諸部族の世界であり、帝国の権威は希薄であった。一方、蒸気船が結ぶ世界の沿岸都市ネットワークは拡大の一途をたどり、アラビア語印刷物がインド洋世界に広く流通するようになり、アラブ地域と南アジアや東南アジアとの間でイスラーム改革思想が交流する結果を生んだ。

おわりに

アラブ地域の一九世紀をエジプトから眺めれば、近代国民国家化を先行して進め、その影響力をアラビア半島やシリアに及ぼし、ムハンマド・アリー政権の世襲王朝化以後は英仏への財政的従属を深めつつ、シリアからの移民の文化的活動の場としても機能し、グローバルなアラビア語公共圏の形成に寄与した。シリアから眺めれば、そのエジプトの占領支配下と復活したオスマン支配下で近代化政策の洗礼を受け、国際的介入の下での宗派紛争を経験し、地域の閉塞感から逃れるためにもエジプトをグローバルな拡散の足場とした。

では「アラブ社会」は、この過程で人々にどのように想像されるようになったのであろうか。一九世紀末から二〇世紀初頭にかけて、スルタンの専制政治は、**事例二**が示すように広く人々が直接感知し、認識できるものとなっていた。知事はスルタンの代理人としての権威を失い、スルタンの猜疑と外国領事の不満により直ちに地位が不安定になる存在で、**事例一**のように「まちの人々」が結束して対峙するものではもはやない。向き合う先はイスタンブルの中央政府そのものとなっていた。そしてシリアとエジプトを中核とするグローバルなアラビア語公共圏における政治と社会の議論が可能となっていた。

これを背景として一九〇八年の青年トルコ革命を経て、「トルコ」に対抗する「アラブ」が徐々に意識されたのは確かである。特に政治意識の高い移動する知識人にその傾向が見られた。イスタンブルにおけるダマスクス出身学生による社会改革的文化組織「アラブ復興協会」(Jam'iya al-Nahda al-'Arabiya)の結成(一九〇六年)、アラブ留学生・亡命知識人の一大拠点パリにおける政治組織「青年アラブ」(al-Fatat)の結成(一九〇九年)はその表れである。ただし、未だアラブ地域の人々が自らを政治的主体として「アラブ」と規定してはいなかった。第一次世界大戦を通じて、シリアの人々がオスマン政府の暴力的戦時統治に反発し、オスマン帝国が崩壊し、メッカの太守ハーシム家のファイサル率いるアラブ反乱軍と英軍のダマスクス進駐・統治を受け入れてもなお、現実に人々がつくる組織には「シリア」とか「祖国」(watan)の形容詞が付されていた。そこに「青年アラブ」のような政治運動の担い手たちの階層性とオスマン帝国期のアラブ・ナショナリズムの限界とが指摘される根拠がある(Gelvin 1999; 田口 二〇〇二)。「アラブ」が政治イデオロギーの中で確立した位置を占めるためには、戦後の英仏によるアラブ地域分割統治とパレスチナにおけるシオニスト植民運動の進展という、新たな激動を経ねばならなかった。

ここで、事例二の歴史家ガッズィーが、アレッポの一八五〇年騒乱におけるキリスト教徒襲撃事件の記述の後、この宗派対立問題を批判的に乗り越えるべくイスラーム以前の時代に遡る形で「アラブ民族」(umma al-'arab)の「言語の紐帯」と「隣人の紐帯」の重要性を強調し、特に前者、すなわちアラビア語の紐帯については「民族の一体性を体現する唯一の共同体」(al-jami'a al-wahida li-l-wahda al-qawmiya)たる「アラブ民族」(al-umma al-'arabiya)が創り出したもの、と力説したことは注目に値する(al-Ghazzi 1926: vol. 3, 382-388)。ここで「共同体」と訳した「ジャーミア」は「社会」を表す「イジュティマー」「ムジュタマー」と同語根であるが、それよりもさらに強い紐帯を示す言葉である。

アレッポの「アラブ社会」としてのあるべき姿を主張したと言える。そしてその「共同体」が「民族」の形容詞形「カウミーヤ」と結びついている点ですでに十分「ナショナリズム」的言説である。

ただし、そのナショナリズムは未だ国家や政党のイデオロギーではない。レバノン宗派主義の歴史学的研究の分野で刺激的な研究を著してきたウサーマ・マクディスィーは、現代までのシリアを中心としたアラブ地域において、曲折を経ながらも何とか持続してきた多元的社会のあり方を、「普遍枠組み」(the ecumenical frame)という、一瞬読者を戸惑わせるキリスト教的ニュアンスを帯びたインパクトのある言葉をもって概念化した(Makdisi 2019)。ガッズィーが「言語と隣人の紐帯」という言葉で表現しようとした「アラブ社会」論が、一世紀を経て再構築されたと見なしうるのである。

(1) 一八七五年に福地源一郎が『東京日日新聞』紙上にて「社会」に「ソサイチー」と仮名をつけた訳から始まり、その二年後に西周がJ・S・ミルの『功利主義』の翻訳にて「社会」を用いることで日本語に定着したとされる(塩原 一九九三：五九〇―五九二頁)。

(2) 「ムジュタマー」は一八六五年のE・W・レーンの『アラビア語英語大辞典』では「人／物が集まる／集められる場所」を、一八八一年のR・ドズィーの『アラビア語辞典補遺』では「集会」「集合」を意味した(Lane 1865: Book 1-Part 2, 459; Dozy 1881: Tome 1, 217)。フロリアン・ツェミンは、シリア出身の近代イスラーム改革思想家ラシード・リダーがエジプトで刊行した雑誌『マナール』(一八九八―一九四〇年)を素材に、そこで使用された用語の網羅的テキスト分析を行い、「ムジュタマー」など「社会」に関わる用語の使用状況を明らかにしている(Zemmin 2018)。

(3) 森本公誠が「集団を組む」「人間社会」「社会的結合」(ijtimaʻ)や「社会的存在」(madani)と訳す諸概念は、原初的にはバラバラな存在である人間が「集まって関係を結ぶ」ことにより(「社会」がつくられ)、文明(ʻumran)が形成されるとの認識を示す(イブン＝ハルドゥーン 二〇〇一：一巻一一三、一三四、三一九頁、Ibn Khaldun 1992: vol. 1, 36, 44, 129; 加藤 一九九五：二〇一―二三三頁、岡崎 二〇二一：一四七―一六三頁)。

(4) 一八六九年にレバノンの社会思想家・文学者のブトゥルス・アル・ブスターニーが「シリア科学協会」(al-Jam'iya al-'Ilmiya al-Suriya)にて行った講演「社会有機体とアラブ・西洋間の風俗習慣の対話」がこの概念の最初期の使用である(Khuri 1990: 204-217; Khuri-Makdisi 2010: 42, 187)。

(5) 北イラクの地方政治、特にモースルの名望家と徴税請負に関しては具体的な研究がある(Khoury 1997: 75-108)。また一六一六―一三五年のダマスクス州における徴税請負台帳(三七三葉)が永田雄三・清水保尚により校訂されている(Nagata, Miura, and Shimizu 2006)。

(6) 後にエジプト総領事まで務めたバーカーの生涯については息子ウィリアムによる伝記的回想録がある(Barker 1876: vol. 1, 78-89)。

(7) スエズ運河により地中海と紅海が連結したことは、イギリスの「インドへの道」にとって重要で、二〇世紀初頭にイランをめぐりロシアと勢力圏を争うなかで、地中海からペルシア湾に至るシーレーンを中心とした地域概念「中東」(the Middle East)を、米海軍戦略家アルフレッド・マハンが提唱することとなる(Mahan 1902: 39)。

参考文献

イブン＝ハルドゥーン(二〇〇一)『歴史序説』森本公誠訳、岩波文庫。

大河原知樹(二〇〇九)「エジプト占領軍のシリア政策(一八三〇年代)」歴史学研究会編『世界史史料8 帝国主義と各地の抵抗Ⅰ』岩波書店。

岡崎弘樹(二〇二一)『アラブ近代思想家の専制批判――オリエンタリズムと〈裏返しのオリエンタリズム〉の間』東京大学出版会。

加藤博(一九九五)『文明としてのイスラム――多元的社会叙述の試み』東京大学出版会。

黒木英充(二〇〇〇)「前近代イスラーム帝国における圧政の実態と反抗の論理――一七八四年アレッポの事例から」『岩波講座 世界歴史14 イスラーム・環インド洋世界』岩波書店。

黒木英充(二〇〇九)「レバノンの行政枠組みの創出(一八六〇年代)」歴史学研究会編『世界史史料8 帝国主義と各地の抵抗Ⅰ』岩波書店。

黒木英充(二〇一〇)「オスマン帝国におけるギリシア・カトリックのミッレト成立――重層的環境における摩擦と受容」深沢克己

編『ユーラシア諸宗教の関係史論――他者の受容、他者の排除』勉誠出版。

塩原勉（一九九三）「社会」『新社会学辞典』有斐閣。

田口晶（二〇〇二）「ムハンマド・クルド・アリーとオスマン帝国――「転向」問題の背景」『オリエント』四五―二。

田中雅人（二〇二一）「オスマン朝下レバノン山地特別県における宗派別土地調査と地域支配の再編」『東洋学報』一〇三―四。

藻谷悠介（二〇一八）「ムハンマド・アリーによるシリア統治に関する重要史料――『アレッポ高等協議会発行の議決書の記録台帳』の検討」『アジア・アフリカ言語文化研究』九五。

若林啓史（二〇一九）『シリアの悲嘆――キリスト教徒虐殺事件 一八六〇年』知泉書館。

Anscombe, Frederick（1997）, *The Ottoman Gulf: The Creation of Kuwait, Saudi Arabia, and Qatar*, New York, Columbia University Press.

Baer, Gabriel（1982）, *Fellah and Townsman in the Middle East: Studies in Social History*, London, Frank Cass.

Barker, Edward（1876）, *Syria and Egypt under the Last Five Sultans of Turkey: Being Experiences, during Fifty Years, of Mr. Consul-General Barker*, 2 vols., London, Samuel Tinsley.

Dozy, R.（1881）, *Supplément aux dictionnaires arabes*, 2 tomes, Leiden, E. J. Brill.（Reprint: Beyrouth, Librairie du Liban 1981.）

du Quenoy, Paul（2014）, "Arabs under Tsarist Rule: The Russian Occupation of Beirut, 1773-1774", *Russian History* 41.

Fahmy, Khaled（1997）, *All the Pasha's Men: Mehmed Ali, His Army and the Making of Modern Egypt*, Cairo and New York, The American University in Cairo Press.

Farah, Caesar（2000）, *The Politics of Interventionism in Ottoman Lebanon 1830-1861*, London, I. B. Tauris.

Gelvin, James（1999）, *Divided Loyalties: Nationalism and Mass Politics in Syria at the Close of Empire*, Berkeley, University of California Press.

Ghazzi, Kamil al-（1923-26）, *Nahr al-Dhahab fi Ta'rikh Halab*, 3 vols., Aleppo, al-Matba'a al-Maruniya.

Gualtieri, Sarah（2009）, *Between Arab and White: Race and Ethnicity in the Early Syrian American Diaspora*, Berkeley, University of California Press.

Hathaway, Jane（2013）, *The Arab Lands under Ottoman Rule, 1516-1800*, New York, Routledge.

Ibn Khaldun, 'Abd al-Rahman（1992）, *Ta'rikh Ibn Khaldun*, 7 vols., Bayrut, Dar al-Kitab al-'Ilmiya.

Jacobs, Linda（2015）, *Strangers in the West: The Syrian Colony of New York City, 1880-1900*, New York, Kalimah Press.

Khoury, Dina Rizk (1997), *State and Provincial Society in the Ottoman Empire: Mosul, 1540-1834*, Cambridge, Cambridge University Press.

Khuri, Yusuf Quzma (ed.) (1990), *A'mal al-Jam'iya al-'Ilmiya al-Suriya 1868-1869: Majmu'a al-'Ulum*, Bayrut, Dar al-Hamra.

Khuri-Makdisi, Ilham (2010), *The Eastern Mediterranean and the making of Global Radicalism, 1860-1914*, Berkeley and Los Angeles, University of California Press.

Krimsti, Feras (2014), *Die Unruhen von 1850 in Aleppo: Gewalt im urbanen Raum*, Berlin, Klaus Schwarz Verlag.

Kuroki, Hidemitsu (1999), "The 1850 Aleppo Disturbance Reconsidered", Markus Köhbach et al. (eds.), *Acta Viennensia Ottomanica*, Wien, Institut für Orientalistik.

Kuroki, Hidemitsu (2003), "Mobility of Non-Muslims in Mid-Nineteenth-Century Aleppo", Hidemitsu Kuroki (ed.), *The Influence of Human Mobility in Muslim Societies*, London, Kegan Paul.

Kuroki, Hidemitsu (2018), "The Population of Aleppo in the Mid-19th Century Reconsidered: An Analysis of the Ottoman Population Survey of 1849", Hidemitsu Kuroki (ed.), *Human Mobility and Multiethnic Coexistence in Middle Eastern Urban Societies 2*, Tokyo, ILCAA-Tokyo University of Foreign Studies.

Lane, Edward William (1863-93), *An Arabic-English Lexicon*, Book 1, 8 Parts, London and Edinburgh, Williams and Norgate. (Reprint: Cambridge, The Islamic Texts Society, 1984.)

Laurens, Henry (2013), "Europe and the Muslim World in the Contemporary Period", John Tolan, Gilles Veinstein, and Henry Laurens, *Europe and the Islamic World: A History*, Translated by Jane Marie Todd, Princeton, Princeton University Press.

Mahan, Alfred (1902), "The Persian Gulf and International Relations", *The National Review*, September 1902.

Makdisi, Ussama (2000), *The Culture of Sectarianism: Community, History, and Violence in Nineteenth-Century Ottoman Lebanon*, Berkeley, University of California Press.

Makdisi, Ussama (2019), *Age of Coexistence: The Ecumenical Frame and the Making of the Modern Arab World*, Oakland, University of California Press.

Nagata, Yuzo, Miura Toru, and Shimizu Yasuhisa (eds.) (2006), *Tax Farm Register of Damascus Province in the Seventeenth Century: Archival and Historical Studies*, Tokyo, The Toyo Bunko.

Pastor, Camila（2017）, *The Mexican Mahjar: Transnational Maronites, Jews, and Arabs under the French Mandate*, Austin, University of Texas Press.

Philipp, Thomas（2009）, "The Syro-Lebanese Emigration to Egypt: From Traditional Allegiances to National Identity?", Samir Seikaly（ed.）, *Configuring Identity in the Modern Arab East*, Beirut, American University of Beirut.

Qushaqji, Yusuf（ed.）（1985-94）, *Akhbar Halab Kama Kataba-ha Na'um Bakhkhash fi Dafatir al-Jam'iya*, 4 vols., Halab, Matba'a al-Ihsan.

Raddawi, Majid al-（1989）, *al-Hijra al-'Arabiya ila al-Barazil*, Damascus, Dar al-Tlas.

Seetzen, Ulrich Jasper（2011）, *Tagebuch des Aufenthalts in Aleppo 1803-1805*, Hildesheim, Zürich, New York, Georg Olms Verlag.

Zemmin, Florian（2018）, *Modernity in Islamic Tradition: The Concept of 'Society' in the Journal of al-Manar (Cairo, 1898-1940)*, Berlin and Boston, Walter de Gruyter GmbH.（Kindle）

コラム | Column

カイロの預言者生誕祭からみたエジプトの近代

高橋　圭

一九世紀のカイロで注目を集めていたイスラームの宗教実践の一つが、預言者生誕祭(以下「生誕祭」)で行われていたダウサと呼ばれるスーフィーの儀礼であった。サアディー教団が行っていたダウサは、「踏みつけること」という意味であり、うつぶせに横たわった教団の信徒たちの上を導師が馬で踏みつけながら歩く儀礼であった。神の恩寵により誰一人傷つくことがないと信じられており、スーフィーの「奇蹟」を目の当たりにできる機会として人々を魅了したのである。

生誕祭は、スーフィーたちがこのダウサを始めとして様々な儀礼を行い、その聖なる力を一般のムスリムに広く知らしめる祝祭であった。例えばリファーイー教団のスーフィーたちは、身体に刃物を突き刺したり、毒蛇、ガラス、石炭などを飲み込む「奇蹟」を実演して見せていた。加えて、この祝祭は人々が娯楽に興じる場でもあった。歌や音楽、手品や曲芸など様々な見世物が供されたほか、踊り子や娼婦にとっては格好の稼ぎ場ともなっていたのである。

生誕祭を彩るスーフィーの儀礼や民衆の娯楽に対しては、中世以来、これらをイスラーム本来の教えから外れた逸脱(ビドア)として問題視する声も折に触れて発せられてきた。また一九世紀に入るとカイロを訪れた西欧人たちから、東洋の野蛮な習慣として好奇と非難の眼差しを浴びるようにもなる。そして一九世紀後半からは、イスラーム改革主義者たちによって、エジプトの後進性の象徴として激しく非難されるようにもなっていった。しかしながら、後述のようにダウサは一八八一年に禁止されたものの、生誕祭は一九世紀以降もカイロを代表する祝祭として盛大に祝われ続けた。

さて、生誕祭はオスマン朝期以来カイロ旧市街の西端に位置するアズバキーヤ地区で開催されていた。アズバキーヤは支配者や名士の宮殿や邸宅が立ち並ぶ政治権力の中心でもあり、生誕祭は彼らが後援する国家的な祝祭として執り行われていた。その最終日には、歴代のエジプト総督(後に副王)が、生誕祭を取り仕切るスーフィーの名家であったバクリー家の家長に名誉の衣を授与するのも習わしとなっていた。すなわち、生誕祭は王朝の権威や正統性をムスリム民衆に知らしめる役割も果たしていたのである。

ムハンマド・アリーの治世(一八〇五—四八年)下でもアズバキーヤは政治権力の中心として機能し続けた。また、この時期からアズバキーヤの開発も進められることになる。王宮や政府施設、西欧人向けの邸宅やホテルが建設されたほか、その中心部は並木道を備えた庭園広場として整備された。一般にこのアズバキーヤの開発は、その後本格化するカイロの都市改造につながるムハンマド・アリー朝の近代化政策を象徴する事業とみなされている。ただしこのように近代化の象徴となっていくアズバキーヤから伝統的な祝祭が排除されることはなかった。生誕祭は依然として王朝の権威を象徴する祝祭として重視されていたのである。

政権と祝祭や娯楽との関係はイスマーイールの治世(一八六三―七九年)に転換を迎えることになる。スエズ運河開通(一八六九年)を目前にして、彼はエジプトの発展を国内外に知らしめるべくカイロの都市改造に着手する。パリを範として西欧風の町づくりが進められ、アズバキーヤにも西欧式の公園やオペラ劇場などが創られていった。いわばここで、公園やオペラといった、従来の祝祭や民衆的な娯楽とは異なる新しい娯楽がカイロの市民に提供され、それらが王朝の権威を示す新たな象徴としての役割を担うようになったのである。

ただし、こうした新しい娯楽の導入が、伝統的な祝祭を即座に排除するものではなかったことにも注意する必要がある。

ダウサ(出典:E. W. Lane, *An Account of the Manners and Customs of the Modern Egyptians*, reprint, Cairo, 2003, p. 452.)

生誕祭はその後も盛大に開かれ続けた。とは言え、新旧の祝祭や娯楽の混在がアズバキーヤの環境や治安に影を落としていたことも確かである。加えて、エジプトは一八七六年の財政破綻を契機に西欧列強の経済的な植民地に転落していくが、この過程で西欧人からの批判はエジプトの支配者にも無視できない政治的な圧力となっていった。例えばイギリス政府は外交ルートを通じて「野蛮な」風習の廃止をエジプト政府に求めていたが、そこにはダウサを始めとするスーフィーの儀礼も含まれていた。

最終的に、生誕祭でのスーフィーの儀礼は、一八八一年の政府通達によって規制の対象となり、ここでダウサも全面的に禁止されることになった。さらにこの通達では、翌年からの生誕祭の開催場所が郊外のアッバースィーヤ地区に移されたことも重要である。ここに至り、伝統的な祝祭は政治権力の中枢から排除されることになったのである。

ダウサ禁止の報せを受けた西欧人やイスラーム改革主義者たちは、これをエジプトの近代国家への発展の大きな一歩として称賛した。しかし実際にはこれはムハンマド・アリー朝の近代化政策の単純な帰結であったわけではない。伝統的な祝祭は、近代化を進める政権を支える役割を果たし続けてきたのである。むしろダウサ禁止は、エジプトが西欧列強に従属し、その植民地に転落していく過程で生じた出来事であったと言えるかもしれない。

焦点 Focus

イランの一九世紀

阿部尚史

はじめに

ペルシャ国は面積十万四千六百六十六方里、人口九百万ある所にして、その面積はおよそわが日本の殆んど五倍にも超ゆるが故に、各州多少の風俗を異にするのみならず、人種とても頗るその種類を異にしてまた言語も異同の差多し。わが日本の国民が同一血族、同一言語にして一国を成し得るの幸福に較べて想像し能わざるものなり。

（吉田 一九九一：一八頁）

これは、一八八〇年に当時ペルシアと呼ばれていたイラン(1)を訪れた外交官吉田正春（幕末土佐藩士吉田東洋の子）が記した『回疆探検波斯之旅《かいきょうたんけんぺるしあのたび》』（一八九四年）の一文である。「日本は単一民族」という理念を信じて国民国家建設と富国強兵に邁進する明治日本の外交官が、「多民族・多言語」の西アジアの国をどのような視点で観察したのかがここにうかがえる。吉田はこのイラン訪問のおりに、当時の国王ナーセロッディーン・シャーにも謁見した（「シャー」はペルシア語で王の意味）。その際にこの国王は、

朕はアジアの西方の一人にして、卿らはすなわちアジア東方の人なり。アジアに東西の懸隔あるも、もと同邦な

り。共に立つの途を図らずんばあるべからず。その親密なる交際を開かんには、まず通商貿易の途よりすべし。

(同：一七三頁)

と述べたという。この発言からは、社交辞令の側面は強いものの、お互いを全くの未知の存在とは見做さない当時の世界認識、「アジアと西欧」という二分法、さらには「アジアは一つ」という政治的イデオロギー(いわゆるアジア主義)の時宜に応じた便利な利用が読み取れる。[2] こうしたやり取りの成立がまさに一九世紀という時代を象徴している。

さてこのナーセロッディーン・シャーが統治していたイランは、サファヴィー朝(一五〇一―一七二二年)の支配領域と比べると領土面積はかなり小さい。それでも冒頭の吉田の記述にもあるとおり、カージャール朝下イランを構成する住民の多様性は顕著であった。また二〇世紀初頭の段階でも、人口の四分の一は遊牧民であった。

イランというと現代のイラン・イスラーム共和国を想起させ、サファヴィー朝やカージャール朝など過去の王朝と連続性のなかでとらえるのが妥当かどうかしばしば問われてきた。一九世紀イランを統治していたカージャール朝については一定の留意は必要だが、領域的にも社会文化的な観点からも現在との関係を重視する立場から論じることが可能であろう。現在の主権国家の領域を過去に投影させることに対する懸念は、イランに限らずどこの地域にも当てはまる。それでも、隣国のオスマン帝国が現代との領土的連続性を把捉し難い状況と、イランの事情とはかなり様相を異にしているのである。

「イランの一九世紀」はカージャール朝の統治期間(一七九六―一九二五年)と重なりが多く、特に王朝成立(一七九六年頃)から立憲革命(一九〇五―一一年)までの期間にほぼ該当する。近世帝国サファヴィー朝の栄光が過ぎ去っていたこの時代のイランには、欧州の覇権国家英露の圧迫のなか、かろうじて植民地化は免れたものの半従属的な立場に追いやられ、政府は近代化にも成功せずに、専制的な政治体制を汲々と維持していたという負の印象が付きまとう。イランの自己認識としてもカージャール朝期に、「世界の中心にいる帝国」から、欧州列強の圧迫を受ける弱小国に変

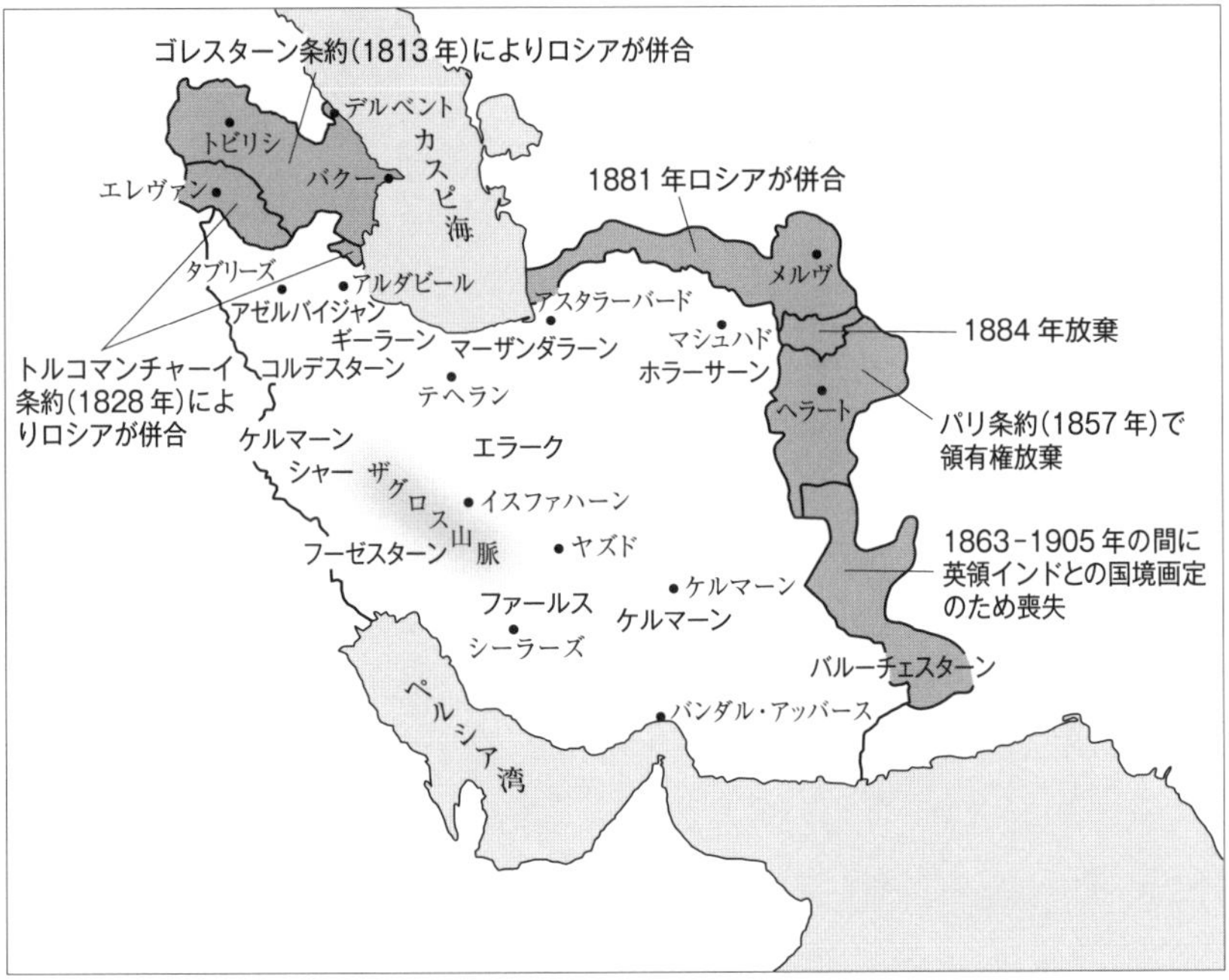

図1　19世紀イランの主な領土変遷・国境画定(Michael Izady, “Territorial Changes of Persia/Iran 19th and 20th Centuries”, The Gulf/2000 project, *Atlas of the Islamic World and Vicinity*, 2004, 2015をもとに作成)

化した、という(Amanat 2017: 179)。同時にイランにとっての一九世紀という時代は、現在に直結する国家・社会・文化が形成された連続性から重要視される。急速に世界が統合されていく一九世紀という時代に、イランは欧州列強の影響や圧迫を受けながらも独立を保持し続け、距離的に離れていた同時代の日本などとも徐々に直接的な交流を開始していたのである。

カージャール朝は周辺国との戦争や交渉のなかで領土喪失も経験しながら国境を画定し、一九世紀を通じてイランにおける支配体制を維持した。その結果としてこの期間にイランの政治・社会・文化的枠組みが意識され、国としての一体性が強化された。以下ではこの経緯を、主に統治構造と国際関係、ナショナリズムとのかかわりを踏まえて通観したい。

一、カージャール朝の成立と統治構造

一九世紀を通じてイランを支配したのはトルコ系のカージャール朝であった。カージャール族は、サファヴィー朝建国に軍事力を提供したトルコマン系キジルバシュ部族集団の一つとして一六世紀以降に可視化され、一八世紀に飛躍を遂げた。一七二二年サファヴィー朝が事実上崩壊すると、その旧領にはナーデル・シャー政権(一七三六―四七年)やザンド朝(一七五一／六五―九四年)など短命な王朝が興亡した。カスピ海東岸アスタラーバードを本拠地とするカージャール族のアーカーモハンマド・ハーン(のちにシャー)が最終的にザンド朝との戦いに勝利して「内乱」に終止符を打ち、テヘランを首都とするカージャール朝を成立させた(一七九六年)。彼が想定していた統一すべきイランの領域は基本的に旧サファヴィー朝領と重なる。ゆえに彼は治世末期には二度にわたってコーカサスに遠征した。またホラーサーン地方東部の主要都市ヘラート(現アフガニスタン領西部)も回復すべき領土とされた。しかしいずれの地域もカージャール朝の支配から離れていく。

かくして一八世紀末に成立したカージャール朝は、シーア派信徒の守護者としての統治理念を正統性の根拠に置き、「地上における神の影」や「世界の中心」など壮麗な称号で飾られた絶対的国王による強力な統治体制を標榜した。しかし実際上、中央権力はあまり強くなく、王子をはじめとする王族や宮廷に近い有力者を各地に派遣する分封体制を王朝末期まで敷いていた。たとえば初代国王アーカーモハンマド・シャー時代において、第二代国王となる甥のファトフアリーは南部ファールス州の総督であった。続くファトフアリー・シャー期(在位一七九七―一八三四年)には、国王の息子たちが各地に派遣された。皇太子アッバース・ミールザーは北西の要アゼルバイジャン州総督、最年長の有力王子モハンマドアリー・ミールザーはオスマン帝国との国境の要所ケルマーンシャー州の総督、南方ファールス

州の総督には同じく有力な第五王子のホセインアリー・ミールザー、東方ホラーサーン州にも国王の第四王子、第六王子、第八王子が次々に総督として派遣された[3]。吉田が謁見したナーセロッディーン・シャーの時代でも、彼が通過した古都イスファハーン(エラーク州の中心)は、有力王子マスウード・ミールザーの支配下にあり、アゼルバイジャン州は皇太子モザッファロッディーン・ミールザーに治められていた。各地に派遣された有力な王子総督たちは、管轄地域の知事任命にも大きな裁量を有していた。たとえばアゼルバイジャン州総督はアルダビール知事を任命し、エラーク州総督がヤズド知事を任命するなどである(ただし各総督の管轄地域は中央政府との力関係などに左右され、一定しない)。また強力な遊牧部族集団を始めとする現地の有力者はカージャール朝支配に組み込まれて出仕することで、一定程度温存された。ただし、カージャール朝側は一九世紀をとおしてこうした在地勢力の影響力を徐々に削減する政策を進めていった。

カージャール朝の「東洋的専制支配」(oriental despotism)は、諸勢力の対抗関係の均衡の上に立つ、強力ではない分割統治の事例として取り上げられることが多かった(Abrahamian 1974)。確かにこの支配体制は、在地勢力を一定程度温存したものの、全く不干渉というほど弱体でもなかった。地方に派遣された王子総督は必ずしも中央政府と同心ではなく、宰相と対立したり、反抗したりした。一方で時には在地有力者を暗殺し、強力な部族集団の内部抗争を扇動することで、最小限の武力で地域社会の秩序維持を実現していた。つまりカージャール朝のイラン支配は、ある種効率的統治ともいえるのである。こうした状況ゆえに、政府から下層民まで社会の広範かつ多様な主体がそれぞれ活発に交渉することで、合意が形成され、利害が調整されていた(Martin 2005)。

カージャール朝第二代国王ファトフアリー・シャー以降、首都テヘランに次いでアゼルバイジャン州が重要性を増してくる。支配領域のなかで最も肥沃であり、かつ一九世紀初頭においては対露戦争の最前線であったためである。それゆえにカージャール朝期において、アゼルバイジャン州総督職は事実上の皇太子座となり(ただし例外的な総督もいた)、中心都市タブリーズは首都テヘランと並んで発展していくことになる。

カージャール朝初代国王アーカーモハンマド・シャーは、幼少時に敵対勢力に去勢されていたため、甥(弟の子)のファトフアリーが王座を継承した。ファトフアリー・シャーは国内の有力者との政治的結合を図る思惑などから婚姻を重ね、二〇〇人以上の子女をなした。実はカージャール族は一八世紀の覇権闘争の過程で、内部に深刻な対立を抱えていた。ファトフアリー・シャーの皇太子に指名されたアッバース・ミールザーは、初代国王の大伯父や父王が属するコヴァンルー支族と対立するダヴァルー支族出身のアースィエ・ハーノムを母とし、彼を後継者とすることで、王朝の基盤であるカージャール族内の融和が企図されたのである。(4) 血統上の理由に加えて、アッバース・ミールザーの子孫が王位を占有した理由には、ロシアの支援も指摘されている。ロシア側はイラン＝ロシア戦争(一八〇四—一三年、一八二六—二八年)とその後の和平交渉を主導したアッバース・ミールザーを評価し関係を深めるなかで、彼とその子孫の王位継承を外から支援した(第二次戦争を終結させる一八二八年のトルコマンチャーイ条約第七条で、イラン・ロシア両国がアッバース・ミールザーの王位継承を承認)。ロシアによる王位継承への干渉は、ペルシア湾岸から進出するイギリスへの牽制とイラン国内政治における主導権確保の意味合いも強かった。カージャール朝の王位継承は国内問題にとどまらず、次に述べる外交の延長線上でもあったのである。

二、列強・近隣諸国との関係

一九世紀後半のイギリスとロシアの中央ユーラシア地域をめぐる覇権闘争は「グレートゲーム」と呼ばれるが、イランも欧州の二大国の影響や干渉を受ける。一九世紀に世界進出をはかる欧州列強とイランが直接対決した契機は、一九世紀初頭の二度に及ぶイラン＝ロシア戦争であった。ピョートル大帝以降ロシアはコーカサスに野心を持ち、またコーカサスのキリスト教徒にはムスリム支配に不満を持つ者が一定数存在した。一八世紀後半には東ジョージア君主エレクレ二世は伝統的宗主国イランからの自立を模索し、ロシアとの間にゲオルギエフスク条約(一七八三年)を結び、ロシアの保護国となることを申し出た。

一九世紀初頭、欧州においてナポレオン戦争が行われている最中に、コーカサスでは第一次イラン=ロシア戦争が戦われた。このときイラン側は、ロシアと対抗するために時期によってイギリスまたはフランスと結んで資金援助や軍事教練などの支援を受けた。この時から、イラン政府は、欧州列強諸国の間に対立関係があることを知り、時にはその対立を利用して協力や支援を引き出す外交技術を身に着けていくことになった。

しかし、二度にわたるイラン=ロシア戦争によってイランは、伝統的にイラン王朝の領土と認識していたコーカサス南東部(現在のアゼルバイジャン共和国、アルメニア共和国およびジョージア東部)を失うことになった(Atkin 1980: 99-161)。両国はトルコマンチャーイ条約(一八二八年)によりアラス川を国境と定め、カスピ海におけるロシアの航行権、イラン側の賠償金の支払いや関税自主権の喪失など、イラン側に不平等な内容を定めた。さらにこの戦争以降、一九世紀を通じてロシアは北方からイランの内政・外交に圧力をかける存在となる。イラン政府がロシア以外の外国勢力(特にイギリス政府やイギリス資本家)と外交・貿易交渉をする際にも陰に陽に干渉し、ロシアの利益侵害に敏感に反応するようになった。他方、イギリスはペルシア湾から影響力を行使し、ロシアのインドへの進出につながるとみなす動きに対抗した。

英露の角逐はイランの領土保全にも関係した。コーカサスを失ったイランでは、第二代国王ファトフアリー・シャーの皇太子アッバース・ミールザーに始まり、第三代モハンマド・シャーそして第四代ナーセロッディーン・シャーが、(もう一つの)「未回収のイラン」たるホラーサーン州東部主要都市であるヘラート「奪還」を企図した。ヘラートは古くからイラン文化圏の主要都市であったが、一七四七年にナーデル・シャー政権が崩壊し、支配領域が群雄割拠状態に陥ると、一七五〇年頃にドゥッラーニー朝アフガン政権(首都カンダハール)の支配下に入った。ヘラートはその後同王朝内の権力闘争のなかで、一八世紀末にはカージャール朝の支援を受けつつ一時的な自立を模索し、一九世紀中葉には当時の支配者ヤールモハンマド・ハーン統率下で独立的に行動するなど、領土的帰属が明確に定まらない状態が続いていた(小牧 二〇〇七)。そうしたなか、一八五六年ロシアの後援を受けたカージャール朝軍は一時的にヘラートを征服したものの、イギリスの圧力によって最終的にヘラートを放棄させられた(イギリスとの一八五七年のパリ条約で領有権放棄を宣言)。

一方、サファヴィー朝時代には激しい対立を繰り広げていた隣の大国オスマン帝国との関係は、東アナトリアやケルマーンシャー国境地域での一時的な軍事衝突はあったものの一九世紀を通して比較的安定し、一八二三、一八四七年の二度のエルズルム条約で、サファヴィー朝期に定められたゾハーブ条約(一六三九年)に基づく国境線(アラス川からペルシア湾まで)が確認された。またこの時期イラン側からオスマン帝国領のイラクにあったシーア派聖地アタバートへの参詣が盛んに行われた。遺体の埋葬を目的とする移葬も含むイランからの多数の参詣者は、様々な問題を引き起こし、両国間の懸案ともなった一方で、カージャール朝政府や参詣者たちにとっても検疫、税関、旅券、通行証といった近代的な国境管理制度を経験する機会ともなったのである(守川 二〇〇七a：二一三—二四七頁)。

このようにカージャール朝政府は一九世紀に新たに隣国となった英露二大国と旧来からの隣人であるオスマン帝国との戦争や交渉のなかで、自国の領域を確定させ、明確な国境を意識させられることになった。そして領内の支配権を実体化していったのである。

三、地方社会の変容

在地勢力と中央政府との関係

カージャール朝は、一七九五年頃までにイラン各地を支配下に置いたのち、服従した在地勢力の存続を当初は許容し知事職などを与えて旧来の支配権を安堵していたが、権力基盤の強化に伴い、徐々にそうした勢力の影響力を削減していった。一方で在地勢力側には、新王朝の支配体制にある程度順応して形を変えて生き残る者たちもいた。たとえば、トルコ系のアフシャール族は一七世紀からアゼルバイジャン西部のオルーミーエ地方を実質的に支配し、一八世紀末にカージャール朝に服属したのち、当初は知事職を安堵されていた。それが一八二〇年代になると徐々に中央の王族が知事として派遣されるようになり、現地のアフシャール族の影響力を徐々に奪っていた。そうしたなかでアフシャール族は、アゼルバイジャン州総督アッバース・ミールザーの軍制改革による新式軍隊の一翼を担い、従来とは異なる方法で存続することに成功したのである(Kondo 1999: 545-547)。

一八世紀後半アゼルバイジャン州の中心都市タブリーズに長らく影響力を保持していたドンボリー族出身のナジャフコリー・ハーンの子孫は、二代にわたってアッバース・ミールザーの娘・孫と婚姻関係を結び、王家と近しい関係を築きながら一九世紀半ばには王朝のアゼルバイジャン州支配に参画し、王朝末期まで影響力を保持した(阿部 二〇二〇:五九一六四頁)。このように一部の在地勢力は、地域の知事職を失い、カージャール朝が地方支配を強化するなかでも、様々な形で生残りに成功したのである。

他方、西部ザグロス山脈地域から南部のフーゼスターン州、ファールス州までを広く家畜の冬営・夏営地としていた遊牧民バフティヤーリー族は、一八世紀末にカージャール朝軍の侵攻を受けて服従したが、山岳地域という地理的条件もあり、定住地域の州知事職と性格を異にする遊牧部族集団の支配権は温存された。大きく二つの部族連合からなるバフティヤーリー族は一枚岩とは言えず、部族が統合される機会は稀であったが、一九世紀後半には有力な族長(イールハーン)のもとで影響力を拡大した(Garthwaite 1983: 72-95)。二〇世紀初頭になるとバフティヤーリー族はペルシア湾からの商業路を確保し、またイラン南部での石油資源開発を目指すイギリスと協定を結ぶことで、従来の遊牧以外からの重要な収入源を確保することに成功した。またこの部族の族長家系出身であるサルダールアスアドは欧州に留学し、近代的な知識や思想を身に着けた部族エリートの先駆けとなった。後年彼が統率するバフティヤーリー族軍が、立憲制の転覆を試みたカージャール朝の国王側に対抗し、一九〇九年には立憲制回復の立役者となったのは興味深い展開であろう。

法と社会

国家とウラマー(イスラーム知識人、特に法学者)の関係は、一二イマーム・シーア派が導入されたサファヴィー朝期から現代に至るまで、イラン史を語る上で重要な論題であり続けている。一九世紀イランのシーア派法学者は、裁判官や公証人として活躍するほか、法学校(マドラサ、シーア派ではホウゼイェ・エルミーイェとも呼ばれる)の教授などを務めることもあった。有力な法学者は独自に法廷を主宰し、民事の契約締結や紛争の解決に関わっていた。民事司法が事実上、国家の管理下になかったのである。民事に関わる裁判の記録なども、法学者個人の手元に残されていた。(5) これは、オスマン帝国においてシャリーア法廷が法廷業務に加えて幅広く地方統治の一端を担い、その公的記録であるシャリーア法廷台帳が多数伝存する事情とは大きく異なる。ただし一九世紀イランの民事司法の国家からの独立は、必ずしも法学者層と政府の対立関係を意味するのではない。政府側もイスラーム法に関わる紛争案件に直面すると、しばしば有力な法学権威(モジュタヘド)に諮問し、その回答を参考に解決を模索した(Kondo 2017: 31-35, 59-60, 65-71; 阿部 二〇二〇:一一五―一一九、二八四―三一四頁)。また、法廷を主宰する法学者層も多くの場合執行権力を持たないため、民事における財産の回復や差押えなどの強制執行には、国家権力の協力が不可欠であった。

このようにイラン社会でシーア派法学者は重要な役割を有していたのだが、最高位の法学権威(マルジャア・アッタクリードすなわち「模倣の源泉」と呼ばれる)は、イランではなくオスマン帝国領内イラク中部にあるアタバートと呼ばれるシーア派聖地・教学中心都市であるカルバラー、ナジャフ、サーマッラー、カーズィマインに居住していることが多かった。彼らは物理的にもカージャール朝政府の支配下におらず、政府の干渉を受けにくかったのである。またイラン各地から学生がアタバートの法学権威の許に留学し、学びを終えたのち一部はアタバートに残り一部は故郷に帰還することで、アタバートとイラン各地のネットワークが維持された。このネットワークを通じて、法学権威はイラン各地のシーア派一般信徒から「イマームの取分」と称される宗教的喜捨(フムス)を集めると同時に、信徒らに対して影響力を行使したのである(Litvak 1998: 85, 103-113)。

法学権威の影響力は、一九世紀後半以降、イラン政治を動かす原動力の一つとなった。彼らはイラン最初の民族運動とも評価されるタバコボイコット運動や、二〇世紀初頭のイラン最大の政治変動である立憲革命に大きな役割を果たした。一方で、こうした法学者たちの政治進出に対して、「西欧近代化改革」を進めようとする政治家・官僚層の一部は冷ややかな視線を送ったり、場合によっては対抗的な態度をとったりした。

四、イランの「近代化改革」とナショナリズム

一九世紀にアジアの独立国がみな「西欧を範とした」近代化改革を目指したとみなし、その到達度によって成功や失敗を評する見方は、近年再考を求められている。イランにおいていわゆる近代化改革を始めたのは、イラン＝ロシア戦争を指揮したアゼルバイジャン州総督アッバース・ミールザーとされている。彼は、軍制改革、西欧への留学生の派遣、印刷所の設立など一般に近代化改革と見られる政策を次々と実行した。ここで興味深いのは、こうした「改革」が全国一致して、または首都を中心として開始されたのでなく、アゼルバイジャンという(重要ではあるが)一州

において開始されたことであろう。

アッバース・ミールザーは対露戦争に敗北し、コーカサスを失い、イラン側にとって屈辱的ともいえるトルコマンチャーイ条約(一八二八年)をロシアとの間で締結した。ただし、彼の軍制改革自体が失敗だったとは言い切れない。彼は晩年(一八三一―三二年)東部ホラーサーンの反乱鎮圧を命じられたのだが、そのときに活躍したのが、軍制改革で作り上げられたアゼルバイジャン州出身の新式軍隊であった。彼の死後も王位継承をめぐる対立や国内の反乱鎮圧において、この新式軍隊が決定的な役割を果たした(小澤 二〇一九:一五頁)。当初、対外戦争の必要上実施された近代的軍制改革は、主に国内統治の安定化に寄与する形で成果を上げたのである。また、この新式軍隊の実態として、騎兵組織は既存の部族の動員力を利用したものであった。アフシャール族の例でも見たように、イラン各地の部族集団単位で新式軍隊の騎兵連隊が編成されており、必ずしも大幅な変革とは言えないものだった(Martin 2005: 134-135; 小澤 二〇一九:一六―一七頁)。

アッバース・ミールザーの死後、イランの近代化諸改革は、ナーセロッディーン・シャー期(一八四八―九六年)に、アミールキャビールやセパフサーラールといった近代化改革志向の宰相が権力を握った時期に一時的進展を見せるだけで、継続的ではなかった。たとえばアミールキャビール宰相期(一八四八―五一年)には、オスマン帝国の近代教育機関を模倣して、同名の「諸学の館」(ダーロルフォヌーン)が設立された(一八五一年)。この教育機関にはフランスやオーストリアなど西欧諸国から教師が招聘され、主にフランス語で講義が行われた。また官報『出来事』(Vaqāyeʿ-e ettefāqīye)の発行が始まり、主権国家を意識した国家建設が進められたかに見えた。しかし、一八五一年末にアミールキャビールが失脚すると、彼の政策は必ずしも継承されなかった。一九世紀後半の「改革派宰相」セパフサーラール(宰相在職期間:一八七一―七三年)は、イスタンブル駐在期間にオスマン帝国におけるタンズィマート(国家機構全体にわたる改革)を間近に観察しており、近代化と改革に意欲を見せたものの、対立勢力との権力闘争や彼が進めたイギリス資本（ジュリアス・ロイター）への鉄道敷設権付与を問題視したロシアの干渉などもあって、短期間で失脚している。こうした試行錯誤の連続が一九世紀イランの「近代化改革」の特徴である。また、近代化において西欧諸国からの技術導入が強調されるが、イランにとっては改革の先鞭をつけていたオスマン帝国の経験からの学びが大きかった。オスマン帝国に倣った諸学の館の設置、タンズィマートに範をとる軍制改革、司法改革や近代語彙借用などからも、単純な西欧諸国からの移植でない隣国の経験を踏まえた近代化の試みが読み取れるのである。

近代化政策とのかかわりで近年関心を集めているのが、第四代国王ナーセロッディーン・シャーとその息子第五代国王モザッファロッディーン・シャーの度重なる訪欧である。特にナーセロッディーンは三度も訪欧したが（一八七三、七八、八九年）、膨大な国費の浪費と批判的に評価されることが多かった。しかし近年では、その後の首都テヘランの近代化計画に寄与し、宮廷の外で民衆と親しく接する公共的で開明的な近代君主像をイランに持ち込んだなど（6）(Marashi 2008: 22-48)、近代化と文化交流の観点から訪欧を再評価する視点も提起されている（守川 二〇一六：八八一九二頁）。ナーセロッディーンは筆まめで、在位中こまめに日記をつけており、欧州旅行記も残している（第一回目旅行直後に旅行記を刊行）。この旅行記には、フランス語にも精通していた彼自身が王室外交を意識していたことや、初めて鉄道に乗り、万博に入場し当時の最新の科学技術に触れた感想、また欧州の政治情勢に対する鋭い洞察などが記されている（同：七六―八六頁）。彼より少し早い時期に、オスマン帝国スルタンのアブデュルアズィーズやエジプトの副王イスマーイールもフランスをはじめとする欧州に渡航するなど、君主による首脳外交が欧州以外の国々の指導者の間にも広まりつつあった。膨大な費用や訪欧中の国政の遅滞など、旅行自体に批判もあるものの、留学生派遣のみでなく自ら数カ月にわたり欧州を訪問しその近代化を直に視察し、記録を残した好奇心旺盛な国王が一九世紀のイランにいたことは、注目に値する。（7）

ナショナリズム

カージャール朝の支配約一三〇年は、イランの近代ネイション形成に大きく寄与した。イランの社会文化的なナショナリズムは、主にシーア派信仰とイスラーム以前のイラン文化の連続性強調という二つの要素からなり、この文化的ナショナリズムの勃興は一九世紀末のタバコボイコット運動(後述)を嚆矢とする政治・経済的なナショナリズム高揚に先行していた。

シーア派では、第三代イマームのフサインの追悼儀礼アーシューラーをはじめとする、宗派アイデンティティ発露の機会が数多く存在する。一九世紀には移動手段の近代化などもあって、(イラク中部)アタバートにあるシーア派聖地への参詣が増加した(守川 二〇〇七a:五一—五六頁)。当時イランにおけるワクフ設定(主として不動産の所有権を停止=売却を禁止し、そこからの収益を特定の対象に充てるイスラーム法上の行為)にもこうした社会的な流行が反映され、ワクフ収益がアタバートのシーア派イマームの墓廟や追悼儀礼に充てられる傾向が増した(Werner 2000: 123)。また一八七〇年代初頭に、国王ナーセロッディーン・シャーらの支援により、シーア派追悼儀礼を実施する大規模な劇場施設タキイェ・ドウラトが首都テヘランに整備された。ここでは国家主導の大規模な追悼劇が上演され、国王らとともに多数のテヘラン市民が参加した。テヘランの都市近代化のなかで建設されたこの劇場装置は、臣民と近く接する近代的な公共王権の普及と併せて、シーア派信仰を土台とする共同体意識の醸成に貢献したと考えられる(Marashi 2008: 39-48)。

一九世紀後半以降、イランの近代的知識人は欧州の近代学知によって「再発見」された古代イランの歴史や言語を知り、もともとイランに根付いていた『王書』(シャーナーメ)に代表されるイスラーム以前のイラン神話・英雄譚と融合させた。初代国王アーカーモハンマド・シャーは、古代イラン神話のカヤーン朝を意識したカヤーン王冠を製作した。第二代国王ファトフアリー・シャーも先王に倣い、またファールス州総督として間近に見たであろうサーサーン朝の石彫《いしぼり》(代表例はペルセポリス近くにあるナクシェ・ロスタム)を参考に、さらに豪華なカヤーン王冠を作った(Amanat 2001: 25, 28-29)。またファトフアリー・シャーらカージャール朝の王や王子たちは、サーサーン朝の先例を模した擬古石彫を首都南郊のレイなど、併せて八カ所に残している(Luft 2001: 31)。

一九世紀になると、英国のヘンリー・ローリンソンをはじめとする欧州の東洋学者は古代語(楔形文字やアヴェスター語、パフラヴィー語)の碑文・文献などを解読し、イスラーム以前のイランの研究を進めた。イランの知識人もこうした成果を吸収し、科学的なイラン史の理解を深めていった(守川 二〇〇七b：二七一三七頁)。たとえば、ファトフアリー・シャーの息子の一人ジャラーロッディーン・ミールザーは、ヘロドトスの『歴史』なども読み西欧近代のイラン古代に関する情報も取り入れて、『帝王たちの書』(*Nāme-ye Khosravān*)と題する神話時代からカージャール朝までイランを支配した王たちの歴史書を刊行した(一八六八一七一年)。これは伝統的な歴史観と近代的な学知を架橋しつつ、いわば近代的なイランの「国史」(Iranian national history)を書く初期の試みと評価されており、政治的なナショナリズムが高揚する約二〇年前に文化的なナショナリズムが知識人層のなかで出現していた証左と考えられている(Marashi 2008: 57)。ナショナリズムにとって、民族の古さは追い求められる。イスラーム以前の起源がイラン表象の重要な一面を担い、現在もシーア派信仰と並んでイランの国民意識の両輪として機能している。

このようにイランの文化的ナショナリズムは、単純に近代における発見・創造といえない。様々な形での近代との邂逅が旧来の文化的要素の一部を強化・再編し、イランのなかの多様な民族集団に共通の「国民固

図 2　テヘラン近郊レイにあるカージャール朝ファトフアリー・シャーと王子たちの石彫(チェシュメ・アリーとして有名な場所). 19 世紀前半作製と推定. 2005 年著者撮影

有の文化」に昇華させた。イランのナショナリズムは伝統と近代が絡み合うなかで創り上げられていったのである。

おわりに――イラン立憲革命への道

一八八〇年代からイランでは財政問題が深刻化し、カージャール朝政府は国内利権(鉱山・原油など地下資源開発、銀行設立、税関運営、電信設置、鉄道敷設など様々)を西欧資本に譲渡して、かろうじて財政を維持していた。そうしたなかで、庶民が日常的に嗜むタバコの外国資本(タルボットを中心とする英企業)への独占販売権譲渡に端を発した抗議運動「タバコボイコット運動」が南部の中心都市シーラーズで一八九一年に起こると、いわば経済ナショナリズムの様相を呈して瞬く間に全国に波及した。さらにイラン国外の聖地アタバートにいたシーア派法学最高権威のモハンマドハサン・シーラーズィー師が英企業の専売下における喫煙を禁止する法学意見(ファトワー)を布告したことで、全国規模の反対運動はさらに激化し、カージャール朝政府は一八九二年には利権譲渡撤回に追い込まれた。

このようにカージャール朝専制政治に反発することで国民意識やナショナリズムが強化されていく。一九〇五年末になるとテヘランの物価高騰に端を発したバーザール商人と首都テヘラン知事との対立が、カージャール朝政府の専制政治に反対する、首都での大規模な抗議運動(宰相の解任、「公正の館」設置要求など)に発展し、立憲制が要求されるに至る。首都とその周辺における政府に反抗する動きは、当時既にイランにも敷設されていた電信網によって全国に瞬く間に波及した(Amanat 2017: 333-335)。こうした専制政治への抵抗運動、すなわち革命のなかで、「イラン国民万歳」という標語に見られる政治的ナショナリズムが顕在化していった(八尾師 二〇二〇:一九三―一九四頁)。

一九〇六年にはカージャール朝国王の専制支配を制限し、議会を設置する立憲制の樹立が布告される。この二〇世紀初頭イランにおける政治・社会の激動は、ナショナリズムや国民意識が急速に醸成されつつあったことを背景としていた。直後に制定されたイラン憲法において、(国家と)「国民の利益」が強調されていることはその象徴である。また、立憲思想の伝播や憲法制定は一九世紀後半のグローバルな現象でもあった。国内外のイラン知識人はそうした世界的な動向を様々な経路から機敏に察知し、国外の新聞雑誌などを通して立憲思想や憲法を学んだ。また一九世紀末にはイラン人自身も改革思想に裏付けられ、政府批判も含む新聞をロンドン、イスタンブル、カルカッタなど国外で発行した。

かくて誕生したイランの国民議会は、一九〇七年には憲法補則(内容的にはこちらが一般的に想定される憲法に近い)を制定するも、議会とシャリーアの関係や国王権限の制限などをめぐる内部対立もあり、一九〇八年になると国王側からの攻撃により崩壊した。議会を閉鎖した国王側に対して、地方では革命を守るために決起する勢力があった。北西部の中心都市タブリーズでは、都市社会の任侠無頼勢力に背景を持つ義勇武装集団(モジャーヘディーン)が中心になり、約一年に及ぶ市街戦を戦い抜いた。この勇戦に各地の立憲派は勇気づけられ、一九〇九年になると、特にカスピ海沿岸ギーラーン州の政治勢力(民族主義者勢力、社会民主主義勢力、コーカサス出身者、在地有力者の集合体)と遊牧民バフティヤーリー族を中心とする南西部の軍事集団が、立憲制の救援を旗印に地域を超えてナショナルに連帯した。そして首都テヘランに向け侵攻し、テヘランをほぼ無血で占領して議会政治を復活させたのである。一九一一年にロシアの侵攻で立憲政府が転覆するまでのこの政治展開をイラン立憲革命と呼ぶ(八尾師 二〇二〇:一九三―二〇八頁、Amanat 2017: 342, 927-929)。一九〇八―〇九年の王党派と立憲派には、国内の多様な集団が入り乱れて争ったが、双方に重要な軍事力を提供したのは伝統的にも見える(遊牧)部族集団であった。

カージャール朝の効率的支配のなかで、部族に代表される在地勢力の一部の者は王朝支配に取り込まれながらも、他の者たちは温存されたままだった。また部族の有力者には欧州留学などを経て近代的な思想や学問を身に着けた者もいた。バフティヤーリー族と並んで王党派と対峙し、立憲制回復に貢献したギーラーンの政治勢力は、その中心人物エプレム・ハーン(コーカサス出身のアルメニア人)に代表されるように、コーカサス経由で自由主義的な思想に影響を受けたことに加えて、軍事技術・物資の支援も得ていた(黒田 一九八四:五九頁)。カージャール朝政府は、在地勢力が徐々に近代化され、力をつけつつある状況に対応できていなかった。他方こうした勢力は一九世紀末以降の自由主義的な思想やナショナリズムの影響を受け、また国際的な反専制イラン知識人のネットワークにも支えられ、「旧態依然」と映った専制的カージャール朝政府打倒に、立場の違いを超えていわばネイションとして協力していった。イラン立憲革命において、近代知識人とイスラーム法学者の果たした役割は非常に大きい。それに加えて、商人、都市の任侠無頼集団、伝統的な部族民、国外出身者、宗教少数派など近代政治のイメージとはやや遠い人々も、ナショナリズムと自由主義的な思想、反専制という世界の同時代の潮流を一時的にでも共有することで、カージャール朝の専制的支配体制を終焉させ、立憲制を回復させる共闘を果たしたのである。

一九〇九年に回復した立憲政府であったが、一九一一年にはイランにおける自国の利権侵害を危惧したロシアの侵攻によって崩壊し、ロシアはイラン北部を事実上の管理下に置いた。二〇世紀初頭にペルシア湾岸地域で発見された油田の権益を重視するイギリスは、このロシアの進駐を黙認する代わりに、イラン南部を強い影響下に置いた。こうしたなかで第一次世界大戦が勃発すると、イランは中立を宣言するも外国勢力に国土を蹂躙され、著しい混乱に悩まされ続けた。しかし、基本的に一九世紀を通して維持された国家と領土の枠組みは、この混乱期にも当然のごとく保全された。イランの政治・文化的統合は、一九世紀における内的成熟と外部との多様な交渉との相互影響のうえに、冒頭の日本人外交官吉田の目に映った「多民族・多言語」を包摂しつつも二〇世紀の国民国家の基盤として作り上げられていったのである。

(1) 一九世紀イランを支配していたカージャール朝は「至高なる国家イラン」(Dowlat-e 'Aliye-ye Īrān)と自称していたが、西欧諸国は古くからこの地域の国家をペルシアと呼んでいた。たとえばトルコマンチャーイ条約でも、ロシア語文書ではПерсия(ペルシア)と記されるのに対して、ペルシア語文書ではMamalek-e Shāhāne-ye Īrān(イラン王国)である。一九三五年にパフラヴィー朝国王レザー・シャーが正式にイランという国名の使用を各国に求め、以降西欧諸語においても外交文書上イランと呼ばれるようになる。

(2) 訪欧したナーセロッディーンの旅行記からは、こうした二分法的世界観はあまり見られないという(守川 二〇一六：八七頁)。彼は相手に応じて使い分けているか、吉田が本書執筆の際に拡大解釈しているかのどちらかであろう。

(3) 地域意識が強かった東方のホラーサーン州では王朝前期にたびたび反乱が発生したため、他の主要地域と異なり同地では有力王子総督による長期的な統治が実現しなかった。

(4) カージャール王家では母親の地位が重視され、王子の母親が王族かカージャール族出身であることが王位継承の重要要件になっていた(Ebrahimnejad 1999: 165)。ゆえにカージャール朝ではオスマン帝国とは異なり、女奴隷の子供が国王になることは一度もなかった。

(5) 一九九〇年代まではカージャール朝政府の統括下に世俗法廷とシャリーア法廷が並立していたとする理解が一般的であった。しかし、主に二〇〇〇年以降の研究で、一九世紀イラン社会の特徴としては、そうした明確な二元的司法制度は存在せず、また民事司法を管轄するシーア派法学者層が必ずしも国家の管轄下になかったことが明らかにされている(Werner 2000: 207-268; Kondo 2017: 22-57)。他方、刑事裁判はシャリーアを重視しつつも刑事捜査と併せて、地方行政の一環として処理されていた(Kondo 2017: 23-25)。

(6) なおナーセロッディーン・シャー自身は、こうした民衆に公的に接する行幸の一環で首都テヘランの南にあるレイのアブドルアズィーム廟を参詣した折に(一八九六年)、革命家のレザー・ケルマーニーに銃撃されて死亡した。

(7) イラン国王の訪欧とシャム国王や岩倉使節団の訪欧との比較については守川(二〇一六)参照。ナーセロッディーンの後を継いで即位した息子モザッファロッディーン・シャーも、一八九九年に父王に倣い欧州を訪れた。このときに彼はシネマトグラフと呼ばれる映画の映写・撮影装置に関心を持ち、この機材をイランに初めて持ち込んだとされる。

参考文献

阿部尚史(二〇二〇)『イスラーム法と家産――一九世紀イラン在地社会における家・相続・女性』中央公論新社。

小澤一郎(二〇一九)「一九世紀末イランの兵員徴用と社会――イラン・イスラーム議会図書館所蔵『歩兵徴用簿』の検討から」『オリエント』第六二巻第一号。

黒田卓(一九八四)「イラン立憲革命におけるラシュト蜂起」『史林』第六七巻第一号。

小牧昌平(二〇〇七)「近代アフガニスタン国家の成立過程――ヘラートの事例を中心に」『上智アジア学』第二五号。

八尾師誠(二〇二〇)「近代イランの社会」羽田正編『イラン史』山川出版社。

守川知子(二〇〇七a)『シーア派聖地参詣の研究』京都大学学術出版会。

守川知子(二〇〇七b)「ロマンスからヒストリアへ――ビーソトゥーン碑文とイランにおける歴史認識」『上智アジア学』第二五号。

守川知子(二〇一六)「帝国へのまなざし――イラン国王、岩倉使節団、シャム国王とロシア・イギリス」宇山智彦編『ユーラシア近代帝国と現代世界』ミネルヴァ書房。

吉田正春(一九九一)『回疆探検　ペルシャの旅』中公文庫。

Abrahamian, Ervand (1974), "Oriental Despotism: The Case of Qajar Iran", *International Journal of Middle East Studies*, 5.

Amanat, Abbas (2001), "The Kayanid Crown and Qajar Reclaiming of Royal Authority", *Iranian Studies*, 34-1/4.

Amanat, Abbas (2017), *Iran: A Modern History*, New Haven and London, Yale University Press.

Atkin, Muriel (1980), *Russia and Iran 1780-1828*, Minneapolis, University of Minnesota Press.

Ebrahimnejad, Hormoz (1999), *Pouvoir et succession en Iran: Les premiers Qâjâr 1726-1834*, Paris, L'Harmattan.

Garthwaite, Gene (1983), *Khans and Shahs: A Documentary Analysis of the Bakhtiyari in Iran*, Cambridge, Cambridge University Press.

Kondo, Nobuaki (1999), "Qizilbash Afterwards: The Afshars in Urmiya from the Seventeenth to the Nineteenth Century", *Iranian Studies*, 32-4.

Kondo, Nobuaki (2017), *Islamic Law and Society in Iran: A Social History of Qajar Tehran*, London and New York, Routledge.

Litvak, Meir (1998), *Shi'i Scholars of Nineteenth-Century Iraq: The 'Ulama' of Najaf and Karbala'*, Cambridge, Cambridge University Press.

Luft, Paul (2001), "The Qajar Rock Reliefs", *Iranian Studies*, 34-1/4.

Marashi, Afshin (2008), *Nationalizing Iran: Culture, Power, and the State 1870-1940*, Seattle and London, University of Washington Press.

Martin, Vanessa (2005), *The Qajar Pact: Bargaining, Protest and the State in Nineteenth-Century Persia*, London and New York, I. B. Tauris.

Werner, Christoph (2000), *An Iranian Town in Transition: A Social and Economic History of the Elites of Tabriz, 1747-1848*, Wiesbaden, Harrassowitz.

集点｜*Focus*

ロシアと中央アジア

宇山智彦

西欧列強や日本の進出・侵略を受けて変化を迫られることが多かった近代アジアの中で、中央アジアはロシアという陸続きの帝国の一部となったという点で他のアジア諸地域とは異なる。しかしロシアによる支配のあり方は、独自の特徴はありながら、他の植民地と似た点も多く、十分に比較可能である。本章では、ロシア帝国による中央アジアの併合・征服の過程と統治の特徴・変遷、および現地社会の変化を、帝国―植民地関係の観点から論じる。その際、近代ロシアの国家としての特徴を踏まえると同時に、現地の人々の主体性および帝国権力との相互作用を重視し、他の地域との比較も意識する。なお、この巻が取り扱う時期は一九世紀となっているが、本章では、一九世紀前半も視野に入れるものの、ロシアが中央アジアの中心部を征服した一八六〇年代以降、一九一七年のロシア革命までの時期を主な論述対象とする。また、帝国から国民国家へという世界史的な流れとの関係で、帝政期とロシア革命以降の展開とのつながりにも目を配る。

一、ロシア帝国の改革とアジア系少数民族統治

ロシア南部は中央アジア北部と同様、ユーラシア大陸中央部の東西に広がる大草原地帯の一部であり、古くから遊

牧民と農耕民が接する地域であった。そしてロシアは、モンゴル帝国後継諸政権を含む東西南北の諸国と戦い、それらの国の影響を受けながら大国となったのであり、ユーラシア国家としての性格を当初から持っていたと言える。

しかしヨーロッパ諸国と同盟して宿敵スウェーデンに勝利したピョートル一世期(一六八二―一七二五年)以降、ロシアはヨーロッパの国際関係に深く参入し、ヨーロッパ諸国に倣った改革を進めた。この改革は、官僚機構と地方統治制度を通して国の物的・人的資源を動員する力を持つ、合理的に組織化された紀律国家の建設を目指すものだった(ラエフ 二〇〇一：二五―四五頁)。ただし広大な領土を専制権力によって統治するという体制自体は守られることが前提であり、以後、ロシアの近代史は、国家主導の近代化と、古い秩序の維持という二面性を持つことになった。そしてこの二面性は、一八―一九世紀の度重なる改革で制度化されていく。

本章のテーマにとって特に重要なのは第一に、ロシア帝国が多様な宗教・宗派を通して社会を管理する制度を作ったことである。帝国の支柱であるロシア正教会については、ピョートル一世期の一七二一年に宗務院が設けられていたが、イスラームへの関心が深かったエカテリーナ二世(在位一七六二―九六年)は、一七八九年にウファ・ムスリム法宗務協議会(のちにオレンブルグ・ムスリム宗務協議会と改称)を設置した。これは、イスラーム法学者やモスクの導師などの活動を国家の監視下で公認し、彼らを通じて地域共同体の動向を掌握するためであった(Азаматов 1999)。後で述べるように、中央アジアは宗務協議会の管轄の外に置かれたが、宗教が住民を弁別する指標として、また統治政策の軸として重要であることは変わらなかった。

第二に、アジア系少数民族を、農民や町人といった通常の身分とは異なる「異族人」(inorodtsy)という身分にし、権力側が理解するところの現地慣習に基づく統治を帝国の法体系に取り入れたことである。これは、アレクサンドル一世(在位一八〇一―二五年)の側近としてミハイル・スペランスキーが主導した改革の産物である。スペランスキーは、多方面にわたる法および政治・統治機構の整備を中心とするロシア国家改造の構想を作ったが、既得権を持つ大貴族

図1　1900年頃のロシア帝国領中央アジア

たちの反対でいったん失脚した(山本 一九八七：七九―一一一頁)。しかし一八一九年にシベリア総督になり、地方レベルで自らの構想の実現を進めた。彼はロシアで初めて、自然環境や住民に関する統計などの科学的情報に基づいてシベリアを統治しようとした政治家と言われる(Raeff 1956: 41-42)。スペランスキーは、先住民の慣習を尊重しつつ、経済的・社会的変容を通じてロシア帝国への統合を進める方針(*Ibid*.: 114, 134)に基づいて、「異族人統治規約」(一八二二年)を起草した。この法律は、シベリアの先住諸族を生業形態により定住異族人、遊牧異族人、放浪異族人(狩猟採集民)に区分し、後二者については族長のもとで慣習法を用いた統治が行われることとされた。

その後、異族人は徐々に帝国の一般臣民に近い方法で統治されるようになるが、兵役免除や慣習法・イスラーム法の部分的保存など保護主義的な政策の対象となると同時に、帝国の身分的ヒエラルヒーの中では下層に位置づけられるという性格は、帝政崩壊に至るまで概ね維持された。一九世紀後半以降は、法的には異族人ではない非ロシア人も異族人と呼ばれることが増えた(Slocum 1998)。スペランスキーが統治の近代化や帝国臣民の統合の一段階として住民の分類を整序するために法律に導入したはずの言葉が、結果的には民族的な区別・差別を固定するために使われたのである。中央アジアに関して言えば、住民のほとんどが異族人の身分に入れられ、ヴォルガ・ウラル地域やコーカサスのように現地有力者が帝国の貴族層に組み込まれることは一部の例外を除いてなかったということは、中央アジアの帝国への統合度を低くとどめる一因でもあった。

二、ロシア帝国の中央アジア進出・征服と現地諸勢力

スペランスキー改革の時点で、大部分がロシア支配下に入っていた中央アジア民族はカザフ人である。カザフ人は、三つの部族連合体のうち西部の小ジュズを主に統治していたアブルハイル・ハンが、一七三一年にロシア皇帝に臣従して以来、段階的にロシアの影響下に組み込まれた。ただし、モンゴル系の遊牧国家ジューンガル、ついで一七五五年にジューンガルを滅ぼした清もカザフ人への影響力を持ち、一八世紀後半には清に臣従するカザフ人有力者も多く、カザフ草原東部はロシアと清に両属する状態であった(野田 二〇一一)。しかしロシアの方がカザフ人有力者を強く統制する姿勢が明確であり、一八二二年に東部の中ジュズ、二四年に小ジュズのハンの位を廃止して、カザフ人に対する支配権を確立した。中ジュズには、前記の異族人統治規約と合わせて定められた「シベリア・キルギズに関する規約」(1)が適用された。この規約や、西部に導入された別種の仕組みによって、帝国はカザフ社会の上層部を地方統治システムに組み込んだが、帝国権力が社会に深く浸透するには至らず、既存社会のあり方はかなりの程度保たれていた

と見られる。

　ロシア帝国がカザフ人の多くを統治下に組み込んだと言っても、ロシアが統治する地域とそうでない地域(カザフ草原南部)の間に国境線が引かれたわけではない。カザフ草原は依然として、その北端を走る要塞線でロシア本土と区切られ、なおかつ南方との境界は曖昧な外地であり続けた。この状況は統治の安定化を妨げるものであり、時折反乱を起こしたカザフ人たちは、南方のウズベク系の国々であるヒヴァ・ハン国、ブハラ・アミール国、コーカンド・ハン国と連絡を取ったり、そこに逃げ込んだりした。反乱を防止・鎮圧するため、ロシアはカザフ草原各地に要塞を建設し、草原南部にも進出していった。

　ロシアが南方に進出するもう一つの動機は、ウズベク系の国々そのものへの利害関心であった。ロシアは古くから中央アジアの鉱物資源や、中央アジア経由でのインドや中国との交易に関心を持ち、一七一七年には、ピョートル一世に砂金の探査とインド交易ルートの開拓を命じられたアレクサンドル・ベコーヴィチ＝チェルカッスキー公爵率いるロシア軍がヒヴァに遠征したが、ヒヴァ・ハンの奸計により殲滅された。中央アジアの資源やインドへの交通路の本格的な開発自体、当時の技術水準や国際環境では難しく、その後の中央アジア進出の主要動機にはならなかった。他方、一八世紀後半からロシアの参入によって中央アジアの国際交易が活況を見せており(佐口 一九六六)、カザフ草原やウズベク系の国々におけるロシア籍の商人の安全確保は、帝国の関心事となっていた。加えて、ヒヴァ・ハン国は多数の奴隷ないし捕虜を抱えていることで悪名高く、その多くはイラン人だったがロシア人の奴隷もいた(Eden 2018)。そのため、奴隷解放はロシアの大国としての威信に関わる責務と考えられ、一八三九—四〇年にはヴァシーリー・ペロフスキー将軍がヒヴァ遠征を行ったが、失敗した(Morrison 2021: 83-113)。

　本格的な南方進出の動機になったのはやはり境界地域の安全保障であり、一八四〇年代後半から、ロシアはカザフ草原南部での要塞建設を活発化させた。これは、カザフ・ハン家の出身でハン国の再興を目指したケネサルが広域にわたって展開した反乱（一八三七―四七年）の衝撃によるところが大きいが、一九世紀前半にカザフ草原南部に支配を広げていたコーカンド・ハン国と衝突することも意味した。一八五〇年代に、草原の南西側ではアク・マスジド（現クズルオルダ）などシルダリア川沿いのコーカンド・ハン国の要塞が、また南東側のセミレチエではピシペク（現ビシケク）などの同国の要塞が、次々にロシア軍によって攻略された。一八六四年には、この両方面の要塞線をつないでロシアの国境線とすることが目指されたが、その南端部分は、守りやすさや交通の便を考えてなし崩し的に南に押し広げられていった（*Ibid*.: 216-254）。そして翌六五年には、当初は征服対象と考えられていなかった中央アジア最大の都市タシケントが占領された。

ロシアはその後もさらに征服活動を続け、六八年にコーカンド・ハン国とブハラ・アミール国、七三年にヒヴァ・ハン国を、それぞれ領土の一部を奪ったうえで属国化し、七六年には内紛と対ロシア反乱で混乱するコーカンド・ハン国を最終的に解体・併合した。また、八五年までにザカスピ地方（現トルクメニスタン）の征服を終え、九五年にはイギリスとの協定により、ロシアおよびブハラとアフガニスタンとの国境を画定した。結局のところロシアは、草原地帯では安全な国境線を設けられないために少しずつ領土を広げたものの、占領地を守るにはその向こうの土地も占領しなければ安心できないということになり、アフガニスタン、イラン、清との国境まで拡張を続けていったのである。

ロシアの中央アジア征服の国際的背景としてよく挙げられるのは、イギリスとの覇権争い、いわゆる「グレートゲーム」である。確かに、ロシアの国際的な地位を高めるために領土拡大が必要だと国内で議論する際にも、進出先の人々に対してロシアとの関係強化やロシアによる統治の有益性を説く際にも、イギリスの存在は意識されていた。また、クリミア戦争（一八五三―五六年）での英仏に対する敗北で傷ついた国家的威信を挽回するために、中央アジアへの進出を求める世論も存在していた（Geyer 1987: 91-92）。ただし、ロシアとイギリスを含む西欧諸国との覇権争いの焦点は、オスマン帝国とその周辺であり、中央アジアは二義的な存在だった。イギリスはロシアの南下が英領インドに与える影響を懸念していたものの、中央アジア征服を本気で止めようとはせず、それゆえに征服が迅速に進んだとも言える(宇山 二〇一九：二二一―二二九頁)。ロシア外務省は、中央アジアで過度に野心的な行動を取ってイギリスを刺激し、ヨーロッパでの国際関係を緊張させることを心配する時もあった(Morrison 2021: 12-13)。英露は、互いを牽制しながらも、基本的には中央アジア近辺の諸集団をどちらかの勢力圏や領内に服属させ、大国中心の国際秩序、つまり山室(二〇〇三：一〇七―一一四頁)の言う帝国競存体制を作ろうとしていたのである。

征服・併合の過程では、現地諸勢力の動向が重要な意味を持った。コーカンド・ハン国が一九世紀前半に急速に勢力を拡大したことは(Levi 2017)、同国が戦力にも不満分子にもなりうる多数のカザフ人・クルグズ(キルギス)人遊牧民を治下に抱えたことを意味した。そのためロシアは、カザフ人をコーカンド・ハン国の暴政から保護するという名目を征服の正当化に使うことができ、実際にカザフ人がロシアにタシケント方面への進軍を働きかけたケースもあった(Бейсембиев 1987: 126-127)。クルグズ人有力者のジャンタイは当初コーカンドと協力していたが、カザフ人反乱者ケネサル(前述)の討伐をきっかけにロシアと接近し、クルグズ人北部地域のロシアへの併合に協力した。彼の子シャブダンは、一八七五―七六年のロシアによる最終的なコーカンド・ハン国征服戦に参加し、南部のクルグズ人の投降を促した(秋山 二〇一六：三九―五八、七六―八二頁)。

地元での政争や周辺の大国との駆け引きに慣れた中央アジアの有力者たちは、ロシアとの関係でも、状況によって抵抗と協力を切り替えたり、競争相手との関係を有利にするために帝国権力を引き込んだりする才覚を持っていた。一八八〇―八一年にギョクデペの戦いでロシア軍に激しく抵抗したトルクメン人の一人、マフトゥム・クリ・ハンは、降伏後、ロシアがさらに南東方のトルクメン人を制圧する際、彼らにロシア臣籍を取得するよう説得した。一八九〇年代にロシアがパミール高原西部を占領したのは、アフガニスタン軍に反抗していた地元の人々の要請によるものであった。そしてロシアがこの地域をブハラ・アミール国に与えると、地元の人々はこれを不満とし、一九〇五年にロシアへの事実上の併合を実現させた(宇山 二〇一六:一二六、一二九頁)。

三、ロシア帝国の中央アジア統治制度とイスラーム

中央アジアの主要部分をロシアが征服した一八六〇年代は、ロシアにとってはアレクサンドル二世治下(一八五五—八一年)での大改革の時代であった。農奴解放やゼムストヴォ(地方自治機関)の導入など、大改革の柱となる政策が中央アジアに適用されたわけではないが、征服後の統治機構の整備は、大改革による法制度の近代化・合理化と軌を一にしていた。征服の過程は地域や集団により多様だったが、協力者への褒賞や抵抗者への罰が一時的に行われることはあっても、そうした多様な関係性が統治制度に反映されることはほとんどなかった。帝国全体の制度を基本に、生業形態や宗教など帝国側が考えるところの個別の特性に合わせた修正を施した統治制度が導入されたのである。先にロシア支配下に入っていたカザフ草原についても、類似の方向性で統治制度の改革が行われた。

統治制度の詳細(Pierce 1960: 46-91; Масевич 1960: 281-425)は省略するが、基本的に、総督、州知事、郡長といった広域行政の要職をロシア人などヨーロッパ系の人々が握り、郷長、村長など末端の行政職は現地人が担うという二層構造であった。多くの地域で郷長、村長や慣習法・イスラーム法裁判の判事の選出に、住民による選挙制が導入されたのは、大改革の精神に沿ったものだったが、選挙は派閥争いの場となり、票の買収や、選挙結果を認証するロシア人行政官への賄賂など、多くの問題を生んだ。また、ロシア人行政官の中には文官だけでなく軍人も多かったことが特徴であり、特にタシケントを拠点とするトルキスタン総督府が統治した中央アジア南部は、内務省ではなく陸軍省の管轄下に置かれた。トルキスタンとステップ地方(南部を除くカザフスタン)では統治規程が異なり、トルキスタンの中でもザカスピ州は別扱いであるほか、定住民と遊牧民で行政システムが異なるなど、統治制度の細部は地域・集団

によって複雑に異なっていた。

征服当時の同時代状況としては大改革のほかに、一八六三―六四年のポーランド反乱と、北コーカサスのムスリムが長年にわたり行った対ロシア聖戦(コーカサス戦争。一八一七―六四年)、および一八六〇年代に頻発したヴォルガ地域のタタール人キリスト教徒の棄教(イスラームへの回帰)があり、これらは非ロシア正教徒に対する帝国権力の不信感という形で中央アジア統治政策にも影を落とした。(2) それまで帝国権力がカザフ人をはじめ中央アジア人と関係を結ぶ際に仲介者の役割を果たしてきたタタール人ムスリムは、一転して、中央アジア人に対して影響力を持つべきではない存在と見なされた(Sultangalieva 2012)。イスラームを公的に保護しないことによってその影響力を弱めることが目指され、ステップ地方のカザフ人は一八六九年にオレンブルグ・ムスリム宗務協議会の管轄から外され、トルキスタンにも宗務協議会のような組織は設置されなかった。

ただし実態としては、ロシアはイスラーム法に基づく法廷や土地・財産の運用を統治制度に組み込むことによって、トルキスタンにおけるイスラームのあり方に介入したのであり、決して「放置」したわけではない。イギリスがインドで「アングロ・ムハンマダン・ロー」を作ったように、自国の法とイスラーム法を混ぜた新しい法体系を作ることはロシアはしなかったが(作るべきだという意見はあった)、法廷への文書主義と審級制の導入、ワクフ(公共目的での財産の寄進)の制限などは大きな変化をもたらした。ムスリムたちも上級審でより有利な判決を得ることを目指すなど、新しい制度のもとで行動を変化させた(3)(Sartori 2016; 磯貝 二〇一四、矢島 二〇一四)。イスラーム法の適用範囲の限定と文書主義・判例主義の導入は、ヨーロッパ諸国に植民地化されたムスリム地域や、ヨーロッパの圧力・影響を受けたイスラーム諸国(特にオスマン帝国)とも共通する現象であった(秋葉 二〇一六)。

四、中央アジア統治の欠陥と現地人の適応

ロシア帝国の中央アジア支配については、同時代から、イギリスなど西欧諸国の植民地支配より寛容だという宣伝がなされ、後にはソ連が打ち出した「諸民族の友好」のイメージが帝政期にも投影されたため、肯定的に評価する見方がロシアでは現在に至るまで強い。しかし帝政期の行政官や軍人が書いた文書には、「後進的」「狂信的」「嘘つき」「臆病」といった言葉があふれ、現地の人々を異化し蔑視するオリエンタリズム的な視線は、西欧の植民地帝国と変わるところがない。特に軍人は、「アジアでは平和の長さは、殺した敵の数に正比例する。敵を激しく叩けば叩くほど、その後長い間彼らは静かでいる」と述べたミハイル・スコベレフ将軍のように、力の論理で現地人を見ることが多かったが、反面、高い戦闘能力やロシアへの忠誠心を示す現地人を庇護する態度を示す軍人たちもいた(宇山 二〇〇六)。

そうした主観的な要素のほかに、中央アジア統治の欠陥をもたらす構造的な要因もあった。現地人が異族人身分に固定され、ロシア人と現地人が区別・差別された統治構造は、両者の相互不信、行政官の腐敗、権力が社会の末端の状況を把握できないことや、その不安感ゆえの過度の抑圧など、さまざまな問題を生んだ。イギリスのインド統治と比べても、ロシアは現地人協力者の育成・活用に消極的であった(Morrison 2008)。ロシア人行政官は、統治において重要な役割を果たす郷長、村長など現地人行政官のことさえ、個人的な利益を追求し地域社会の動向を正確に伝えていないと疑い、「通り抜けることのできないカーテン」などと呼んだ(宇山 二〇〇六：四六頁)。自らの臣民を猜疑心をもって見る帝国の支配が、脆弱性を抱えていたことは言うまでもない。

結局のところ、ロシア帝国が中央アジアに導入した統治制度は、官僚制に基づく近代化をこの地域にもたらすもの

ではあったが、イスラーム社会や遊牧社会の特徴を十分に理解して設計されたわけではなく、実際の運用は個々の行政官・軍人に依存するところが大きかった。そして行政官・軍人自身、言語的な壁もあって、現地社会の状況をよく把握していることは稀であった。帝国臣民としての統合を進める方向、あるいは現地社会のニーズによりよく対応する方向での改革の提案はたびたび出されたが、官僚主義的な議論の進め方や、政策変更が反乱を引き起こす可能性への恐れにより、改革は遅々として進まなかった。

それでも、中央アジアの多くの人々は、ロシア帝国による支配という現実に適応していった。定住民社会の知識人の多数派は、異教徒であっても公正な支配者はムスリムの暴君にまさると考えて、ロシア支配を受け入れた。そして末端の行政官をムスリムが務め、現地人判事がイスラーム法を適用していることをもって、ロシア領トルキスタンをダール・アル・イスラーム(イスラームの家)と見なした(小松 二〇〇八)。カザフ人の間では、軍人で民族学者・地理学者のショカン・ワリハノフ(一八三五―六五年)をはじめ、ロシアの学問を身につけた知識人が早い時期から現れていた。一九世紀末にはカザフ知識人たちが、ステップ総督府が発行する『ステップ地方新聞』(一八八八―一九〇二年)を、社会問題やカザフ文化に関して議論する場として活用し、民族の発展に貢献する意識を高めた(Uyama 2003)。

五、帝国―植民地関係の変容と知識人の改革運動

既に述べたように、ロシア帝国が中央アジアに領土を得たのは安全保障上の動機によるところが大きく、経済的な利益を特別に重視してのものではなかった。[4] 実際、ロシアがトルキスタンから得られる収入は長い間、軍の駐留経費を含むコストを大幅に下回っており、ようやく収入の方が多くなる兆しが見えたのは一九〇九年頃だった(Morrison 2008: 293-294)。これは、ロシアの植民地支配が、植民地貿易により本国に利益を集めることを重視したイギリスと

は大きく異なる特徴を持っていたことを示している。

しかし、中央アジアの経済的意義は次第に高まり、現地社会を変容させ、ロシアとの関係性も変えていった。産品として特に重要になったのは綿花である。モスクワやウッチ(ロシア領ポーランドの都市)の繊維産業を支えるために帝国内で綿花を自給することへの関心が高まった結果、一八八〇年代以降、フェルガナ盆地を中心に中央アジアでの綿花生産が急速に伸びた。これに伴って灌漑網が拡大され、ロシア資本が進出し、現地の商業・金融活動も活発化した。紡績工場や織物工場は建てられなかったものの、綿花洗浄と綿実油の工場が多数作られた(植田 二〇二〇:一九一-二七頁)。このような綿花関連の経済活動の発展により中央アジアの定住民、特に商人の収入が増えたことは、宗教活動の活発化という副産物をもたらした。鉄道など交通の発達も相まって、汎イスラーム主義へのロシア当局の警戒にもかかわらず、メッカへの巡礼やオスマン帝国との往来が増えた(Brower 2003: 114-124)。

もう一つ、中央アジアの経済・社会に重大な変化をもたらしたのは、ロシア人などの農民の移住である。中央ロシアやウクライナなどロシア帝国のヨーロッパ部の農民は、人口増加・土地不足に直面しており、特に一九世紀半ば以降、東方への移住志向を強めていた。一九世紀には中央アジアへの移住をどちらかといえば抑制していた政府も、二〇世紀に入る頃には奨励策に転じた。帝政最末期には、ステップ地方の人口の四割余りをロシア人・ウクライナ人が占めるに至った。セミレチエ州(クルグズスタン北部・カザフスタン南東部)では移民の人口比は二割程度にとどまったが、一九一〇年前後の一〇年足らずの間に急速に入植が進んでいた(西山 二〇〇二:八三-一四〇頁)。移民が増えたことで農業生産は向上したが、入植先は主に遊牧民の地域であり、牧地を奪ったり遊牧ルートを寸断したりしたため、遊牧経済は危機に陥り、民族間関係は緊張した。

総じて帝政末期の中央アジアでは、現地人の利益よりロシア人やロシア資本の利益を優先する傾向が著しく強まった。一九世紀の中央アジア統治にも多くの欠点があったとはいえ、帝国権力が後進的な異族人を庇護するという建前によって何とかバランスが取れていた。反動的とされるアレクサンドル三世期（一八八一―九四年）には、帝国西部でポーランド人などに対する激しい抑圧・ロシア化政策が取られたが、中央アジアではむしろ父権主義的な現地人保護政策が強調される傾向にあった。しかし帝国西部の諸民族の運動との対決の経験も作用して、二〇世紀に入る頃にはロシア民族主義が台頭し始めた。中央アジアでは、スーフィー教団の導師が率いたアンディジャン蜂起（一八九八年）も、ムスリムに対するロシア人の不信感を強める要因となった。

一九〇五年革命によって一時的に、非ロシア人の政治・文化・宗教的権利が拡大したが、〇七年以降は反動で抑圧と、行政に対するロシア民族主義の影響が強まった。特にピョートル・ストルイピン首相（在任一九〇六―一一年）は、民族主義的右派と連携していたうえ、経済的合理性の観点からも、非ロシア人の利益を考慮せずに彼の考えるところの国益を追求し、中央アジアへの農民移住政策を強力に推進した。ストルイピンもロシア民族主義者たちも、ロシア人を核としてロシア帝国をさらに強い国にしようと考えていたが、客観的には、ロシア人があたかも損をしているかのように主張して非ロシア人を圧迫するのは、帝国の統合の基盤を掘り崩す行為だった（宇山 二〇一七a：四―七頁）。

中央アジア現地人の側では、一九世紀末以降、知識人の運動が発展した。定住民地域では、クルアーンとハディース（預言者ムハンマドの言行に関する伝承）から現在の社会に適した規則を見出そうとする宗教・社会改革思想と、ムスリム学校で世俗的な学問やロシア語を教えて教育を近代化しようという新方式教育の運動が合わさり、ジャディード運動と総称された（Khalid 1998）。他方カザフ知識人は、より深くロシア文化を摂取し、ムスリムとしての意識以上に民族意識を強く持って、民族的な権利の向上と社会改革の推進を志向した。ジャディード知識人もカザフ知識人も、社会は知識や技術によって進歩するという信念を共有していた。彼らは一九〇五年革命で政治活動を始め、その後も文化・社会運動を継続しながら時に政策的な提言をし、必要に応じて当局と協力もした。帝国崩壊が予見されていない段階で、被支配民族の知識人が本国・中央を批判すると同時に近代化の模範ともするという現象は、当時の世界の多くの植民地と共通していた。しかしロシア帝国の権力側がこれらの知識人を積極的に活用することは少なく、しばしば検閲や逮捕・流刑の対象とした(宇山 二〇一三)。

六、帝国崩壊と国民国家形成の長い道のり

ロシア帝国の中央アジア統治の弱さとさらなる揺らぎを目に見える形で表したのが、第一次世界大戦中の一九一六年に中央アジアの広い範囲で発生した反乱だった。皇帝が異族人に戦線後方での労役を命令したのに対し、これを兵役ないし戦線での危険な仕事と理解した人々が反発して、動員の業務を担う現地人行政官を襲い、地域によってはロシア人の行政官や農民も襲った。前述のようにロシア系農民の急速な入植によって緊張が高まっていたセミレチエでは特に大きな衝突が生じた(Chokobaeva 2020)。当局による反乱鎮圧も過酷であり、多くの犠牲者を生んだ。

急遽トルキスタン総督に任命されて事態の収拾に当たったのは、中央アジアでの長い行政経験を持つ軍人で、日露戦争の敗将としても知られるアレクセイ・クロパトキンである。彼は「ロシア人のためのロシア」を唱える民族主義者であると同時に、中央アジアに関しては、ロシア人を高みに置いたうえで現地人の慣習を尊重し、不平等と温情を両立させる一九世紀的な父権主義を支持する人物であった。反乱に際し、彼はロシア人の血を流したクルグズ遊牧民を厳しく懲罰すると共に、両者の居住地域を分けたうえで将来的には遊牧民の畜産を振興することを構想した(西山 二〇〇二：一六五―一九七頁)。古い発想に基づく構想であり、実現もしなかったが、政治的懲罰や民族的領域の区分けのための強制移住は、第一次世界大戦期以降のヨーロッパおよびソ連でしばしば実行されたものに通じる。

一九一六年反乱の直接の原因は労役命令およびその伝達方法の混乱だったが、背景にはロシア系農民入植などの政策への不満、戸籍がなく労役動員対象を正確に確定できないなどの統治システムの不備、ロシア人行政官・現地人行

政官・一般住民の相互不信、大戦でのロシアの苦戦の情報など、さまざまな要因があった(Uyama 2020)。中央アジア全土で組織的に反乱が起きたわけではなく、地域によって、聖戦が唱えられたり、指導者としてハンが選出されたり、イランや中国での動きと連動したりと、実に多様な展開が見られた。この反乱を、翌年のロシア革命の先駆けと解釈する見方もあるが、ロシア帝国の危機を表す事件であったのは確かであるにせよ、社会・政治変革の新しい方向性を打ち出すものではなかった。突発的な危機の中で、宗教的・部族的・地方的な旧来のアイデンティティが反乱者の行動を支えたが、多くは長続きしなかった。

変革に向けて歩みを進めていたのは、反乱に反対し、労役動員の条件改善のために当局と交渉したり、労役者および反乱で生じた難民の支援のために活動したりして実践的経験を積んだ知識人たちの方であった。一九一七年の二月革命で帝政が崩壊し、旧ロシア帝国内のさまざまな民族的・階級的集団が自らの権利を主張して政治運動を展開する中で、中央アジアでも知識人を中心に自治運動が成長した。諸民族・地域の自治運動は、全ロシア憲法制定会議で自治の承認を得ることを目指していたが、十月革命でボリシェヴィキが臨時政府を倒してソヴィエト政権を樹立し、情勢が混沌化したのを受けて、憲法制定会議を待たずに自治を実現することに着手した。中央アジアでは、一七年一一月にトルキスタン自治政府が、一二月にはカザフ人のアラシュ・オルダ自治政府が設立された。

トルキスタン自治政府は早くも一九一八年二月にタシケントのソヴィエト政権の軍事力によって打倒され、アラシュ・オルダはその後の内戦の中で反ボリシェヴィキの白軍諸勢力との不安定な連携のもとで活動したが、二〇年春までに消滅した(Аманжолова 1994)。このように自治運動・自治政府は短期間で終わったが、その意義は過小評価されるべきではない。アラシュ・オルダは明確にカザフ人という民族の領域的自治を実現しようとしていた。定住民の民族的な区分が不明瞭であったトルキスタンの自治は民族単位のものではなかったが、トルキスタンのムスリムが主体となって領域的な自治を行うという意味では、やはり自決権に基づく領域的政体づくりを目指していた(小松 一九九六：一二〇—一三五頁)。帝国が、民族的な差異を階層的秩序の中で利用することはあっても、民族を政治的主体として認めず、基本的には民族の分布と一致しない行政区分を設けていたのに対し、自治運動は国民国家的な政体への移行に踏み出すものであった。

そもそも当時の自治という概念はかなり高度な自立性を意味することが多かった。トルキスタン自治にせよアラシュ・オルダ自治にせよ、領域的自治を唱える人々の考える自治は、将来創られるべき民主的ロシア連邦を構成する国家となることであり、外交は連邦中央に委ねるにしても、自治単位の内政はほぼ独自に行うことを考えていた(宇山二〇一七b：四四—四六頁)。さらに言えば、これらの民族運動の最終目標が自治にとどまるものだったと断定することもできない。アラシュ・オルダは公式には常に自治を唱え、ロシアの諸政治勢力との関係を重視する姿勢を見せていたが、日本の外交史料によれば、一九一九年に日本の外交官・軍人に接触したアラシュ・オルダ関係者たちは、アラシュ・オルダの国際承認と、白軍側ロシア政府(コルチャーク政権)を経由しない軍事援助を求め、将来的には独立国を建設する希望を述べていた(小野・宇山 二〇二二)。

他方、内戦で分裂状態にあったロシアでは、国家の一体性と強い権力を回復しなければならないという観念が生き続けた。最終的には、イデオロギー的には反帝国主義を掲げるボリシェヴィキによって、中央アジアを含む旧ロシア帝国領土のほとんどが再統一された。しかし、民族を領域的な政治の主体とする考え方は、各民族出身のボリシェヴィキにも共有されていたうえ、一時的とはいえ独立や自治を経験した人々を再統合するには、民族自決権に配慮した国家体制が必要であった。

こうした事情を受けて、一九二二年に形成された社会主義国家は、ソヴィエト連邦という連邦制をとった。中央アジアでは連邦構成共和国や自治共和国の主体となるべき民族の区分が明確ではないという問題があったが、二四年に、現地人政治活動家たちがそれぞれの民族的領域の確保・拡大を主張し合いながら交渉した結果、民族・共和国境界画定が実行された(Haugen 2003)。言うまでもなく、ソ連は中央集権的な共産党が実権を握る国家であり、連邦構成共和国の主権や脱退権はほぼフィクションだったが、ソ連崩壊の過程でこれらが実体化し、一九九一年以降、中央アジア諸国は名実ともに国民国家を建設していくことになる。

中央アジアの中心部がロシア帝国に征服されてから帝国が崩壊するまでの期間はわずか約半世紀であり、ハンや族長を中心とする政治の時代から、ソ連という大国に強く統合される時代の間の過渡期だったとも言える。しかしロシア帝国支配下の半世紀の変化は大きく、なおかつ矛盾に満ちていた。ロシア帝国は官僚制と領域的支配という意味で近代的な統治を中央アジアに持ち込んだが、自らがヨーロッパの後発国であるロシアの体制には非効率的ないし腐敗した部分があった。さらに西欧諸国と同様のアジア蔑視や、イスラーム社会・遊牧社会に対する不信・無知も作用して、帝国の階層構造の中で下層に位置づけられた中央アジアの統治体制には多くの欠陥があった。それでも中央アジア社会は帝国支配に適応することによって変化し、経済と教育の部分的な発展の結果、知識人を中心に自己改革の動きが現れた。知識人の運動は、次第にロシア民族主義の影響に染まる帝政側からの抑圧にもかかわらず発展し、帝政崩壊後には自治運動という形で国民国家形成の萌芽となった。ソ連の時代を経て実際に独立国家が成立するまでには長い年月がかかったが、植民地経験・近代化経験の中で国民国家形成の基礎が作られたという意味では、ロシア帝政下の半世紀は、中央アジアが近現代世界史の流れの中に参入していく時代だったのである。

注

（1） ロシア帝政期、カザフ草原の東半はシベリアの一部と見なされ、カザフ人はキルギズ人と誤称されていた。

（2） 世界史的な文脈においても、一八六〇年前後は、五七—五八年のインド大反乱や、六〇年のレバノンとダマスクスでのドゥルーズ派およびムスリムによるキリスト教徒虐殺などによって、ヨーロッパ諸国がムスリムは「狂信的」との観念を強めた時期であった（秋葉 二〇一六：五五頁）。

（3） カザフ人などの遊牧民地域の慣習法についてもロシアは、慣習法がイスラーム法の影響も受けていることを無視して全く別なものとして扱ったうえ、複数の行政単位にまたがる裁判に合議制を導入し、口頭で伝えられていた慣習の文章化を図るなどの変化をもたらした（Martin 2001）。

（4） 中央アジア征服が綿花への関心など経済的動機によるものだとする説が誤りであることについては、Morrison（2021: 13-20）参照。

参考文献

秋葉淳（二〇一六）「帝国とシャリーア――植民地イスラーム法制の比較と連関」宇山智彦編『ユーラシア近代帝国と現代世界』〈ユーラシア地域大国論4〉、ミネルヴァ書房。

秋山徹（二〇一六）『遊牧英雄とロシア帝国――あるクルグズ首領の軌跡』東京大学出版会。

磯貝健一（二〇一四）「シャリーア法廷裁判文書の作成システム――帝政期中央アジアのカーディーと「タズキラ」」堀川徹・大江泰一郎・磯貝健一編『シャリーアとロシア帝国――近代中央ユーラシアの法と社会』臨川書店。

植田暁（二〇二〇）『近代中央アジアの綿花栽培と遊牧民――GISによるフェルガナ経済史』北海道大学出版会。

宇山智彦（二〇〇六）「「個別主義の帝国」ロシアの中央アジア政策――正教化と兵役の問題を中心に」『スラヴ研究』第五三号。

宇山智彦（二〇一三）「セミパラチンスク州知事トロイニツキーとカザフ知識人弾圧――帝国統治における属人的要素」中嶋毅編『新史料で読むロシア史』山川出版社。

宇山智彦（二〇一六）「周縁から帝国への「招待」・抵抗・適応――中央アジアの場合」同編『ユーラシア近代帝国と現代世界』（前掲）。

宇山智彦（二〇一七a）「ユーラシア多民族帝国としてのロシア・ソ連」同編『ロシア革命とソ連の世紀5 越境する革命と民族』岩波書店。

宇山智彦（二〇一七b）「ロシア・ムスリムの革命と「反革命」――「想像の帝国」との協力と闘い」同書。

宇山智彦（二〇一九）「近代帝国間体系のなかのロシア――ユーラシア国際秩序の変革に果たした役割」秋田茂編『グローバル化の

世界史』〈MINERVA 世界史叢書2〉、ミネルヴァ書房。

小野亮介・宇山智彦（二〇二二）「カザフ自治政府アラシュ・オルダとシベリア出兵期日本の邂逅と齟齬――マルセコフ要請書と関連史料から見る背景」小野亮介・海野典子編『近代日本と中東・イスラーム圏――ヒト・モノ・情報の交錯から見る』東京外国語大学アジア・アフリカ言語文化研究所。

小松久男（一九九六）『革命の中央アジア――あるジャディードの肖像』東京大学出版会。

小松久男（二〇〇八）「聖戦から自治構想へ――ダール・アル・イスラームとしてのロシア領トルキスタン」『西南アジア研究』第六九号。

佐口透（一九六六）『ロシアとアジア草原』吉川弘文館。

西山克典（二〇〇二）『ロシア革命と東方辺境地域――「帝国」秩序からの自立を求めて』北海道大学図書刊行会。

野田仁（二〇一一）『露清帝国とカザフ＝ハン国』東京大学出版会。

矢島洋一（二〇一四）「ロシア統治下トルキスタン地方の審級制度」堀川ほか編『シャリーアとロシア帝国』（前掲）。

山室信一（二〇〇三）「「国民帝国」論の射程」山本有造編『帝国の研究――原理・類型・関係』名古屋大学出版会。

山本俊朗（一九八七）『アレクサンドル一世時代史の研究』早稲田大学出版部。

ラエフ、マルク（二〇〇一）『ロシア史を読む』石井規衛訳、名古屋大学出版会。

Brower, Daniel (2003) *Turkestan and the Fate of the Russian Empire*, London: RoutledgeCurzon.
Chokobaeva, Aminat (2020) "When the Nomads Went to War: The Uprising of 1916 in Semirech'e," in *The Central Asian Revolt of 1916: A Collapsing Empire in the Age of War and Revolution*, ed. Alexander Morrison, Cloé Drieu, and Aminat Chokobaeva, Manchester: Manchester University Press.
Eden, Jeff (2018) *Slavery and Empire in Central Asia*, Cambridge: Cambridge University Press.
Geyer, Dietrich (1987) *Russian Imperialism: The Interaction of Domestic and Foreign Policy, 1860-1914*, trans. Bruce Little, New Haven: Yale University Press.
Haugen, Arne (2003) *The Establishment of National Republics in Soviet Central Asia*, Basingstoke: Palgrave Macmillan.

Khalid, Adeeb (1998) *The Politics of Muslim Cultural Reform: Jadidism in Central Asia*, Berkeley: University of California Press.

Levi, Scott C. (2017) *The Rise and Fall of Khoqand 1709-1876: Central Asia in the Global Age*, Pittsburgh: University of Pittsburgh Press.

Martin, Virginia (2001) *Law and Custom in the Steppe: The Kazakhs of the Middle Horde and Russian Colonialism in the Nineteenth Century*, Richmond: Curzon.

Morrison, Alexander (2008) *Russian Rule in Samarkand 1868-1910: A Comparison with British India*, Oxford: Oxford University Press.

Morrison, Alexander (2021) *The Russian Conquest of Central Asia: A Study in Imperial Expansion, 1814-1914*, Cambridge: Cambridge University Press.

Pierce, Richard A. (1960) *Russian Central Asia, 1867-1917: A Study in Colonial Rule*, Berkeley: University of California Press.

Raeff, Marc (1956) *Siberia and the Reforms of 1822*, Seattle: University of Washington Press.

Sartori, Paolo (2016) *Visions of Justice: Sharīʿa and Cultural Change in Russian Central Asia*, Leiden: Brill.

Slocum, John W. (1998) "Who, and When, Were the *Inorodtsy?* The Evolution of the Category of 'Aliens' in Imperial Russia," *The Russian Review*, 57-2.

Sultangalieva, Gulmira (2012) "The Russian Empire and the Intermediary Role of Tatars in Kazakhstan: The Politics of Cooperation and Rejection," in *Asiatic Russia: Imperial Power in Regional and International Contexts*, ed. Uyama Tomohiko, London: Routledge.

Uyama Tomohiko (2003) "A Strategic Alliance between Kazakh Intellectuals and Russian Administrators: Imagined Communities in *Dala Walayatïnïng Gazetí* (1888-1902)," in *The Construction and Deconstruction of National Histories in Slavic Eurasia*, ed. Hayashi Tadayuki, Sapporo: Slavic Research Center.

Uyama Tomohiko (2020) "Why in Central Asia, Why in 1916? The Revolt as an Interface of the Russian Colonial Crisis and the World War," in *The Central Asian Revolt of 1916* (op. cit.).

Азаматов Д. Д. (1999) *Оренбургское магометанское духовное собрание в конце XVIII – XIX вв*. Уфа: Гилем.

Аманжолова Д. А. (1994) *Казахский автономизм и Россия: история движения Алаш*. М.: Россия молодая.

Бейсембиев Т. К. (1987) *"Та'рих-и Шахрухи" как исторический источник*. Алма-Ата: Наука КазССР.

Масевич М. Г., сост. (1960) *Материалы по истории политического строя Казахстана*. Алма-Ата: Изд-во АН КазССР.

コラム | *Column*

清朝の変容とモンゴルの独立

橘 誠

満洲人の同盟者としてモンゴル支配層は清朝において優遇され、モンゴルへの漢人の移動も制限されていたが、実際漢人は断続的にモンゴルへ流入していった。一八世紀の内地における人口爆発の結果、南モンゴルへの漢人の流入は加速し、一八世紀後半にはすでに漢人移民がモンゴル人の人口を上回る地域も現れ始めた。このような地域では、伝統的な遊牧から農耕化、そしてモンゴル人の漢化が進むとともに、土地の権利をめぐるモンゴル人と漢人の対立が激化していった。その最たるものとして、一八九一年には漢人農民がモンゴル人を襲撃した「金丹道《きんたんどう》暴動」が発生し、暴動から逃れた数十万人の農民化したモンゴル人が牧畜地帯へ移住したため、南モンゴルの農耕化が促進される結果となった。

また、南モンゴル西部のオルドスでは、ドゴイラン運動という、漢人農民に便宜を図るモンゴル王公やキリスト教徒に対する抗議運動が行われた。「ドゴイラン」とは本来「輪」という意味であり、首謀者が判明しないよう文書には円形に署名し、集会の際は参加者が輪になって協議したことに由来する。このような漢人の移民に伴う南モンゴル社会の変容は北モンゴルにも知れ渡り、その後のモンゴル独立運動の一因となった。その一方で、漢化したモンゴル人が漢語を通して近代的な知識をモンゴル社会に紹介し、独立運動に貢献した点にも注意を払う必要があろう。

一九世紀後半以降、ヨーロッパ諸国、日本との相次ぐ戦争に敗れ続けた清朝は、琉球、ベトナム、朝鮮などの「属国」を喪失していった。「藩部」のモンゴル、チベットにもロシア、イギリスが影響力を及ぼしていったため、清朝は「属国」とともに同じく「藩属」と呼び習わされていたこれら「藩部」をも喪失する危機感を募らせていった。そのため、清朝は現地のことは現地に任せるそれまでの政策を転換して「藩部」への統制を強め、「中国」への統合を図っていった。漢人と一体化した満洲人はもはやモンゴル人の同盟者ではなくなっていたのである。

しかしながら、「中国」分裂の危機はあくまでも清朝の事情であり、モンゴルやチベットにはもとより「中国」の一部を構成しているとの認識はなく、清朝による「中国化」に反発した。そもそも、「藩部」とはモンゴルやチベットを一つのカテゴリーで捉えようとする漢語の概念であり、漢語からの直訳としてのモンゴル語彙はあったとしても、「藩部」に相当するような概念をモンゴル人は共有していなかった。また、モンゴルとチベットでは清朝との歴史的関係もそれぞれ異なっており、チベットにはダライ・ラマを中心とする政権

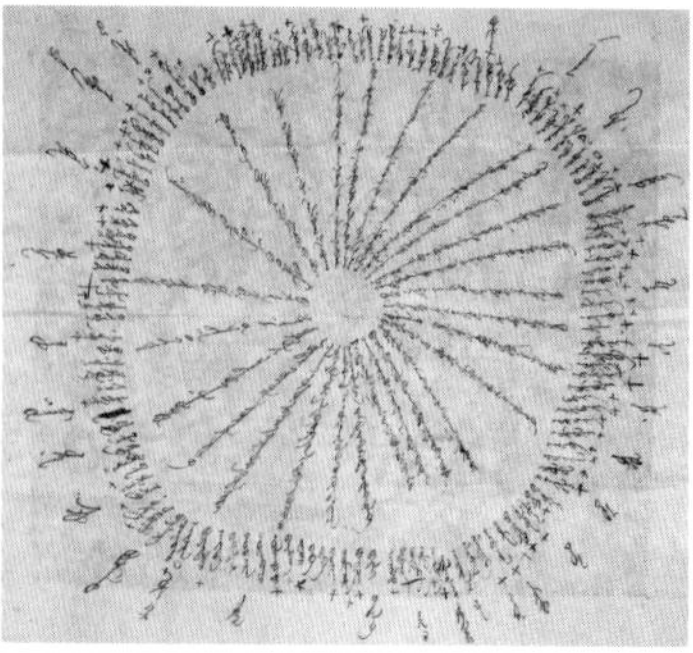

ドゴイラン運動の署名(出典：内蒙古自治區檔案館編『中國檔案精粋 内蒙古卷』零至壹出版，香港，1999年)

が存在したが、モンゴルは世襲王公によって細分化されて、統一的な政治体は存在しなかった。

それでも、チベット仏教を介した両者の紐帯は維持されており、一九〇四年にはインド総督カーゾンの命を受けたヤングハズバンドによるチベット侵攻から逃れたダライ・ラマ一三世が、ブリヤート人ドルジエフを介してロシアと接触するために北モンゴルに亡命した。ダライ・ラマはモンゴル人仏教徒に熱烈に歓迎され、ロシア領内のブリヤートを含むモンゴル各地から信者が集まり、チベット仏教界の交流が活性化した。ダライ・ラマはモンゴルにおけるチベット仏教の最高位にあるジェブツンダムバ・ホトクト八世とも面会し、清朝からの独立を相談したとも、仲違いしたともされる。いずれにしても、ダライ・ラマのモンゴル滞在は、ダライ・ラマの、そしてチベット仏教の有する影響力の大きさをモンゴル社会に示すことになり、独立宣言後にチベット出身のジェブツンダムバ・ホトクトがモンゴル国の元首たるボグド・ハーンに推戴される一因になったと考えられる。

二〇世紀に入ると、義和団事変後の国内外の危機に対応するため、清朝は「新政」と呼ばれる改革を断行した。「新政」の一環として、官による蒙地の開放(「官辦墾務《かんべんこんむ》」)が実施され、移民による辺境の充実(「移民実辺」)が図られたため、大量の漢人農民がモンゴルに入植し、モンゴル人は牧地を失っていった。このような「中国」への統合を目指す清朝の変容により、清朝に対するモンゴル人の不満は臨界点に達した。また、一八六一年に北モンゴルのフレー(現在のウランバートル)に領事館を設置して以降、無関税特権を獲得してモンゴルへの進出を本格化させたロシアにとっても、「新政」はロシア極東の安全保障に関わる問題となっていた。そのため、一九一一年七月にモンゴル使節団がペテルブルクに現れ、「新政」の停止を清朝に働きかけるよう要請すると、ロシア内部では意見が分かれるものの最終的にはモンゴルの要請に応じることに決した。

辛亥革命の勃発を機に北モンゴルでは独立が宣言され、新たにボグド・ハーン政権が誕生した。モンゴル独立運動については、いまだにモンゴル人の主体性を否定したロシアの策謀や蒙《もう》対漢《かん》(満《まん》)の民族対立による単純化された説明がなされるが、実際には如上のような複雑な内外的要因によって導かれていたのである。

一九世紀の清・チベット関係
――境界地域の視点から

小林亮介

はじめに

一六世紀後半から一八世紀後半にかけてのユーラシア東部の歴史において、チベットがもたらしたインパクトの大きさはよく知られるところである。モンゴル・満洲に広まったチベット仏教の影響力と、その総本山であるチベットの動向は、清・ジューンガルという二大国の抗争を規定する要因でもあった。

これと対照的に、一九世紀以降のチベットの動きが注目されることはあまり無く、チベットは「グレートゲーム」と呼ばれるイギリス・ロシアの内陸アジア進出と、それに対する清の反応という文脈において、受動的に扱われることが多い。また、内在的な現地の視点を取り入れた叙述においても、中央ユーラシアの多くの国家・民族と同様、チベットは大国のはざまで「周縁化」が進んだ一地域として説明される傾向にある(1)。

しかし、ヒマラヤ北方の中央チベットを拠点としたダライ・ラマ政権(一六四二―一九五九年)が、のちに中華人民共和国により併合・解体されるまで、自らの支配領域の中核を維持したまま強固に存立し続けたこともまた事実である。一九世紀以降のダライ・ラマ政権が、列強とどう折り合いをつけ、革命とナショナリズムの高揚する中国といかに対峙していったのか、その営為の解明はチベット近代史研究の重要課題であると言える。[2]

とはいえ、チベットにて近代への対応を迫られた政体・地域は、ダライ・ラマ政権と中央チベットばかりではない。ダライ・ラマ政権からみて東部から東北部に位置し、中国内地に近接するアムドやカムという広大な空間には、チベット文明の伝統を共有・継承する、大小の多様な勢力が割拠していたことを忘れてはならないだろう。歴代ダライ・ラマが君臨したラサの動向と比較すると、アムドとカムの地域史は、従来のチベット史研究において中心的課題であったとは言い難い。しかし、チベット、中国、さらにモンゴルやイスラームという複数の世界の邂逅とせめぎあいの場であったこれら境界地域とそこに住む人々の歴史は、近年、清・チベット関係史研究のなかで関心を集めつつある。本章は、一九世紀から二〇世紀初頭の清・チベット関係史の展開を、両者の境界地域たるこれらアムドとカムに焦点を当てつつ描くことを目的とする。

一九世紀は、内モンゴルの農耕村落化に見られるように、漢人移民の入植が「辺境」の既存社会を大きく変容させた時代であった。また、列強の進出に危機感を募らせた清が、新疆省・台湾省の設置をはじめ、版図の外縁に対する統制強化を進めたこともよく知られている。同時代のこうした流動する中国社会の情勢と、国際環境の変化、そして清朝政権の変質が、チベットにいかなる政治的・社会的・経済的変動をもたらしたのかを問うとき、境界地域たるアムドとカムの動向に注目することの必要性が浮かび上がるだろう。

さらに辛亥革命前後、ダライ・ラマ政権が「独立」を目指すなかで、アムドとカムは、袁世凱《えんせいがい》政権とダライ・ラマ政権それぞれが領域統合を図る係争地となっていった。本章は、「中国」、そして「チベット」の領域範囲をめぐる問題の焦点となった境界地域において、現地社会が直面した課題と、現地住民の役割や経験に目を向けつつ、近代チベットの複雑なあゆみを俯瞰してみたい。

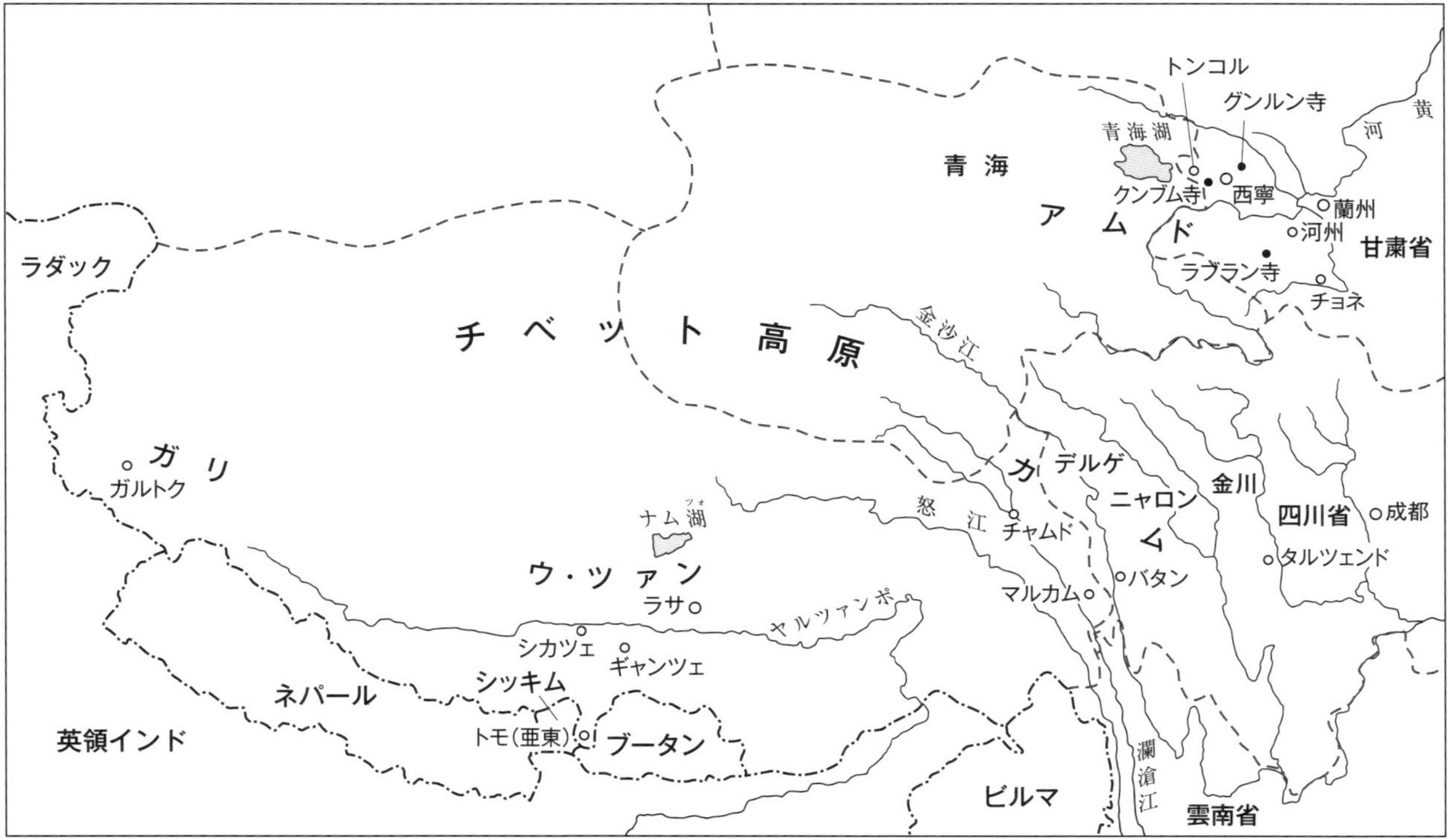

図1　19世紀チベット地域図

出典：Ryavec 2015(Map 33)をもとに作成.

注：国境線，そしてチベットと青海・四川・雲南・甘粛・新疆との境界線は，原図および譚(1987：59-62)を参照しつつ記した．ただし，その多くは19世紀末以降に論争・紛糾の焦点となっていく．

一、ダライ・ラマ政権と清の境界地域

ダライ・ラマ政権の母体たるチベット仏教ゲルク派(黄帽派《こうぼうは》)は、チベット仏教の改革を掲げた大宗教家ツォンカパ(一三五七―一四一九年)を開祖とする新興勢力だった。モンゴルやオイラトなどの支持を獲得しつつ成長を遂げたゲルク派は、オイラト系のホショート部首長グーシ・ハーンによる軍事支援のもと、政敵たるカルマ・カギュ派の勢力を打ち破り、一六四二年、ラサにダライ・ラマ五世を最高権威とする政権を樹立した。チベットは歴史的にウ・ツァン(衛蔵)、ガリ(阿里)、アムド(安多)、カム(康)などの地域に区分されるが、ダライ・ラマ政権は概ね、中央チベットにあたるウ・ツァン、ガリ、さらにカムの西半分を包摂する広大な支配領域(政府直轄領、寺領、貴族荘園などから構成)を築いた。[3] カムの東半分やアムドには、依然として多くのチベット系在地有力者が他宗派の勢力とも結びつきつつ割拠していたが、彼らの多くはグーシ・ハーン一族の支配を受けることになった(手塚 一九九九、岩田 二〇二一:第一章)。アムドを拠点とするホショート部に支えられたダライ・ラマ政権は、アムドやカムにもゲルク派を拡大した。カムではダライ・ラマ五世の意を受けた高僧らが、次々とゲルク派寺院を建立していった(Sgrol ma chos skyid 2021)。

モンゴル・チベット・中国を結ぶ要地であったアムド東部でも、ゲルク派は急速に成長した。特に、一七〇九年にグーシ・ハーンの曽孫チャガン・ダンジンを施主《せしゅ》として開山したラブラン寺は、アムド最大のゲルク派寺院となった。こうしたアムドにおけるゲルク派の発展は、転生僧の増加数でも突出していた。チベットにおける転生相続制(先代高僧の地位や財産をその生まれ変わりが継承する、チベット仏教に特徴的な継承システム)の拡大経緯を考察したタトルによると、アムドは一六九〇―一七六〇年にかけて、中央チベットを遥かに上回るペースで、ゲルク派の転生系譜を次々と生み出した(Tuttle 2017: 44-46)。

一七世紀後半に中原支配を確立した清は、チベット仏教の大施主の地位をめぐり、青海《せいかい》ホショートやジューンガルと角逐を繰り広げるなかでたびたびチベットに介入した。なかでも一七二四年における青海ホショートの有力首長ロブサン・ダンジンによる「反乱」とその制圧は、アムドとカムの歴史の転換点となった。清は青海モンゴルを二九旗《き》に編成して西寧辦事大臣《せいねいべんじ》の管轄下に置くとともに、ホショート支配下のアムドとカムを、四川・雲南・青海・甘粛に分割・併合した。アムド東部の名刹グンルン寺などの寺院も、蜂起に参加したため、清軍により弾圧・破壊された。

しかし、清はまもなくこうした寺院の復興を許し、アムド出身の高僧たちを厚遇した。清は領内のチベット仏教僧たちに職位を与えてチベット仏教政策の担い手として起用しており、アムド東部はそうした人材の供給源となってきたからである(池尻 二〇一三)。グンルン寺を座床寺《ざしょうじ》とし、乾隆帝と共に清宮廷で成長し、後に「大国師」に封ぜられたチャンキャ三世は、清とチベット仏教界の関係の深まりを象徴する存在であろう。チベット仏教に傾倒した乾隆帝の治世は、清とダライ・ラマ政権の関係が比較的良好に保たれた時代だったが、その背景に、彼らアムドの僧侶たちの活躍を挙げることができよう。

さらに清は、青海ホショートの支配からアムド・カムのチベット人在地首長たちを切り離し、「土司《どし》」(4)の官職を与えてその世襲を認め支配下に編入した。特にカムの諸首長は、一八世紀にカムを経由する四川〜ラサのルートが内地とチベットを繋ぐ経路として重要性を高めたこともあり、官兵の移動や軍事行動への協力を期待されるようになった。ただし、四川に組み込まれた諸首長は、高山・渓谷のバリアに囲まれた地域に強固な権力基盤を築いて割拠しており、清が彼らを統御することは容易ではなかった。一八世紀には四川西北部の首長たちに対して、二度にわたる困難な戦役を強いられた(金川《きんせん》戦争)。乾隆帝は彼ら四川のチベット系首長たちを、正月元旦の北京における皇帝への謁見(朝覲《ちょうきん》)を義務付ける「年班《ねんばん》」に組み込むなど、清代における他地域の土司たちとは異なる特別待遇を通じて、統属関係を強化しようと試みた(小林 二〇一五)。

二、一九世紀のアムドとカム

アムドの政治と宗教

一九世紀初頭、ゲルク派とその施主たちの関係は転期を迎えていた。乾隆帝(一七九九年に死去)によるチベット仏教への篤信と敬意は、嘉慶帝以後の皇帝には必ずしも継承されていなかった(村上 二〇一二)。アムドでは、長年のゲルク派支持者であった青海モンゴル諸旗が急速に弱体化して人口を著しく減らし、その政治的・経済的影響力を低下させていた(杜 二〇一四)。

青海モンゴルの衰退を加速させたのは、黄河南岸のチベット系遊牧民たちからの圧迫であった。一八世紀末頃より、彼らは南岸の各モンゴル旗を略奪・占領したのち、黄河北岸から青海湖周辺まで勢力を拡大した。広く肥沃な牧地を求めてのことであったともいわれている。清朝は侵入を繰り返した集団に対して度重なる軍事行動を行ったものの、いずれも一時凌ぎの対策にしかならず、彼らの北方移住を追認せざるを得なかった。

実際のところ、この相次ぐ紛糾にはモンゴル・チベットというエスニック・グループ間の対立とは言い難い側面もある。略奪に加わった集団には、困窮の末に旗の管轄から脱出したモンゴル人も多く加わっていたからである。また、トンコル(丹噶爾)・西寧・河州などの辺境都市に集まる漢人やムスリムの商人たちの活動も、問題を一層複雑化させていた。彼らの中には、チベット語・モンゴル語や現地の風俗習慣を身につけ、官許を得ないまま草原地帯に赴き、武器など禁制の品々を売買する者、また牧民と結託して略奪行為に及ぶ者などがおり、その取り締まりは困難であった(Horlemann 2012: 113-115; Oidtmann 2016: 55-57)。

ゲルク派の施主たるモンゴル勢力の衰微と、アムドの秩序の乱れは、現地の高僧たちにとって憂慮すべき事態であった。しかし、この問題に対して彼らが構想した対応とは、必ずしも清朝支配の再構築ではなかった。ラブラン寺第二四代僧院長(一八〇四—〇九年)を務めたベルマン二世は、モンゴルと清という世俗の権力者よりも、ラブラン寺のジャムヤン・シェーパをはじめとするゲルク派高僧たちこそが、アムドの支配に相応しい存在であると主張した(Oidtmann 2016: 63-69)。

アムドの正当な支配者を自任したゲルク派高僧たちの自信は、一八世紀以来の当地における宗派の持続的発展にも裏付けられていよう。前節で触れたタトルの研究によれば、一八〇〇—一九〇〇年にかけてのアムドにおける転生系譜の増加数は、一八世紀前半の爆発的ペースには及ばないものの、なおも中央チベットのそれを凌駕しており、ゲルク派はその中核を占めていた(Tuttle 2017: 48-50)。

アムド出身の「摂政」たち

アムドの高僧たちの活躍の場は、アムドと清宮廷に限られていたわけではない。彼らの中には、中央チベットにおいても高名な人物が多かったが、一九世紀になると、ダライ・ラマの摂政《ギェルツァプ》を務めていく転生僧の系譜が登場した。

一九世紀の摂政政治の直接的起源は、一七五七年のダライ・ラマ七世他界後に政権運営を任されたテモ六世に由来する。特にダライ・ラマ九世以降は歴代ダライ・ラマが早世したこともあり、歴代テモを輩出したテンギェーリン寺を含むラサの一握りの寺院出身の転生僧たちが、摂政として代々大きな力を振るうようになった。歴代ツェモンリンは、そのうちの一つツェモンリン寺の転生僧であるが、この転生系譜の興味深い点は、歴代転生者が皆、アムドのチョネ(現在の卓尼県)の生まれだったことである。

チョネはアムドのなかでも早期にゲルク派が広まった地域であり、一八世紀にはチベット大蔵経が開版されるなど、当地の支配者たるチョネ王(卓尼土司を指す。「楊」という漢姓をもつ)の庇護のもと仏教文化が栄え、多くの高僧を輩出した。[5] チョネ出身にして、のちにツェモンリン一世と追号されるガワン・ツルティムは、清の招請により北京を代表するチベット仏教寺院たる雍和宮の総ケンポ(僧院長)を務めた人物である。乾隆帝の信任を獲得した彼は、その後テモ六世を継いで摂政の地位に就いた。

その転生者であるツェモンリン二世ガワン・ジャムペル・ツルティム・ギャムツォは、チョネ王属下の頭目を父にもつ。一八一八年から二五年もの間摂政を務めたのち、一八四四年、彼はダライ・ラマ政権内部の政争に敗れ失脚し、清は彼の政治の壟断と腐敗を糾弾してその財産を没収するとともに、転生者の承認を禁じる命令を出した。しかし、転生系譜の維持を求めるチョネ王らは、彼の領内から再び転生者を選出するに至った。ツェモンリン三世となるこのガワン・ロサン・テンペー・ギェルツェンは、一九一〇年から三年間、ダライ・ラマ一三世(一八七六—一九三三年)のインド滞在にともない、ラサで政務を委ねられた。[6]

輪廻転生という死生観と菩薩思想を背景とする転生相続制は、地縁・血縁とは本来異なる原理に基づく継承システムであるが、如上の歴代ツェモンリン輩出の経緯には、出生地であるチョネの現地勢力の利害・関心が関わっていたことが窺える。また、一般的にダライ・ラマ政権の中核となる領域は中央チベットであったとされるが、歴代ダライ・ラマや、政権中枢で力をもった転生僧のなかには、チベット周縁部出身の人物も多く、その傾向は二〇世紀以降も基本的に変わらなかった。

社会経済の動態、ムスリムとの関係

一九世紀における青海モンゴルの衰微とは対照的に、その後も一定の実力を維持したアムドのチベット諸勢力、特に宗教勢力を支えていた経済基盤とはなんだったのか、未解明の点は多い。ただし、前述のトンコル・西寧・河州などでの交易が、一九世紀後半に新たな展開を見せたことは留意すべきである。この時期、チベット系遊牧民などが生産した羊毛が、天津を経由して海外へ大量に輸出されるようになったからである(Horlemann 2012; 吉澤 二〇一六)。ムスリム商人や外国商社の支社の手を経て、アメリカなどの国際市場へと向かった羊毛は、アムドにも富をもたらしたと考えられるが、それが現地のチベット社会にいかなる影響を与えたのかは重要な検討課題となるだろう。

ムスリムとチベット人の相互関係については、一九世紀後半以降、ラブラン寺の広大な寺領に、イスラームの中でも特にスーフィズムを信仰するムスリムが断続的に流入し、寺院側もそれを受け入れたことが注目に値する(Nietupski 2015: 140-141)。清から相対的に自立した権力体にして、人々が行き交う小都市を形成していたラブラン寺は、清からの抑圧を逃れる、あるいは商業機会を求めるムスリムを引きつけたのであるが、一方の寺院側も、彼らに庇護を与えつつ経済利益を得ていたことは想像に難くない。宗教信仰やエスニシティを異にする集団間の相互関係は、アムド史のダイナミズムの一端を示すものといえる。

しかし、チベット人とムスリムの関係は、共存と競合が交錯した複雑なものであった。アムドにおけるチベット系諸勢力の相対的な安定と優位は、その後、ムスリムたちによって揺るがされていったからである。一九世紀後半、中国西北を席巻したムスリム蜂起はアムドにも波及したが、ムスリム側も一枚岩ではなく、清側に寝返り蜂起鎮圧に協力した有力者たちがいた。その一人である馬海晏《ばかいあん》を父にもつ馬麒《ばき》は、辛亥革命後、アムドの支配者としてチベット諸勢力の前に立ちはだかっていくのである。

カムの支配をめぐるダライ・ラマ政権と清

一九世紀のチベット史は、長く研究者の強い関心を集めず、そのイメージも摑みづらいままとなっていた。その背景には、歴代ダライ・ラマ(早世した九世から一二世)の存在感の希薄さと、政権内部で続発した政争の混沌などが挙げられるだろう。ダライ・ラマの暗殺疑惑すら飛び交った当時の政権は、「中世的ともいえる宮廷政治の暗黒」(中見 二〇〇〇：二九〇頁)の中にあったとして、マイナス評価を受ける傾向にある。

しかし、当時のダライ・ラマ政権が、軍事面で注目すべき成果を残したことも見逃してはならない。彼らはドグラ軍との戦い(一八四一－四二年)、グルカ軍による侵入(一八五五－五六年)という、ヒマラヤの彼方から到来した二つの危機を、内憂外患に苦しむ清からの助力を欠く中で苦戦を強いられつつも、ほぼ独力で切り抜けた。また特筆に値する出来事として、一八六〇年代前半にカムを舞台として戦われたニャロン戦争がある。この戦いの結果、政権は外敵を破ったばかりか、自らの直接支配域の拡大にも成功したのである。

一八世紀以降のカムは、内地と中央チベットを結ぶ中継地として軍事・政治・経済において重要な地域であった。しかし、金川戦争終結後に構築された新たな支配体制は、カムの首長たちの抗争の取り締まりや治安維持の上で、大きな効果を挙げたとは言い難い。一九世紀中葉には、剽悍さで知られるニャロン(現在の新竜県)の遊牧民たちを糾合したゴンポ・ナムギェルが勢力範囲を広げ、デルゲ王国(徳格土司)などの周辺地域を征服するとともに、ラサと四川の交通を遮断した(Yudru Tsomu 2015)。

このカムの争乱は、中央チベットに対する清の影響力を一層後退させた。内地との交通が阻害される中で、朝廷とラサの駐蔵大臣の意思疎通が著しく滞ったからである。チベット駐留の緑営兵は、一九世紀初頭以降、四川からの俸給の遅配、人員交代の遅延が続く中でもとより規律が緩んでいたが、カムの長引く戦乱はこの問題に拍車をかけた。一方のダライ・ラマ政権にとっても、四川からの茶の輸入が断絶したことは看過できない問題であった。ゴンポ・ナムギェルによる圧迫を受けたカムの首長たちもまた、ラサに救援を求めていた。こうした事態を受けて、ダライ・ラマ政権は遠征軍派遣を決断し、ニャロンへと進撃させ、一八六五年末に当地の制圧に成功した(*Ibid.*)。

つまり、カムの秩序回復は清ではなくダライ・ラマ政権の主導によってなされたのであり、これを契機に、彼らはニャロンを直轄領として併合し、カムの多くの首長に服属を誓わせた。しかし、首長たちの多くは、同時に清に服する土司でもあったことから、彼らの管轄をめぐり、ダライ・ラマ政権と四川当局の間で紛糾が続発した。当初は在地の局地的な争いとして処理されたこれらの紛糾は、一九世紀末にイギリスがチベットへ迫ると、清内部において、国土分割の危機にも繋がる問題として認識されていった(小林 二〇〇八)。

英領インド成立にともない、イギリスはインドと中国を連結させる通商ルート開拓を目指してヒマラヤ・チベットでの情報活動・軍事行動を展開していたが、この動きに対して、すでに一八七〇年代後半には四川総督らが警戒心を強め、チベットを四川保全のための防壁と考え始めていた(平野 二〇〇四)。一八九〇年代に入ると、この危機意識はさらに高まった。イギリスの接近を恐れ拒んでいたダライ・ラマ政権が、一八八九年にインドとの境界地帯にて英軍と交戦・敗北したことにより、翌年にはイギリスが清とシッキム・チベット条約を締結してシッキム王国を保護国化し、チベットへと一層迫ったからである。条約締結を契機としたインド―チベット間の通商問題(商務)と国境問題(界務)は、清英二者間で交渉が進められたが、これについてもダライ・ラマ政権は反発し、清の政策は行き詰まりを見せていた。清内部では、チベット喪失の事態に備えて四川を保全するためには、中央チベットと四川を繋ぐカムの支配を強化する必要があり、そのために、ニャロンをダライ・ラマ政権から四川省の帰属へ戻すべきとする強硬論が台頭した。

ここで注意すべきは、ニャロン回収の強硬論が、イギリスに対する警戒を背景としつつも、むしろその批判の矛先を、反英姿勢を貫くダライ・ラマ政権に対して向けていたことである。この強硬論の立場に立つ四川総督鹿伝霖《ろくでんりん》は、イギリスとの摩擦を回避するためにも、商務・界務をめぐる清英間の取り決めにダライ・ラマ政権を従わせる必要があり、ニャロン回収の断行によってダライ・ラマ政権に対する清の権威を示すとともに、カムの支配を固めることで中央チベットに対する政令伝達を強化すべきであると説いた。こうして鹿伝霖は、一八九六年、ニャロンに派兵してこの地を制圧し、四川省の管轄下に置いたのである。

列強諸国との長い相克を経て、朝鮮を含む主要な朝貢国を喪失した清にとって、チベットは内地を守るための「辺《へん》疆《きょう》」であるとともに、奪われてはならない国土の一部として認識されつつあった。しかし、ダライ・ラマ政権から見て、チベットの意向を無視し、その頭越しに交渉・締結されたイギリスとの条約・合意に関して遵守を迫るばかりか、ダライ・ラマの所領をも奪う清の姿は、もはやチベット仏教の護持者としてのそれではなかった。カムの支配をめぐる軋轢は、清の変貌にともなう両者の認識の乖離を顕在化させたのであった。

西洋との接触、通商の広がり

ただし、清とダライ・ラマ政権の関係は、即座には瓦解へと向かわなかった。一八九七年、四川総督や駐蔵大臣に対する不信を強めたダライ・ラマ政権が、北京に特使を派遣して、ニャロン地方の返還を訴え、清側もその要求に応じたからである(小林 二〇一〇)。清にとって、ダライ・ラマ政権に対して条約の枠組みに即した行動を取らせるためにも、これ以上の関係悪化は回避すべきものと判断された。ダライ・ラマ政権もまた、駐蔵大臣らを経由しない北京との直接交渉に、関係改善の可能性を見出すようになった。

清との関係がかろうじて維持される一方、イギリスをなおも拒むダライ・ラマ政権は、ダライ・ラマ一三世のもと、イギリスと競合するロシアと接触し始めた。国内にチベット仏教徒たるモンゴル系住民を抱えるロシアも、チベットとの関係構築に関心を抱いていた。

ロシア―チベット関係の急速な緊密化に焦ったイギリスは、清を介さない、チベットとの直接交渉に踏み切った。一九〇三年に派遣された武装使節団は、チベット軍との戦いを制してラサへ進撃し、翌年九月にダライ・ラマ政権とラサ条約を締結した。こうして、すでに一八九四年には税関が開設されていたトモ(亜東)に加え、ギャンツェとガルトクに商埠(通商地)が開かれることになった。

しかし、英領インドによるこうした経済進出を、むしろ自身の勢力拡大の契機としたチベット人たちもいた。カムのチベット商人である。一九世紀後半、カムは中国沿海の開港場市場圏に結び付けられ、カムを産地とする冬虫夏草《とうちゅうかそう》などの薬材が沿海都市や東南アジアに販路を獲得したが(盧 二〇一六)、英領インドとの貿易の進展はカムの人々にさらなる商業機会をもたらした。例えば、四川境界に近いマルカムにて茶や絹の取引を営んでいたパンダ・ニマ・ギェルツェンは、二〇世紀初頭以降、インド経由での羊毛貿易で成功をおさめ、ラサやカムのほか、上海・北京・カルカッタ等に拠点に築く大商人に成長した(McGranahan 2002)。その後、パンダツァン(「パンダ家」を意味する)の人々は、ラサの政治をほぼ独占してきた貴族・僧侶と並び立つ新興エリートとして実力をつけた。他方、二〇世紀初頭の時点で、ラサに及ぶ漢人(陝西・四川商人等)の商業ネットワークも存在していたが、チベットが漢人の経済的従属下に入ったとは言い難いだろう。

三、二〇世紀初頭のアムドとカム

二〇世紀初頭のダライ・ラマ政権内部では、イギリスへの警戒心が支配的であったが、結局のところ、彼らにとって最大の脅威は、ラサ条約締結に衝撃を受け、チベットへの領域支配確立へと向かった清であった。西洋・日本を模した国制全般の近代化を目指す「新政」を開始した清は、カムやアムドに対する「開墾実辺、練兵講武」を発令し、開発と軍備増強を通じた支配権の掌握に乗り出した。清朝中枢への訴えを通じて四川総督・駐蔵大臣たちを牽制しようとするダライ・ラマ政権の交渉努力は、効力を持たなくなっていた。

清が四川保全のための前線とみなしたカムでは、急激な改革が直ちに実行に移された。四川西部建昌道《けんしょうどう》の道台《どうたい》であった趙爾豊《ちょうじほう》は、寺院を含む現地勢力の抵抗を容赦無く鎮圧したのち、一九〇六年、新設の督辦川滇《とくべんせんてん》辺務大臣に就任し、土司たちの権力を剝奪するとともに、練兵・屯墾・設官・開鉱・興学・通商の広範囲に渉る改革に着手していった。一連の政策は、趙爾豊らが期待した成果をもたらすことはなかった。辛亥革命により計画は頓挫したからである。特に注力された移民政策も、ほぼ失敗に終わった。ただし、なかでもバタンでの漢語教育は、現地社会において漢語を解する新たな人材を生み出す契機となり、彼らはのちに国民党政権の民族政策を担う存在として台頭していった。

寺院に対する弾圧を含むカムにおける新政策は、ダライ・ラマ政権に衝撃を与えたが、特に後世に遺恨を残したのは、一九一一年における趙爾豊によるニャロン地方の接収であった。ダライ・ラマ政権にとって、自らの軍事行動により勝ち取った領域の喪失は受け入れ難く、清滅亡後もニャロンの帰属は中国・チベット関係の懸案であり続けた。ただし、その前年に起きた大事件で、両者の関係破綻は決定的なものとなっていた。一九一〇年、四川省が派遣した新式陸軍がラサに進軍し、ダライ・ラマ一三世が英国の庇護を求めてインドに逃れたからである。当時のラサでは駐蔵大臣聯豫《れんよ》による新政が進められており、派兵は権限強化を目指す彼の要請によるものであった。ダライ・ラマ政権の反発を顧みぬこの強硬策により、ラサでは死傷者を出す衝突が発生し、反清感情が高まった。

一九一二年に誕生した中華民国は、満・漢・蒙・回・蔵の「五族共和」と清朝版図の継承を唱え、チベットとモンゴルに新国家への参加を呼びかけた。しかし、清末新政はチベット－モンゴル仏教圏の離反を招いており、一九一一年一二月、外モンゴルでジェブツンダムバ・ホトクト八世を皇帝とするボグド・ハーン政権が誕生して清からの独立を唱えた。ダライ・ラマ政権もラサの旧清軍を排除するとともに、一九一三年二月、のちに「独立宣言」と呼ばれることになるダライ・ラマの布告を発した。ダライ・ラマ政権は中華民国とは別個の政体として国家形成を進めるべく動き、続く中英蔵三者会議(シムラ会議、一九一三年一〇月－一四年七月)にて、カムとアムドを含む全チベットの領有権を主張していく(小林 二〇一二)。

アムドは、モンゴル・チベット・中国それぞれの領域統合をめぐる思惑が交錯する地域となった。ボグド・ハーン政権は、モンゴル国の領域が、内外モンゴルに加え、青海モンゴルをも含むものであるとみなしていた。チベット人や漢人移民の進出に脅かされてきた青海モンゴル側にも、これに呼応する動きがあった(橘 二〇一一：二二一―二二三頁)。アムド滞在経験を持ち青海モンゴル王公たちと関係を深めてきたダライ・ラマ一三世(石濱 二〇一九)は、現地の動向を察知していたのであろう。外モンゴル独立にともない彼がジェブツンダムバに送ったチベット語親書は、祝辞とともに、アムド一帯が紛れもないチベットの領域であることを強調している(Монгол Билиг Төв 2019: 36)。両政権は、一九一三年一月一一日に蒙蔵条約を結び、相互の独立と友好を確認したが、他方で、両者の間にはアムドの帰属をめぐる問題が伏在していたことが窺える。

ただし、その後のアムドの実権は、袁世凱政権に帰順した馬麒率いるムスリム軍事勢力が掌握していった。一九一五年に甘辺寧海《かんぺんねいかい》鎮守使に就任した彼は、息子の馬歩芳《ばふほう》(のちの青海省政府主席)らとともに着実にアムドの支配を進めた。

一方のカムは、当該地域の支配権をめぐるダライ・ラマ政権と清の相剋が辛亥革命後も引き継がれた。清末以来、四川からの度重なる軍事的脅威に直面してきたダライ・ラマ政権は、カムに新たに総督を配置し、イギリスの支援を受けつつ軍備増強を進めた。一九一八年には、カム西方の要衝チャムドに駐留する中国軍と戦い勝利し、金沙江《きんさこう》西岸の旧領域を回復した。これ以後、チャムド駐留のチベット軍は、一九五〇年に人民解放軍に降伏するまで、ダライ・ラマ政権による防衛の要として、四川・青海の軍事勢力と対峙した。

アムドとカムのチベット人の多くは、それぞれ四川・青海の軍事勢力の支配下に置かれたが、その試練のもとで、少年・青年期に漢語に親しみつつも、「チベット民族」としての自覚を形成していった多様なリーダーたちが出現した。アムドでは、ラブラン寺のジャムヤン・シェーパ五世の兄ロサン・ツェワン(黄正清)が、寺院の権威のもとに現地住民を広く糾合してムスリム軍事勢力に対抗したほか、チベット社会の近代化事業にも尽力した(Nietupski 2009)。

カムでは、一時はチベットの「民族自決」を目指しつつも、その後中国共産党に協力・参画していったプンツォク・ワンギェルなどが挙げられる(Goldstein et al. 2004)。「中国」という既成の政治的枠組みの中において民族の政治的権利や文化的独自性の保持を追求せざるを得なかった、彼らのジレンマと隘路を含めた考察が重要になるだろう。

おわりに

一九世紀のチベット史を、ダライ・ラマ政権と清の境界地域に着目するなかで見えてくるのは、中央ユーラシアの「周縁化」という枠組みでは必ずしも捉えられない、チベット諸勢力の自立性と強勢、強固な伝統社会・文化の持続と成長である。

青海モンゴルが衰退する一方、ゲルク派の寺院・高僧はアムドの多様な社会のなかでも抜きん出た政治的・宗教的影響力を保持した。また、アムドやカムの遊牧民たちは、依然として地域の勢力図を変えるほどの実力を有していた。さらに、清が一九世紀半ばまでに内政・外政両面で苦境に立たされていく中で、ダライ・ラマ政権が四川内部に自らの領域を拡張していたことも注目に値しよう。一九世紀末のイギリスのチベット進出はダライ・ラマ政権にとってかなりの脅威と認識されたのであるが、カムの商人たちのように、海外貿易の利益を通じて成長を遂げた人々がいるなど、チベット各地を架橋する既存の商業ネットワークが活性化した側面もあり、イギリス・中国の経済進出も容易には進まなかった。

もとより、一九世紀のチベット史に関して一貫した解釈を提示できるだけの研究蓄積はなく、本章も広大なチベット内部の地域的偏差を十分に捉えた叙述はできていない。しかし、複数の民族の生活空間や文化圏と混在・隣接した境界地域における、交流と競合の歴史からは、宗教・政治・経済においてチベット社会が持った強靱さを見ることができるだろう。

ただし二〇世紀に入り、旧清軍を排除し、西洋の植民地支配も及ばない「事実上の独立」状態を実現した中央チベットのダライ・ラマ政権と比べ、中国の軍事勢力の支配下に置かれたアムドとカムの人々にとって、チベット社会の伝統をどう維持していくのか、あるいはいかにこれを変革して生き延びるのかは、一層差し迫った重みを持つ課題として模索・構想されることになったであろう。近代化や革命、民族自決というアジア諸地域に共時的な課題に規定されつつ、様々な軌跡を辿り交錯した、こうした境界地域出身の多様な指導者たちの動向を踏まえ、二〇世紀のチベット史を描く試みが、さらに重要になると思われる。

注

(1) 小松(二〇〇〇)の第六章「中央ユーラシアの周縁化」を参照。
(2) こうした視点から、小林(二〇二二)は一九世紀初頭から二〇世紀前半までのチベット史を概論した。
(3) チベットの地理区分や各地の呼称は時代や歴史文献により異なる点が多い。現代チベットではチベットをウ・ツァン、アムド、カムの「チョルカ・スム」(三地域)から構成される空間として捉える認識が定着している。本章は行論の関係上この三区分に従い叙述を進める。
(4) 宣慰使《せんいし》、宣撫使《せんぶし》、安撫使《あんぶし》など武官系統の官職のほか、アムドの遊牧部族の首長たちは千戸・百戸と呼ばれる官職に任じられるなど内実は多様であったが、本章では便宜的に「土司」として総称する。
(5) 一八世紀チョネの発展、及び清との関係は、伴(二〇〇六)に詳しい。
(6) 歴代ツェモンリンの背景と事績について、央珍(二〇一五)及び楊世宏ほか(二〇一六)などを参照。

参考文献

池尻陽子(二〇一三)『清朝前期のチベット仏教政策――扎薩克喇嘛制度の成立と展開』汲古書院。

石濱裕美子(二〇一九)「二〇世紀初頭、チベットとモンゴルを結んだ二人のモンゴル王公――カンドー親王とクルルク貝子」『早稲田大学大学院教育学研究科紀要』第二九号。

岩田啓介(二〇二二)『清朝支配の形成とチベット』汲古書院。

小林亮介(二〇〇八)「ダライラマ政権の東チベット支配(1865-1911)」『アジア・アフリカ言語文化研究』七六号。

小林亮介(二〇一〇)「一九一〇年前後のチベット――四川軍のチベット進軍の史的位置」『歴史評論』七二五号。

小林亮介(二〇一二)「辛亥革命期のチベット」辛亥革命百周年記念論集編集委員会編『総合研究 辛亥革命』岩波書店。

小林亮介(二〇二二)「チベットと近代世界」池田巧・岩尾一史編『チベットの歴史と社会』上巻、臨川書店。

小松久男編(二〇〇〇)『新版 世界各国史4 中央ユーラシア史』山川出版社。

橘誠(二〇一二)「モンゴル独立と青海モンゴル――西後旗のザサグ継承問題とボグド・ハーン政権の対応を中心に」『内陸アジア史研究』二七号。

手塚利彰(一九九九)「グシハン一族と属領の統属関係」『立命館東洋史学』二二号。

中見立夫(二〇〇〇)「モンゴル、チベット」小松編前掲書。

伴真一朗(二〇〇六)「清朝の青海支配確立期におけるチョネ(Co ne)領主の役割とその意義」『内陸アジア史研究』二一号。

平野聡(二〇〇四)『清帝国とチベット問題』名古屋大学出版会。

村上信明(二〇一二)「嘉慶朝の清朝・チベット関係に関する一考察――駐蔵大臣とダライラマの関係についての認識を中心に」『史境』六四号。

吉澤誠一郎(二〇一六)「近代天津の貿易とその後背地――羊毛輸出を中心に」井上徹ほか編『東アジアの都市構造と集団性』清文堂。

杜常順(二〇一四)「清代青海蒙旗人口与経済問題探析」青格力・斯琴夫編『徳都蒙古歴史考論(下)』民族出版社。

蘆笛(二〇一六)「近代国産普通薬物的国際和国内市場」『海関与経貿研究』二〇一六年六期。

譚其驤編(一九八七)『中国歴史地図集』第八冊、地図出版社。

小林亮介(二〇一五)「試論一八世紀後期清朝対康区政策的変化」『蔵学学刊』一五。

楊世宏・盧永林・盧紅娟編著（二〇一六）『西蔵摂政策墨林活仏伝略』社会科学出版社。

央珍（二〇一五）『西蔵地方摂政制度研究』中央民族大学出版社。

Goldstein, Melvyn C., Dawei Sherap and William R. Siebenschuh (eds.) (2004), *A Tibetan Revolutionary: The Political Life and Times of Bapa Phüntso Wangye*, Berkeley, University of California Press.

Horlemann, Bianca (2012), "Tibetan Nomadic Trade, the Chinese 'Xiejia' Sysytem and the Sino-Tibetan Border Market in Stong 'khor/Dan' gaer in 19th/20th Century A Mdo", Roberto Vitali (ed.), *Studies on the History and Literature of Tibet and the Himalaya*, Kathmandu, Vajra Publication.

McGranahan, Carole (2002), "Sa sPang mda' gNam sPang mda': Murder, History, and Social Politics in 1920s Lhasa", Lawrens Epstein (ed.), *Khams pa Histories: Visions of People, Place, and Authority*, Leiden, Brill.

Nietupski, Paul Kocot (2009), "Nationalism in Labrang, Amdo: Apa-Alo/Huang Zhengqing", Wim van Spengen et al. (eds.), *Studies in the History of Eastern Tibet*, Halle/Saale, IITBS GmbH.

Nietupski, Paul Kocot (2015), "Islam and Labrang Monastery: A Muslim Community in a Tibetan Buddhist Estate", P. K. Nietupski et al. (eds.), *Muslims in Amdo Tibetan Society*, Lanham, Lexington Books.

Oidtmann, Max (2016), "Overlapping Empire: Religion, Politics, and Ethnicity in Nineteenth-Century Qinghai", *Late Imperial China*, Vol. 37, No. 2.

Ryavec, Karl E. (2015), *A Historical Atlas of Tibet*, Chicago, The University of Chicago Press.

Tuttle, Gray (2017), "Pattern Recognition: Tracking the Spread of the Incarnation Institution through Time and across Tibetan Territory", *Revue d'Etudes Tibétaines*, No. 38.

Yudru Tsomu (2015), *The Rise of Gönpo Namgyel in Kham: The Blind Warrior of Nyarong*, Lanham, Lexington Books.

Sgrol ma chos skyid (2021), "Hor chos rje dang mdo khams tre hor dgon bcu gsum gyi lo rgyus la dpyad pa", *Waxing Moon: Journal of Tibetan and Himalayan Studies*, vol. 1.

Монгол Билиг Төв (2019), *"Богд хаан 150: Ном бүтээлийн өв" Үзэсгэлэн 2019*, Улаанбаатар.

近代シャムにおける王権と社会

小泉順子

はじめに——一九世紀シャムへのアプローチの変容

一九世紀におけるシャム(タイ)の動態を考えるうえで、一八五五年のイギリスとの修好通商条約(通称バウリング条約)締結を重要な画期とする理解は、一般に受け入れられているといって誤りでなかろう。確かにバウリング条約は、領事裁判権、関税の自主権喪失など、いわゆる不平等条約に典型的な条項を含んでいた。全権として条約締結交渉にあたった香港総督ジョン・バウリングも、条約締結はシャムにおける独占体制を廃止し、自由貿易を確立し、政府の財政機構全体に革命的変化をもたらすと、自らの成功を評価した(Bowring 1969: Vol. I, 87; Vol. II, 226)。その後シャムは多数の西洋諸国と条約を締結するとともに、統治制度を改編する近代化政策を進め、領土の一部を失いながらも独立を維持したと評価される。

一方、こうした理解に対して異なる見解も示される。その一つが条約締結以前の市場経済の積極的評価である。一八世紀末以降、シャムは規定(三年一貢《こう》)を超えてほぼ毎年清朝に朝貢使節を派遣し、ジャンク貿易も興隆した。もたらされた富や資源は、ビルマの攻撃によるアユタヤー朝崩壊からの復興を支え、経済的繁栄をもたらしたと指摘される。また一九世紀前半には徴税請負制度も拡大し、この拡大を支えた経済的潜在力は、条約締結に対するシャムの積極的な姿勢を後押しし、条約の影響を受けとめる経済の柔軟性へとつながったという評価もなされた(Hong 1984)。

また、独立を守るべく尽力した国王を愛国者として称揚し、近代化政策を国民国家形成に直結させる見方にも疑問が示され、シャムの植民地性を指摘する問題提起もなされた。チュラーロンコーンの治世に進められた近代化政策は周辺植民地の政策をモデルとした中央集権化による王権の強化が主な目的であり、初等教育や兵役など「国民」形成に関わる政策の足取りは遅かったと指摘された(Anderson 2014)。さらにこうした議論を踏まえ、英仏植民地勢力に領土の一部を割譲しつつ独立を維持したという理解にも異議が唱えられた。一九世紀後半、シャムは英仏植民地勢力と領土獲得を競い、自国と他国を明確に分かつ国境線を画定し、領土主権を行使する王国を構築する過程で、「プラテーサラート」(「朝貢国」)の一部を併合したのであって、領土喪失という通説的理解は、国境の概念があいまいで複数の主権が交錯する場で自立を保っていた周縁域に対して、一九世紀末に地図作成とともに成立した国境や主権の概念を歴史に投影した時代錯誤だという批判である(Thongchai 1994)。そしてこうした問題提起は、ジェンダーの視点からの植民地性の再検討など多様な議論を喚起した(Loos 2006; Peleggi 2002)。

これらの問題提起を踏まえつつ、本章では一九世紀前半の対中関係を軸とした対外関係とそこに基盤をおいたシャムの王権および社会経済が、その後西洋の影響も含むアジア地域の変動に如何に対応したのか、周辺地域の文脈とシャム国内の状況を勘案しつつ考察する。[1]

一、バウリング条約締結と経済的影響

条約締結前夜のシャムと周辺アジア地域

一九世紀前半のシャムにおける対中関係の重要性については多くの指摘がある。当時シャムや周辺地域を訪れたヨーロッパからの訪問者も、シャムの豊かさに着目した。例えば一八一九年にシンガポールに商館を建設して植民地化を進めたラッフルズは、ジャワや周辺海域の貿易を独占するオランダに対抗して東方地域でのイギリスの利益の確保と監督にむけた統一的な計画の必要性を提案し、その中で、シャムにも高い関心を示した。マレー半島に強い影響力を及ぼすばかりでなく、中国と近接し、活発な交易を行う多数の中国人人口を有し、かつ米や塩、砂糖など競争力のある輸出品を有する重要な国と思われたからである(Raffles 1819: 4-6)。

まもなく条約締結をめざしてイギリス東インド会社から一八二一年にジョン・クローファードが、一八二五年にはヘンリー・バーネイが派遣された。バーネイの記録によれば、海南島や広州など華南の諸都市とシャムとの間には五〇—一〇〇隻近いジャンク船が交易に従事し、高い利益をあげ、さらにシンガポール、ペナン、マレー半島諸港、コーチシナとも活発な貿易が行われていたという(*BP*, Vol. II(4): 79-84)。またベトナムの王権とは盛んに国書が交換され、ビルマとも地方権力の間で書簡が交換され、近隣との情報交換も密であった(小泉 二〇一一: 八〇頁)。

クローファードは条約締結に至らなかったが、バーネイは一八二六年六月に条約を締結した。条約は全体に相互主義の原則に基づき、互いに訪問した相手国の法律・慣行を遵守することとされ、また地方の港も含め——後に高額だと問題になるが——船幅税の支払いを条件に、米、武器、アヘンを除き制約のない貿易が規定された。一八三三年にシャムは同様の条約をアメリカと締結した。

一八二〇—三〇年代のシャムの主な輸出品は、胡椒、砂糖、錫、米の他、蘇木《そぼく》(木芯部の色素を赤の染料として使用)、蘇芳)、ラック(ラックカイガラムシの分泌物。赤の染料や封蠟に使用)、沈香など森の産物だった。犀角《さいかく》、カワセミや孔雀の羽、象牙など清朝皇帝に献上した朝貢品や輸出用の森の産物は、地方国からスアイ(物納税)として王権に貢納された[2]。また一八二〇年代末にウィアンチャンのアヌ王の「反乱」を平定してからは、コーラート高原やメコン川流域の地方国所属民に対するスアイの賦課が増大した。だがスアイとして徴収された森の産物だけでは輸出や国内の需要を賄えず、市場を介した取引が促進された。

経済活動を担ったのは主に福建、広東などからの移民やその子孫であった。彼らは朝貢使節の一員となり、あるいはジャンク貿易に従事し、商品作物の生産を行う以外にも、徴税請負人として王権の経済的基盤を支えた。一九世紀初頭には、酒の醸造販売、賭博場運営、市場運営、果樹園、漁業、渡し船の六種の事業に対する税が徴税請負人により徴収されていた(NL.CMH.R.2.C.S.1171, No. 6)。その後も徴税請負の対象は拡大し、三世王の在位中に、胡椒、蘇木、ココナッツ油、塩、砂糖、綿花、ラック、たばこ、燕の巣の取引など、三八の徴税請負が新たに設置された(*PPRIII*: 365-366)。なお中国系住民の統治はクロム・ターサーイ(港務左局)が統括した。彼らには三年に一度「プークピー」と称された人頭税が課されたが、その負担はシャム臣民に対する毎年の人頭税などに比して小さかった。朝貢使節の派遣は一八三八年以来中断したが、四三年には再開された。

一八三九年に始まったアヘン戦争の情報はシャムにも伝わり、南京条約等のタイ語訳も作成された。

他方、一八三〇年代末に砂糖の王室独占が再開され、また取引をめぐるトラブルも発生したことから、欧米商人の間に不満が高まった。そこで一八五〇年にジョゼフ・バレスティアー(アメリカ)、ジェームズ・ブルック(イギリス)が相次いでシャムを訪問し条約改正を要請したが、失敗に終わった。翌五一年、西洋との関係強化に積極的とされたモンクットの即位によりイギリス側の期待も高まった(*Straits Times*, 8 July, 1851)。

モンクットは即位直後の一八五一年と五二年に朝貢使節を派遣した。しかし五二年に派遣した使節は、北京からの帰路、太平天国軍の襲撃に遭い死傷者を出す結果となり、以降朝貢は停止された。

また一八五一年には、それまで厳禁だったアヘンに徴税請負を導入し、基本的に中国人(タイ語で「チーン」と称される人々)に限り売買や消費を許可した(NL.CMH.R.4.C.S.1213, No. 39)。さらに一八五四年には、ジャンク貿易の停滞などを理由に、蜜蠟、絹、籐《とう》など八品目や、種々の魚介類の取引などに対する徴税請負を新たに導入した(NA.R.4.RL-KH.7)。これには混乱する華南情勢に対応しつつ、即位前の約二七年間僧籍にあって財源をもたなかったモンクットが、自身の経済基盤を強化する意図があったと考えられる。そしてこの延長上にバウリング条約締結は位置づけられる。

バウリング条約の締結(一八五五年四月一八日)

一八五五年三月末から四月下旬にかけて、バウリングは、事前にシャム側と協議の上、通訳のハリー・パークスと息子のチャールズ・バウリングを伴ってシャムを訪問した。

この時締結された条約は不平等条約とされるが、締結交渉において、必ずしもイギリス側が条件を強制したとはいいきれない。例えば関税について、当初イギリス側は船幅税の廃止と、イギリスと中国の間に設定されていた関税に準じた従価五%の輸出入税を提案した。これに対してシャム側は、輸出品に対して国内税と輸出税の両方の課税を可とする代わりに輸入税は無税とする案を提案し、さらなる交渉の結果、輸出税、輸入税を支払えば、国内税は課さないとするイギリス側の案に同意した。そして輸入品は種々雑多であるとの理由から税率は一律従価三%とし、輸出品については、シャム側が提示した輸出向け産品五一品目に対して、基本的に既存の徴税請負制度とその税率・税額が適用されることとなった。最終的な条文では、輸出品にはシャム船・中国船の場合と同率の輸出税または国内税を別途定める関税表に従って課し、さらにシャム船・中国船に与えられる特権をすべてイギリス船が享受することが規定され、こうしてイギリスはシャム船・中国船と同じ条件での貿易参入を果たすこととなった。なおアヘンの輸入は自由とされたが、徴税請負人もしくはそのエージェント以外に販売することは禁じられた(3)。

関税以外にも論点は多岐にわたったが、モンクットは、特にヴィクトリア女王との間で結ばれたこの条約を、イギリスと中国との間に締結された条約と同格として高く評価した。その一方で、ベトナムなどからイギリスに屈したとみられることも恐れていた。このことは、条約締結を、近隣諸国との関係において考える必要性を示唆している。

条約締結後、モンクットは所有船の数を増やし、これらに並行して自らの貿易活動に便宜を図ってもらうべくエージェントを各地に任命した。モンクットがエージェントとなるよう声をかけたイギリス人の中にはパークスの名前もあった(FO. 69/5)。王室貿易の復活ともみえるこうしたモンクットの動きは、条約関係を足掛かりに中国貿易の利益確得をめざす試みと考えられる。

バウリングの期待と評価に反して徴税請負は継続され、徴収額は顕著に増大した(Wilson 1970: 995-1000)。なかでもアヘン税は、モンクットの治世末期には、徴税請負により徴収される税のなかで賭博税に次ぐ財源となり、酒、蘇木、燕の巣がこれに続いた。これらは主にモンクットの管轄下にある大蔵局の税収となった。治世末年の一八六八年には、密輸防止を理由に、同一請負人がアヘン税と三％輸入関税を徴収することとなった(NA.R.4.RL-KH.35)。

続くチュラーロンコーンの治世では、徴税請負制の管理運営が課題となるが、そこで焦点となったのは「自由」対「独占」ではなく、王権による中央集権化であった。

財政の中央集権化

一八六八年にチュラーロンコーンが一五歳で即位し、摂政に就任したチャオプラヤー・シースリヤウォン(以下、シースリヤウォンと略記)は、政治の実権と経済的利権を握った。[4] そして七一年三月には、アヘンの密売増大を契機に、アヘン税と三％輸入関税を「政府」(government のタイ文字表音表記)直轄とし、両税ともシースリヤウォンの親族がその運営を統括することとした(NA.R.5.KT(L)8; NA.R.5.KT(L)13; NL.CMH.R.5.168/8; NL.CMH.R.5.169/9; NL.CMH.R.5.171/2; *BC*: 55)。

こうした中チュラーロンコーンは、一八七一年三月から四月にかけてシンガポールとジャワを、同年一二月半ばから約三カ月間、ペナン、ビルマからインドを周遊し、そこに導入されていた西洋の制度や文物、植民地支配の様子を実見した。そして一八七三年九月に成人し、一一月に二回目の即位式を行い、摂政を廃して実権の確立に踏み出した。だがこれは思うようには進まなかった。

二回目の即位に先だつ一八七三年六月、チュラーロンコーンは、徴税請負人が徴収する諸税を管理監督する「ホー・ラサダーコーンピパット」という機関を設置した。続いて一八七四年六月に、国務と国王それぞれの諮問機関「カウンシル・オブ・ステイト」と「プライヴィー・カウンシル」を設立した。そしてタートと称された「奴隷」の段階的解放など、制度改革に着手した(飯島・小泉 二〇〇〇：一二八―一二九頁)。だがアヘン税はそのままとされ、また新設された諮問機関へのシースリヤウォンおよびその長子チャオプラヤー・スラウォンワイヤワットの協力はなかった(Chonthicha 1984: 160-165)。

同年七月、新たに勅命による裁判所が設立され、アヘン税・輸入関税を統括し農務大臣職にもあった前出のシースリヤウォンの親族がまもなく田租着服で訴えられ、投獄された。しかしその後アヘン税はシースリヤウォンの長子が統括することとなり(Chonthicha 1984: 165-169; NA.R.5.NK.1)、シースリヤウォンの利権も維持された。

チュラーロンコーンの中央集権化の動きに、副王ウィチャイチャーン[5]も危機感を強め、二人の軋轢は一八七四年末から七五年初頭に危機的事件に発展した。危険を感じたウィチャイチャーンはイギリス領事館に庇護を求め、結局海峡植民地総督の調停で、所有する軍事力と歳入の大幅な削減を受け入れた。その後はシースリヤウォンの死(一八八三年一月)、ウィチャイチャーンの死(一八八五年八月)まで、大幅な制度改編は控えられた。一八八五年一月にはヨーロッパ駐在の王族・役人が英仏の侵出に危機感を覚え、立憲君主制の導入を含む国政改革を提案するが、チュラーロンコーンはこれを拒否した。

さて、バウリング条約締結の影響として、米、チーク、錫など一次産品の輸出増加が指摘される。しかし締結直後から順調に増加したわけではなかった。最も重要な輸出品となった米の輸出額は、一八七〇年代半ばから増加傾向が顕著になり、一八九〇年代以降急速に増大した。主な輸出先は香港、シンガポールであった。

一八七〇年代末、米の輸出増に伴い、香港からサムシュやカオリャンなどと称される安価でアルコール度数の高い中国酒の輸入が急増した。香港からシャム向けの輸出品が限られる中、米貿易に従事していたヨーロッパ系商会が酒を大量に輸入し始めたのである。安価で強い中国酒の流入は、徴税請負人の酒の販売と競合して財政に深刻な影響を与え、徴税請負人による輸入酒の差し押さえなどのトラブルを各地で招いた。またシャム国内で輸入酒を販売した中国系商人の多くは、イギリス、ポルトガルなど条約国の臣民や保護民であると称し、徴税請負人とのトラブルを領事に訴えたため外交問題となった(e.g. NA.R.5.NK.13; NA.R.5.NK.17)。

この問題を契機に、シャムに居住しながら条約国の臣民となっている「中国人」の法権と、無条約国中国の産品流入という課題の深刻さが顕在化した。シャム側はシャムに居住する中国人(辮髪《べんぱつ》を結い、プークピー税を支払う人々)は基本的にシャムの法に服すると認識していた。また中国産の酒は西洋諸国との条約規程の対象外であり、禁輸品とみなされるべきではないかという意見が示された(NA.R.5.NK.13; NA.R.5.NK.14; NA.R.5.NK.17)。おりしも一八七〇年代半ばから八〇年代初めには、停止していた朝貢再開の要求があり、それを回避すべく対応したところであった。

清朝との直接交渉が不可能な中、シャム政府は中国産輸入酒の適正な販売を求め、ヨーロッパに使節を派遣して交渉に乗り出した。結局、一八八三年から八五年にかけて各条約国と個別に交渉して協定が締結され、輸入酒はアルコール度数に応じた税の支払いが課され、その販売には政府のライセンス取得が義務づけられた。

その後、一八九〇年には大蔵省が設立され、その職務と国家予算の編成手続きを定める法律が公布された(PKPS 12: 133-142)。アヘン税もその管理下におかれることとなった。また一八七四年以降の徴税請負制度の運用厳格化により、入札額通りに税を納められず破産する請負人も多くなった。精米所経営や米貿易を軸に新たな資本家が台頭する一方、移民労働者も増大し、中国系コミュニティも変容していった。

他方、米に次いで重要な輸出品となったチークと錫は、その産地がイギリス植民地との境界域にあり、その利害はシャムの「プラテーサラート」の統治と絡むこととなった。

二、領域国家の形成と王権

周縁地域の植民地化とシャム王権

一七六七年にアユタヤー朝がビルマの攻撃により滅びた後、新たにシャムの王となったタークシン、及び一七八二年にタークシンを処刑して即位したラタナコーシン朝一世王は、ビルマ軍を駆逐するとともに、チェンマイ(ラーンナー)、ルアンパバーン、ウィアンチャン、チャンパーサック、マレー諸王国など周縁地域を服属させていった。これら小王国はプラテーサラート(「朝貢国」)と称され、定期的に金樹・銀樹や地方の産品を携えた使節を派遣してシャム王に忠誠を示した一方、独自に統治をおこなった。英仏が迫ったのはこうした周縁域であった。一八二六年にイギリスがテナセリムを獲得し、境界域で国境の制定が課題となった。しかしシャム側は、国境の制定は各地方権力の問題とし、シャム王権が介入することはなかった(Thongchai 1994: Chapter 3)。

英領との国境制定には関心が薄かった反面、シャムが軍事力を行使したのは、一八一〇年頃まで断続的に攻撃してきたビルマや一八二七年にコーラートに攻め入ったウィアンチャンのアヌ王に対する反撃、一八三〇年代末のクダ、パッターニー制圧、一八三〇年代から四〇年代半ばのカンボジアの支配権をめぐるベトナムとの抗争など、主にプラテーサラートを服属させるためであった。アヌ王はバンコクで死刑に処されウィアンチャンは滅亡し、カンボジアは

図1　シャムおよび周辺地域

出典：ウィスコンシン大学ミルウォーキー校 American Geographical Society Library Digital Map Collection: Burma, Malaya and Indo-China, edited by J. Bartholomew, 1942 (https://collections.lib.uwm.edu/digital/collection/agdm/id/15467/rec/49)；および Indo-Chine carte de la mission Pavie dressee sous les auspieces du Ministre des Affaires Étrangères & du Ministre des Colonies sous la direction de M. Pavie par M. M. les Capitaines Cupet, Friquegnon, De Malglaive et Seauve, 1922 (https://collections.lib.uwm.edu/digital/collection/agdm/id/22636/rec/1) より作成.

ベトナムとシャムの両方に朝貢することとなった。またこれら周辺地域から多くの捕虜が連行され、コーラート高原やバンコクおよび中部地方各地に入植させられた。

一八五二年に第二次英緬《えいめん》戦争が始まると、シャムはイギリスによる隣国の植民地化の進展に脅威を感じるどころか一一月にテナセリムのボーグル大佐に書簡を送り、友好国イギリスの腕前を学ぶべく、書簡を携えた役人たちに、イギリスがビルマと戦う様を見学させて欲しいと希望を伝えた。ビルマに服属するチェントゥンが、シャムに服属するラーオ諸国を攻撃したため、反撃を企画中であるとも説明し、ひき続きイギリスとビルマとの戦況やイギリスの領土獲得の様子も知らせてほしい旨依頼した(NA.R.4.RL-KH.2)。シャムは五二年から五四年までにチェントゥンに派兵し、結局これは失敗に終わったが、その状況をテナセリムに報告していた(NA.R.4.RL-KH.5)。

一八六〇年代半ばになるとフランスとの間に問題が生じた。次第にベトナムの植民地化を進め、カンボジアとの条約締結をめざしたフランスは、一八六三年八月、フランス皇帝のカンボジア国王に対する保護権や領事の駐在を認めた修好通商条約をカンボジアと締結した。しかし批准前にカンボジアはこの条約についてシャムに知らせ、同年一二月、シャムはカンボジアがシャムの朝貢国であることを確認し、シャムのバッタンバン、シエムリアップ統治を認める条約をカンボジアと締結した。これに対してフランスは両者の条約を無効にしようとシャムと交渉を続けた。

次第に強まるフランスの圧力に対して、モンクットは一八六六年一二月に駐シャムイギリス領事に私信を送り、そこにイギリス女王の保護下に入るという表明が必要となれば、自身と家族ともにそれに同意する旨を記していた(FO.69/40)。自らイギリスの保護を受け入れる可能性を示唆する発言と理解できるが、イギリス側の記録という点を割り引いて考える必要があるにせよ、モンクットの関心は、シャムという国を守るというよりは、王権の存続や格式にあったと考えられる。結局一八六七年、シャムはパリに使節を派遣し、七月にフランスのカンボジアに対する保護権を認める条約を締結した。

「プラテーサラート」とその周縁域への進出──メコン流域の例(6)

一八六七年の駐シャムイギリス領事の通商報告には、英領ビルマ側から多数のビルマ人たちが、シャム側のチーク林で働くようになった状況や、地元役人による抑圧を防ぎ、強盗や象泥棒、チーク泥棒を鎮圧する方策を講じるために必要な領事が不在であることに対する不満の声が存在する状況が記されている(FO. 69/46)。治安の悪化と森林伐採契約をめぐるトラブルの多発に対応すべく、一八七四年一月、イギリス・インド政府とシャム政府は第一次チェンマイ条約を締結した。条約はシャムのチェンマイに対する宗主権を認め、サルウィン川をチェンマイの境界とすることを記し、シャム国王の命の下、チェンマイに対する治安の維持を義務づけた。またシャム国王は、イギリス臣民とシャム臣民との間の民事訴訟を担当する裁判官を任命することとなり、バンコクから弁務官(カールアン)が派遣された。だが対策は十分とはいえず、より踏み込んだ策を講じるべく、一八八三年九月、イギリス政府とシャム政府の間で第二次チェンマイ条約が調印された。この条約によりイギリスはチェンマイに副領事を置くこととなり、副領事陪席のもと、シャム王が任命する裁判官がシャムの法律でイギリス臣民が関わる係争を裁くこととなった。翌年バンコクから王弟ピチット親王が勅任弁務官として派遣され、統治制度や税制を改編し、在地権力から利権を奪っていった(7)。なお交渉過程で、条約前文に記されるシャム国王の表記について、イギリス側は単に「シャム国王」とする案を示したが、シャム側がこれに反対し、結局「ラーオ、マレー、カレアンなどの君主たるシャム国王」となった(NA.R.5. NK.24; FO. 69/95)。これにより異民族を包摂したシャムの君主という地位は維持された。

一八八六年にイギリスが上《かみ》ビルマを併合した後は、イギリスとシャムはそれぞれ現地調査を実施しつつ支配領域確定に向けた交渉が行われた。シャムはサルウィン川を国境とするよう主張したが受け入れられず、一八九二年、チーク資源が豊富なシャン諸国とカレンニー地域をイギリスが獲得し、シャムは、ムアン・シンを中心としてメコン川両岸に跨るシェンケーン(ケンチェン)を得ることとなった。

ビルマとの境界をめぐるイギリスとの交渉と並行して、一八七〇年代半ばから一八八〇年代にかけてベトナムとの境域からルアンパバーン、メコン流域のナコーンパノムにかけて「ホー」と総称される匪賊《ひぞく》が断続的に襲来し、対抗してシャムは、それまで知見も直接関わりも持っていなかったこの地域への介入を、派兵と地図作成の両面から深めていった(Thongchai 1994: 98-101; NA.R.5.NK.22)。他方清仏戦争に勝利したフランスは、一八八六年にルアンパバーンに副領事をおくことを要求し、一八八七年二月にオーギュスト・パヴィがルアンパバーンに着任した。パヴィはこの地域の調査探索を進め、一八八八年一二月テーン(ディエンビエンフー)にてそれぞれが征服した土地をもって暫定的に境界とすることでシャム側と合意した(Thongchai 1994: 109-112, 122-127)。後年「シップソーンチュタイの喪失」と称される事件であった(Vichitr Vadakarn 1941: 14-16, 59)。

その後一八九三年七月に、パークナーム事件として知られるフランスとの衝突が発生した。期待したイギリスの介入が得られず、シャムはフランスの要求を受け入れ、一〇月に講和条約を結び、メコン川左岸を仏領とすることなどを承諾した。またフランスは条約の条項が履行されるまでという条件でチャンタブリーを占拠した。メコン川左岸が仏領となったことにより、改めて英仏両国との間でこの地域の国境制定交渉が行われ、一八九六年、英仏は相手の同意なくチャオプラヤー川およびその支流域への派兵を禁じ、シャムの中核域の中立化を宣言した。その後も一九〇九年まで、領事裁判権や課税権にかかわる条約改正と並行して、カンボジアやマレー半島地域の「割譲」は続くが、ここで一旦シャムは緩衝国として独立を維持することとなった。

なお、シャムの国境画定に直接介入することはなかったものの、ここに中国の存在が影を落としていたことにも留意したい。ルアンパバーンは、清朝にも朝貢しており、この地域は中国との境界域でもあった。一八七〇年代半ばから一八八〇年代初めには、北京や広州の役人からシャムに対して断続的な朝貢再開要求があり、シャム自身、いかに回避するか対応に苦慮していた。

そうした状況の中、例えば、第二次チェンマイ条約締結後、勅任弁務官としてチェンマイに赴任したピチット親王は、一八八六年三月、シャン諸国を中国に譲渡するというイギリスの案を耳にして、そうなればシャムのフロンティアにおいて中国に重大な戦略的位置を与えるとして強い懸念を示し、シャムは中国と境界を接する隣国となることを望まないと、弁理公使アーネスト・サトウに伝えた。シャン地域の国境問題は、この地域がイギリスの保護下におかれれば容易に解決するが、中国がこの地域の支配者になればシャムは侵略を懸念するということであった(PRO 30/33/14/2)。膨大な中国系住民を抱えたシャムにとって、中国と直接かかわることは、いかなる形でも回避すべきことだったと考えられる。

おわりに——統治制度の整備と「タイ」臣民の形成

一九世紀シャムの動態について、いわゆる西洋の衝撃を受けとめる前近代からのダイナミズムに着目しつつ概観してきた。歴史的に密接な関係を結んできたシャムと中国およびシャムと周辺諸国とのかかわりやシャム内に形成されてきた中国系住民など多様なコミュニティの存在は重要であり続け、変化の方向や足取りを規定してきた様をみてとることができよう。またその中で、条約の締結や周縁地域の植民地化はシャムに大きな影響を与えたが、西洋——とりわけイギリス——との関係は常に対立的であったわけではなかった。

一九世紀末になると、成立しつつあった国境の内側に居住する人々を直接把握する方向で統治機構が整備されていく。一八九二年、チュラーロンコーンは国内の統治制度の本格的改編に着手した。機能的な職務分担に沿った一二省を設立し、ほとんどの大臣職に王弟を任命した。そして内務省は地方統治の中央集権化に着手した。新たに「州」(モントーン)を設置し、バンコクから派遣された常駐の勅任弁務官の下におくとともに、一八九七年には臣民と王権の間で徴税や労働力の調達を担っていた在地中間権力を排し、州から村落に至る行政機構を設置する地方統治法を公布した。一九〇二年には臣民の区分を廃し、一八歳から六〇歳の男子壮丁に対し年に最高六バーツの人頭税を課すこととなった。一九〇五年には現存するタート(奴隷)の身価を毎月四バーツずつ減免し、タートの子すべてを自由民(thai)と見なし、新規売買を禁じた「タート法」と、「徴兵法」が相次いで制定され、王権に一律の義務を負うべき男子臣民を再編成していった。

シャムのエリートは概して西洋の知識や技術に対して高い関心を持ち、一九世紀前半より、主にキリスト教宣教師から宗教的知識のみならず、医術、印刷術、造船や軍事技術、地理学や天文学などの知識を得てきた(石井 一九八七)。一九世紀末、新たな法律など、西洋(植民地)の制度導入にあたっては、しばしばその利を説くべく「チャルーン」(繁栄)や英語の「文明」に由来する「シヴィライ」といった概念が示された。これらは、統合されつつあった地方や周縁に対するバンコクのエリートの優越性の根拠であり、国際社会における独立国シャムの地位と存在を示す拠り所でもあった(Thongchai 2000)。その一方、「奴隷」や一夫多妻制など社会慣行に対する西洋からの批判にも直面したが、その対応は選択的であった。

一夫多妻制については、一九世紀半ば以降、キリスト教宣教師を中心に批判が表明され、モンクットをはじめシャム側の男性エリートは反論を展開した。二〇世紀初頭に近代法の導入が検討されたとき、外国人アドヴァイザーは、家族など社会慣行に関わる領域はシャム人に委ねるべきとして民法の制定は見送られた。その一方で一九〇二年に砲艦を以てシャムに統合されたパッターニーには、民事、刑事ともにシャムの法が適用されることとなり、また婚姻や相続など家族に関わる訴えを管轄するイスラーム家族法廷が設置された(Loos 2006)。

他方「タート」については、一八七四年以降、緩慢ながら「解放」へ向けた法的措置が進められるに伴い、自由の国＝タイという認識も強調されるようになっていった。

一九〇四年に開催されたセントルイス万国博覧会出展の際、カタログとして作成された『シャム王国』には、各分野のお雇い外国人が執筆者として名を連ねた[8]。ここでシャムは「タイ Tai の国、すなわち自由 Free」であり、また「偉大なるタイ人種」の一つであるシャム人だけが西洋文明を理解・吸収して独立を維持していると説明された。一夫多妻制については許容されているものの少数派で、女性の地位には影響ないとし、奴隷についてはは古典的な意味ではシャムに存在したことはなく、かつて一般的であったいわゆる債務奴隷は地方ではみられるものの法的に廃止されたと説明された(Carter 1904: 19, 31, 45)。そして、チュラーロンコーンは、「奴隷」解放などの功績により同博覧会の「特別紀念賞」を受賞した。この博覧会参加の推進者は、皇太子ワチラーウットであった(NA.R.5.B.11/53)。

刑法の制定(一九〇八年)後、クダなどマレー半島の四つのプラテーサラートをイギリスに譲渡するとともに、条件付ながらイギリス臣民もシャムの法や課税に服することとした条約改正(一九〇九年三月)が実現し、その直後に中国人に対するプークピー税を廃止して毎年の人頭税に統一した。だが大幅な負担増を伴うこの変更が翌年四月にバンコクに適用されると、六月にバンコクで中国人の大規模なストライキが発生した。一〇月にチュラーロンコーンは亡くなり、即位したワチラーウットは、中国人を批判し、国王、宗教(仏教)、チャート(民族、ネーション)を柱とする上からのナショナリズムを推進することになる。

注

(1) 一九世紀シャム史の基本的事項については、例えば石井・桜井(一九九九)、柿崎(二〇〇七)、飯島・小泉(二〇二〇)、Wyatt (1984), Kullada (2004), Baker and Pasuk (2005)を参照されたい。また各国との条約については、条約集(*BT*)を参照のこと。

(2) 「ファムアン」と称し、バンコク王権の認証を得て在地の国主(チャオ・ムアン)が統治した。毎年スアイの納付を課される等、プラテーサラートより自立性は低かった。

（3） 紙幅の制約から詳細を略すが、条約締結交渉は、Bowring, 1969: Vol. II, 248-337; FO. 17/216; FO. 17/229; FO. 69/5; NL. CMH.R.4.C.S.1216, No. 113 等を参照。

（4） 本名チュアン。後に「ブンナーク」姓を得た有力一族のメンバー。父ディットの死後（一八五五年）、後を継いで兵部および南部統治を管轄するカラーホーム局の長に就任。欧米では「プライム・ミニスター」として知られた。

（5） 王宮名を以て「前宮」（ワン・ナー）とも呼ばれ、英語では第二王（the Second King）とも称された。ウィチャイチャーンの没後廃止され、皇太子制が導入された。

（6） マレー諸王国に関しては Kobkua（1988）を参照。

（7） 地方の統合はスムーズに進まず、各地で反乱が生じ、結局武力により平定された。

（8） シャムの万国博覧会への参加については、Peleggi（2002: Chapter 6）, Thongchai（2000: 540-542）を、人種主義との関係は、例えば Baker and Pasuk（2005: 62-65）を参照。

参考文献

飯島明子・小泉順子（二〇〇〇）「人を〝タート〟にしたくない――タイ史のジェンダー化に向ける一試論」『東南アジア　歴史と文化』二九。

飯島明子・小泉順子編（二〇二〇）『世界歴史大系　タイ史』、山川出版社。

石井米雄（一九八七）「『キッチャーヌキット』考――一九世紀シャムの知識人とキリスト教」『東洋文化』六七。

石井米雄・桜井由躬雄編（一九九九）『新版世界各国史5　東南アジア史1　大陸部』山川出版社。

柿崎一郎（二〇〇七）『物語　タイの歴史――微笑みの国の真実』中公新書。

小泉順子（二〇一二）「ラタナコーシン朝初期シャムにみる「朝貢」と地域秩序――「まるで琉球のようだ」（伊藤博文　一八八八年一月二十三日）」村井章介・三谷博編『琉球からみた世界史』山川出版社。

Anderson, Benedict R. O'G. (2014), "Studies of the Thai State: The State of Thai Studies", Benedict R. O'G. Anderson, *Exploration and Irony in Studies of Siam over Forty Years*, Ithaca, Cornell University Southeast Asia Program.(吉田他 1978)

Baker, Chris and Pasuk Phongpaichit (2005), *A History of Thailand*, Cambridge, Cambridge University Press.

Bowring, Sir John (1969 [1857]), *The Kingdom and People of Siam*, 2 Vols., London; Kuala Lumpur; New York; Bangkok, Oxford University Press.

BC: *Bangkok Calendar for the Year of Our Lord 1872*, Bangkok, American Missionary Association.

BP (1971), *The Burney Papers*, 5 Vols., Farnborough, Gregg (Reprint, Originally compiled and published by Vajirañāna National Library, Bangkok, 1910-1914).

BT (1968-69), *Bilateral Treaties and Agreements between Thailand and Foreign Countries and International Organizations*, Bangkok, Treaty and Legal Department, Ministry of Foreign Affairs, Thailand, Vols. I and II. (EN: English Section.)

Carter, A. Cecil (ed.) (1904), *The Kingdom of Siam: Ministry of Agriculture, Louisiana Purchase Exposition, St. Louis, U. S. A., 1904, Siamese Section*, New York and London, G. P. Putnam' Sons.

FO. 17: The National Archives, Kew, Foreign Office, Political and Other Departments, General Correspondence before 1906, China.

FO. 69: The National Archives, Kew, Foreign Office, Political and Other Departments, General Correspondence before 1906, Siam.

Hong, Lysa (1984), *Thailand in the Nineteenth Century: Evolution of the Economy and Society*, Singapore, Institute of Southeast Asian Studies.

Kobkua Suwannathat-Pian (1988), *Thai-Malay Relations: Traditional Intra-regional Relations from the Seventeenth to the Early Twentieth Centuries*, Singapore; New York, Oxford University Press.

Kullada Kesboonchoo Mead (2004), *The Rise and Decline of Thai Absolutism*, New York, RoutledgeCurzon.

Loos, Tamara (2006), *Subject Siam: Family, Law, and Colonial Modernity in Thailand*, Ithaca, Cornell University Press.

Peleggi, Maurizio (2002), *Lords of Things: The Fashioning of the Siamese Monarchy's Modern Image*, Honolulu, University of Hawai'i Press.

PRO 30/33/14/2: The National Archives, Kew, Sir Ernest Mason Satow: Papers, Letter books (private) Siamese mission.

Raffles, Stamford (1819), "Substance of a Memoir on the Administration of the Eastern Islands, by Sir Stamford Raffles, in 1819", [s. n.,].

"Siam", *Straits Times*, 8 July, 1851.

Thongchai Winichakul (1994), *Siam Mapped: A History of the Geo-body of a Nation*, Honolulu, University of Hawai'i Press.(石井米雄訳『地図が

つくられたタイ――国民国家誕生の歴史』明石書店、二〇〇三年)
Thongchai Winichakul (2000), "The Quest for 'Siwilai': A Geographical Discourse of Civilizational Thinking in the Late Nineteenth and Early Twentieth-Century Siam", *The Journal of Asian Studies*, 59-3.
Vichitr Vadakarn, Luang (1941), *Thailand's Case*, Bangkok, Thanom Punnahitananda.
Wilson, Constance M. (1970), "State and Society in the Reign of Mongkut, 1851-1868: Thailand on the Eve of Modernization", Ph. D. dissertation, Cornell University.
Wyatt, David K. (1984), *Thailand: A Short History*, New Haven, Yale University Press.

Chonthicha Bunnak (1984), "Kansuam amnat thang kanmuang khong khunnang nai samai ratchakan thi 5 (pho. so. 2416-2435): Suksa karani khunnang trakun bunnak", MA. thesis, Sinlapakon University.
NA.: National Archives of Thailand(タイ国立公文書館所蔵文書)。治世をR.に続く数字で示し、以下の略号で示した省・局等の分類とファイル番号を記す。B.: Bettalet; KT(L): Ekkasan yep lem, Krasuang kantangprathet; NK.: Nangsu krap bangkhom thun; RL-KH.: Ekkasan yep lem, Krom/Krasuang kalahom; T.: Krasuang kantangprathet.
NL. CMH.: National Library of Thailand, Chotmaihet(タイ国立図書館所蔵行政文書)。治世をR.に続く数字で示した後、小暦年(C.S.)と文書番号を記す。
PKPS: Sathian Lailak (ed.) (1935-), *Prachum kotmai pracham sok*, Bangkok, Delime.
PPRIII: *Phraratchaphongsawadan krung rattanakosin ratchakan thi 3, pho. so. 2378-2394, chabap Chaophraya Thiphakorawong*, Cremation volume for Than phuying Wongsanupraphat, 1939.

コラム｜*Column*

ジャワにおける植民地統治の進展と社会の分裂

菅原由美

ジャワでは一七世紀前半に隆盛を極めたマタラム王国が、一七世紀後半以降、内乱と王位継承戦争に苦しみ、王国はライバル勢力鎮圧のために軍事援助を求めたオランダ東インド会社に対し、徐々に領土を割譲していくこととなった。最後にはオランダとの一七五五年のギヤンティ条約により南部の中核地域もジョグジャカルタ王家とスラカルタ王家に二分割された。しかし、オランダ本国も一八世紀末よりフランスの影響下に入り、オランダ東インド会社は一七九九年に解散した。オランダによるジャワ社会への関与が深まっていくのは、ナポレオン戦争の終結により、オランダがフランスから解放されてからのことである。

オランダ政府はまず財政の立て直しのために、植民地経営による収益増を目指した。しかし、領地割譲と重税により財政難に陥った王侯領の貴族や農民は次第にオランダ統治に不満を募らせた。加えて一八一九年から二〇年にかけて、飢饉と疫病がジャワ島を襲い、二二年末に中部のムラピ山が噴火を起こした。ジョグジャカルタでは同年にハムンクブウォノ四世が亡くなり、幼い息子がハムンクブウォノ五世として即位したが、五世の後見役であった伯父のディポヌゴロ王子が、聖地を横切るオランダの道路建設計画を機に、「正義王」(ラトゥ・アディル)を名乗り、オランダに宣戦布告し、一八二五—三〇年にわたるジャワ戦争が開始された。ディポヌゴロ王子の母親は一五世紀にジャワでイスラームを広めた聖者スナン・アンペルの子孫であると信じられており、王子も王宮から離れたトゥガルルジョでイスラム教徒に囲まれ、曽祖母によって育てられた。マタラム王国は第三代国王スルタン・アグン(在位一六一三—四六年)の時代に、ジャワ北海岸のイスラーム勢力と婚姻関係を結ぶことによって版図を最大にしたとはいえ、その後も王宮とイスラーム勢力の間には一定の距離があった。それゆえ、ディポヌゴロ王子は特異な王子であったが、彼の呼びかけに応じ、ジャワ各地のイスラーム指導者たちが兵をあげたため、戦争は長期にわたり、双方に甚大な被害をもたらした。オランダ政府は損害を補うため「栽培制度」(Cultuurstelsel)を一八三〇年に開始した。

のちに「強制栽培制度」という異名で知られるようになる、この植民地政庁管掌の栽培制度は、ジャワの村落においてコーヒー、サトウキビ、藍などの商品作物を低賃金で栽培させる制度で、オランダ政府はその生産物を独占的に買い上げ、国際市場で販売することにより、莫大な富を得た。ジャワ人首長層が村落住民の労働力徴発に責任を負い、その報酬として地税・賦役の免除、職田の保持、徴収した地税の歩合報酬などの特権が認められた。これは、首長層の権力乱用につながり、規定以上の面積が栽培制度のために利用され、飢饉につながった地域もある。耕地は村落で共同占有され、政府栽培用以外の耕地は均等分割された。耕地を占有する者が税・賦役の義務を負うという村落慣習を利用し、できる限り多くの村人に義務を負担させるため、耕地の共同占有・均等分割が強制されていった。また、土地の疲弊を避けるために、耕地は定期的に割り替えられたが、首長層に肥沃な土地が広く配分され、残りを村民で分割した。この土地制度は死亡率の低下と高い出生率に結びつき、ジャワ農村は大幅な人口増加を経験し、ギアツが「貧困の共有」と呼んだ状況が生まれた。一八六〇年代以降、植民地経営は民間に門戸が開かれ、プランテーションは次第に政府栽培から民間栽培に移行し、伝統的賦役労働は賃金労働に変化し、耕地の割替え制も消滅した。しかし、プランテーションの拡大は、ジャワ農村において世界市場の動向に大きく影響を受けるモノカルチャー型農業を発展させることとなった。

一九世紀後半にはいると、植民地政庁はジャワ人首長の職務怠慢や不正に対し厳しい処置を取り始め、官吏として政庁への忠誠を求めるようになった。給与によって政庁に依存するようになったジャワ人官吏は生活や行動様式も西洋化し、オランダ人に宗教的にファナティックなイメージを持たれることを避けるために、イスラームとさらに距離を置くようになった。

ジャワ人首長層のそうした態度は、イスラーム指導者たちに深い失望を産み、この二者の間に社会を分断する亀裂が生じ始めた。イスラーム指導者は、都市のモスクの管理を任された宗教官吏を除き、村落で宗教寄宿塾を経営しており、その数は増加していた。背景として、一九世紀後半の経済状況の変化に加え、スエズ運河の開通や蒸気船交通の活発化などにより、メッカ巡礼者が急増したことが挙げられる。巡礼帰還者はハッジと呼ばれ、彼らは各地で次々とイスラーム寄宿塾を開いた。政庁は、宗教指導者が政治化することを危惧し、特にインド大反乱発生以降にはハッジ条例を出すなど巡礼に一定の規制をかけ、警戒した。様々な形態で頻発した農民による抵抗運動はどれも即座に鎮圧され、大きな反乱に至ることはなかったが、世界の動向やイスラーム改革思想はジャウィと呼ばれたアラビア文字のマレー語(ムラユ語)の新聞・雑誌などを通して東南アジアにも流入していった。

集点 | Focus

清朝の開港の歴史的位相

村上 衛

はじめに

世界の多極化の中、欧米が先導する形で世界が一方向に向かい、その多様性が失われていくというような言説はすでに説得力を失っている。各地域の個性を考えるうえでも、一九世紀の非欧米世界において何が変わり、変わっていないのか、その原因はどこにあるのかを検討することはますます重要になっている。むろん、中国も例外ではない。近代中国についても、開港と「不平等条約」による欧米への従属や、開港後も改革が進まずに日本との近代化競争に敗れ、日清戦争後に分割の危機に直面したといったイメージの見直しは進んでおり、中国の「半植民地化」といった表現も学術的にはほぼ消滅した。

本章は、こうした近年の中国近代史研究をふまえながら、開港を、清朝が抱えていた課題を克服し、中国が変化する機会であったととらえることにより、「西洋の衝撃」を再解釈してみたい。対象とする時期は清朝最盛期の一八世紀後半を視野にいれつつ、主として開港から清朝滅亡までとする。これは「長い一九世紀」を意識すると同時に、まさに第一次世界大戦前のこの時期こそが、中国が圧倒的な欧米および日本の影響を受け、大きく変化する可能性があった時代だからである。

本章では、一八世紀に最盛期を迎えた清朝が、一九世紀への世紀転換期に深刻な限界を抱えていたこと、そうした限界の多くを開港とそれにともなう変動によって克服したことを示す。そのうえで、何がその変化を促進し、何が変わらず、その変化を抑制したものは何であったのかを経済面を中心として考えることで、中国の長期の歴史にとっての開港というものを位置づけることとする。

一、清朝の限界

人口増大と開発の限界

一七世紀末の三藩《さんぱん》の乱《らん》平定・鄭氏降伏により清朝の中国本土支配が安定し、経済的には好況が続いたこともあり、一八世紀の中国はかつてない規模の人口増大を引きおこした。一六七九年の人口が約一億六〇〇〇万人程度であったのに対して、一八五一年には約四億三六〇〇万人に達したと推計されている(曹 二〇〇一：八三二—八三四頁)。しかし、清代における農業の技術革新は緩慢で、農業生産性の向上には限界があった。

人口増大を支えた最大の要因は中国内の移民であり、四川をはじめとする中国内陸部、雲南・貴州《きしゅう》などの西南の少数民族地域、陝西《せんせい》・江西《こうせい》・湖南《こなん》・浙江《せっこう》・安徽《あんき》などの山地、そして東北・台湾といった地域が増大した人口を吸収してきた。しかし、こうした移民による開発はしばしば略奪的で、生態環境に大きな影響を与えており、先住の少数民族との紛争も続発、開発は限界を迎えていた(曹 一九九七：六三—二六八頁)。そして山地の移民社会では、エリート集団と非エリート集団の対立のなかで、白蓮教徒《びゃくれんきょうと》の乱が発生する(山田 一九九五：一二七、一二八—一五六頁)。沿海部でも人口圧にさらされるなか、一八世紀末から福建・広東沿海を中心に漁民や港湾労働者からなる海賊集団が二〇年にわたって活動を続けており(豊岡 二〇一六：二八四―三二七頁)、各地で治安の悪化が進んでいた。

海上貿易管理の限界

清代の国内の各地域経済は孤立したものではなく、海外に対しても開放的で、外部需要の影響を強くうけたと考えられている(岸本 二〇一三：五八―六三頁)。したがって、清朝経済にとって対外貿易の大半を占める海上貿易の統制が重要になる。一七世紀末に東南沿海諸省に設置された海関は海上貿易全般を管轄し、仲介業者である牙行《がこう》を指定して取引および貿易の管理・徴税を行わせた。対欧米貿易の集中する広州貿易の場合は、外国人商人との取引を行う牙行(行商)以外にも、通訳(通事)や外国人商人の使用人である買辦《ばいべん》、外国船の広州への水先案内人などが管理に加わった(岡本 一九九九：六〇―七五頁、Van Dyke 2005: 9-94)。

広州貿易に貿易額・量の制限がなかったこともあり、一八世紀後半からの茶貿易発展にともない対欧米貿易が急速に拡大、広州に来航した欧米船の数は、一七六〇年に二〇隻であったのが、一八三〇年までには年一八〇隻になり、広州に来航する欧米人の数も数万人に達し、貿易管理は困難になっていった(Van Dyke 2005: 53-94)。行商は拡大する貿易に対応できず、外国人商人への負債を抱えて次々と倒産、行商以外の商人による外国人商人との取引も拡大して管理体制は形骸化する(岡本 一九九九：九五―一〇五頁)。この状況を決定的にしたのがアヘン貿易の拡大であり、清朝政府は牙行を通じた取り締まりを図ったが、かえって牙行を回避する貿易が拡大、貿易管理の崩壊は決定的となった(村上 二〇一三 a：三二―八四頁)。かかるアヘン貿易の拡大は、中国からの銀流出を招いた可能性が高く、それは清朝の財政難のみならず、広範囲におよぶ中国経済の停滞を引き起こしたと考えられる。(1)

「小さな政府」の限界

清朝は一八世紀中葉には人口・領域的にも巨大国家になった。しかし、清朝は正規の国家財政の収支が王朝創設期に設定された「原額《げんがく》」に拘束されて弾力的な増減ができなかった。それゆえ一八世紀の物価の上昇により正規の国家財政は実質的に縮小し、清朝は極端に「小さな政府」となっていった。慢性的に経費が不足していた地方政府は付加税などの非公式の収入によってその不足分を補ったが、それが不公平な徴税や腐敗を招いた(岩井 二〇〇四：三五―六二頁)。

清朝統治が困難に直面するなか、陶澍《とうじゅ》や林則徐といった「経世済民」(世を経め、民を済う)型官僚は、当時弊害が累積していた塩政、治水、漕運といった問題に対処したが、それは太平天国戦争期からその後にかけて総督・巡撫《じゅんぶ》らによって行われた改革に先立つものであった(大谷 一九九一：二二四―二六八、三六一―三八五頁、同 一九九五：四一一―四三二頁)。しかし、安定的な財源が欠如したうえ、既存の枠組みでは対処できない課題も多かった。

つまり、開港直前期の清朝は人口膨張による人口圧と開発の限界による治安悪化、海上貿易の管理崩壊と貿易赤字による銀流出、財政難による統治の困難というように様々な面で限界に直面しており、既存のシステムに基づいて対処するだけでは解決は困難であった。開港の「衝撃」は危機を加速させた一方で、こうした限界を克服するチャンスとなった。

二、開港場システムの成立

開港後の混乱

アヘン戦争による南京条約により五港が開港した。南京条約とその附属の諸条約によって欧米人が敵視していた牙行(行商)による貿易管理や徴税といったシステムは消滅し、協定関税制度が導入され、低関税による「自由貿易」が実現するはずだった。

ところが、「自由貿易」は密輸と海賊の横行により機能しなかった。最も重要な開港場となっていく上海では、外国人商人に雇用される買辦として到来した広東人が、海関職員の広東人と結託することにより、密輸が横行した(岡本 一九九九：一九八―一九九頁)。さらに、開港後の沿海部においては広東人や福建人の海賊活動が活性化することによって開港場における安全な貿易すら困難になった(村上 二〇一三a：一三七―一四一頁)。

開港後のアヘン輸入増大に対し、生糸・茶などの中国産品輸出は停滞したため、貿易赤字が拡大して銀の流出は増大した。その結果、銀と銅銭の交換レートは著しい銀高となり、銅銭を日常的に使用している農民や手工業者・労働者は打撃を受けて治安が悪化、これが太平天国《たいへいてんごく》拡大の原因となった(Lin 2006: 72-143)。さらに華北の捻軍《ねんぐん》や、西南内陸部の少数民族の反乱、西北および雲南の回民《かいみん》反乱など、多数の反乱が同時多発的に発生、その直接・間接の犠牲者数は膨大で、太平天国戦争だけでも死者七三〇〇万人に達したともいう(曹 二〇〇一：五五三頁)。このほか、開港場やその付近では広東天地会《カントンてんちかい》の乱や廈門《アモイ》・上海の小刀会《しょうとうかい》の乱といった秘密結社が主導する反乱が生じ、開港場貿易に脅威を与えた。

対外関係も安定しなかった。開港にもかかわらず、綿製品の中国への輸出が停滞したことはイギリスを失望させたが、中英の外交交渉は行き詰まっていた。そこでイギリスは開港場を増やすことによる輸出拡大をねらい、フランスと組んで第二次アヘン戦争を引きおこしてこれに勝利した。その結果、イギリスは天津・北京条約によって長江沿い・華北の開港場設置など、「自由貿易」を実現するために希望していた要求をほぼ実現した。

開港場システムの成立

開港にともなう混乱は、一八五〇年代に収束へと向かった。対外関係をみると、第二次アヘン戦争では広州以外の開港場は戦場とならず、清朝地方官僚と外国領事らの協力関係は維持された。かかる協力関係に基づき、清朝側が外国・外国人に業務を「委託」する形で懸案の解決が進んだ。密輸については、上海における密輸防止のため、海関において徴税部門に外国人税務司が入る外国人税務司制度が導入された。天津・北京条約によって、これはあらたな開港場を含む全開港場に適用されることになり、密輸問題は概ね解決した(岡本 一九九九：一九五―二〇三頁)。沿海の治安も、広州・厦門・上海などの開港場とその周辺における反乱は一八五五年までにすべて鎮圧された。開港場では清朝地方官がイギリス領事を介してイギリス海軍艦艇に依頼する形で広東・福建人海賊の掃討が進み、一八六〇年代までに開港場貿易の安全が確保された(村上 二〇一三a：一四五―一六九頁)。

開港場交易に携わる人々の生命と財産を保護するのが、開港場に設置された外国が行政権をもつ外国人居留地域としての租界《そかい》であり、各開港場において様々な経緯で誕生した。上海では一八四五年の中英間の土地章程《とちしょうてい》によって租界が成立し、その後アメリカ・フランスも租界を獲得した。一八六〇年の太平天国の江南侵攻を背景として、蘇州をはじめとする江南諸都市から官僚や士大夫《したいふ》、商人を含む多数の中国人が上海租界に避難し、太平天国鎮圧後も一部が留まったことから、租界人口の大半は中国人が占め、中国人と外国人が雑居する都市となった(周・呉 一九九九：六三―七一頁)。租界の中国人都市化は、その他の租界でもみられ、開港場租界は外国人のみならず、中国人の経済活動の拠点となった。

開港場とその租界には外国商社が進出、外国汽船会社によって倉庫や埠頭《ふとう》が設置されるなど港湾のインフラ整備も進んだ。香港上海銀行をはじめとする外国系銀行も開港場に展開、開港場を結ぶ金融ネットワークが形成された。外国人税務司制度のもと、海関は郵便システムや航海の安全のためのインフラを整備した。一八七〇年代以降は外国汽船会社や輪船招商局による蒸気船航路網が発達、安価で大規模な物流が可能になった。同時期、開港場は国際的な電信網に接続し、開港場中心の情報通信ネットワークが形成された。

かくして開港場は、業務を「委託」された欧米人を利用しつつ、中国におけるモノ・カネ・情報のネットワークの中心となり、ここに開港場システムが成立した。

三、清朝の限界克服とその背景

清朝の限界克服

開港場システムの成立と並行して、貿易赤字による銀流出問題は早期に解決した。開港後に停滞していた生糸と茶の輸出は一八五〇年代後半から本格化した。これに加えて、西南・西北の内陸地域における国産アヘンの大量生産によってインド産アヘンの輸入が減少、輸入代替化が進んだ(林 一九八〇)。その結果、少なくとも海関統計の利用できる一八六四年には貿易黒字となり、この基調は一八八〇年代末頃まで続いた(Hsiao 1974: 268)。貿易黒字は中国への銀の流入をもたらし、中国経済の復調につながった。

かかる貿易拡大と流通部門への課税拡大は財政面での限界を克服した。外国人税務司制度の全開港場への導入と貿易拡大の結果、関税収入は増大し続けた。一八六四年の海関の収入が約七八七万海関両であったのに対して、一九一一年には約三二五〇万海関両に達した(*Ibid.*: 132-133)。地方財政についてみると、一八五三年には太平天国戦争の軍事費調達のために流通税である釐金《りきん》制度が導入されたことによって組織的な流通部門への課税が可能になり、開港場貿易の拡大にともない釐金収入も増大した。これら関税と釐金などの内地諸税という安定的な財源は中央・地方財政の安定化に寄与し、反乱鎮圧と多様な近代化事業の実施が可能になった。

人口圧の緩和に最も貢献したのが戦乱と移民である。太平天国などの諸反乱による膨大な犠牲は結果的に人口圧を緩和した。太平天国の被害が大きく、四割の人口を失ったともされる江蘇・浙江・安徽では、太平天国戦争後に移民が流入したが、それによる人口増は限定的で、多くの地域において生活は好転した（曹 一九九七：四一四－四七一頁）。

満洲では一九世紀後半にロシア極東の開発とリンクして北部満洲の開発が進展していたが、世紀転換期の中東鉄道建設による満洲の世界経済への連結によって北部満洲は小麦・大豆の大生産地となった。その結果、山東からの移民は増大し、満洲の人口は一九世紀の半ばに三〇〇万人程度であったのが、一九一一年前後には一八〇〇－一九〇〇万人に達したと推計されている（荒武 二〇〇八：一四六－一七一頁）。

華南からの海外移民も大幅に拡大した。南北アメリカやオセアニアなど、開港後の新たな移民先もあったが、華南からの移民が集中したのは東南アジア方面であり、多くが出稼ぎで、約八割が帰国したものの、一部はそのまま移住して東南アジア華人となった（杉原 一九九六：二九九－三〇七頁）。これは華南の人口圧の一層の緩和につながったうえ、華人から華南への送金は、一八八〇年代以降の華南の開港場における貿易赤字を補塡し（浜下 一九九〇：五六－五七頁）、一九世紀半ばのような銀流出問題を回避することが可能になった。

また、一九世紀後半以降、東南アジアのデルタ開発が進んで米生産が増大、二〇世紀初頭には広州をはじめとする華南沿海諸都市は、華中のみならず東南アジアからも数十万トンにのぼる米の供給をうけることが可能になり（堀地 二〇一二：四五二－四五七頁）、供給源の多様化により食糧供給は安定、これも華南の人口圧の緩和に貢献した。

かくして、開港とそれにともなう変動、とりわけ開港場貿易の発展により、人口圧、貿易管理と銀流出、財政問題といった清朝の抱えていた課題が一挙に解決した。

生産の対応

開港場貿易発展の背景には、開港以前から各地域に多様な一次産品が展開しており、それが激しい国際競争のなかで中国の強みとなったことがある。日本が開港し、東南アジア諸国が植民地化するなか、一八六〇年代以降、インドも含めたアジア間競争が激化した。中国産の茶はインド・セイロン・日本産の茶、中国産生糸は日本産生糸との競争にさらされ、一八八〇年代以降にその輸出は減少・停滞した（陳 一九八二：二三二－二五六頁、曽田 一九九四：七二－九〇頁）。一方で、一八七〇－九〇年代における銀価の下落により、中国だけが大量に生産ないし輸出できる綿花・皮革・羊毛・葉煙草・動植物性油脂などといった一次産品の競争力が増し、その対ヨーロッパ輸出が拡大したことにより（木越 二〇一二：三五－六三頁）、茶・生糸貿易の停滞のなかでも輸出は拡大した。

かかる一次産品生産を可能にしたのが、中国農民の柔軟な対応である。中国の小農経営には制約が少なく、開港以前から個々の経営判断で副業としての商品作物栽培や手工業製品製造に対応してきた。清末においても環境が許す限り、より有利な商品作物を選択して作付けし、場合によっては移民先で生産を行い、多様な一次産品生産に貢献した。

流通の対応

開港場の貿易拡大には、開港場から外側に広がる広域ネットワーク形成と、開港場から中国の開港場以外の地域、すなわち内地市場への接続が重要となる。広域ネットワークとしては、一九世紀後半に中国・日本・朝鮮にまたがる地域経済圏を形成した上海ネットワークのように、国境にとらわれない貿易ネットワークが形成された（古田 二〇〇〇：九一－一一七頁）。同様の広域ネットワークは華南と東南アジアにまたがる経済圏を形成した香港はもちろん、各開港場においても形成され、世界市場と結びついた。

開港場を世界市場と結びつけ、広域ネットワーク形成に寄与したのが欧米商社と華人である。華人は開港以前から東南アジアに商業ネットワークを広げていたが、開港後の移民増大はそのネットワークをさらに拡大させ、日本や朝鮮といった東アジアの開港場にも進出した。こうした華人は、欧米や日本が開港場や植民地に張り巡らせた銀行などのインフラを利用して自らのネットワークを拡大した。例えば東南アジア華人が華南に送金する際に、送金業者である信局《しんきょく》は香港上海銀行などの欧米系銀行の銀行為替を利用した。また、朝鮮華商は仁川から上海への送金に際して欧米系銀行を使用して為替送金したほか、コストの低い日系の銀行を利用して神戸・横浜・長崎を迂回して上海に送金していた(浜下 一九九〇:一九九頁、杉原 一九九六:三一二―三一三頁、石川 二〇一六:二七〇―二八〇頁)。

開港場と中国の内地市場を接続したのが、開港前の広州貿易における牙行(行商)・通事・買辦そして銀鑑定業者の機能を継承した買辦であった(根岸 一九四八:一〇七―一一五頁)。買辦は当初、内地購買制度と呼ばれるように、現銀を内地に持ち込んで、茶や生糸を購入した。その後、次第に倉庫業などを兼ねる仲介業者である行桟《こうさん》や牙行が内地から商品を引き出す役割を担い、内地から開港場への商品移出や内地への輸入品販売が円滑に進むようになった。貿易の拡大と扱われる商品が増大するのに伴って、行桟の種類やその数も増大していった(庄 二〇一二:二〇一―五五頁)。

このようにしてみると、開港場貿易を円滑ならしめたのは、開港前から既に存在した生産・流通のあり方や仲介者・ネットワークといった経済的な制度であり、これが欧米の技術と制度をもとに新たに生まれた開港場のインフラと結びつくことによって内地経済を世界経済に接続、開港場貿易の発展をもたらした。つまり、開港場システムは在来の制度と外来の制度が結びついたハイブリッドなシステムであることによってはじめて機能した。では、こうした開港場システムの成立は内地経済のあり方に変化を与えたのだろうか。

四、開港と内地の構造

生産構造とその変化

内地における一次産品の生産は拡大したものの、生産構造における変化は少なかった。農村部における小農をベースとする零細な生産体制に変化はなく、在来の生産技術に依存し、技術的な改善も限られていた。したがって生産性が向上せず、それが茶などの国際的な競争力の低下を招いた(Gardella 1994: 117-124, 170-173)。小農ベースの生産体制は、基本的には中華人民共和国成立まで続き、農業の生産性向上には限界があった。

農業の生産性向上や地域工業化が困難であったのには資本集積の問題がある。中国では遊休資金の多くが官僚の手元に集中していた。地方官の正規の給与は少なかったが非正規の収入が極めて多く、一八八〇年代に平均して知県・知州レベルでは年間三万両、全官僚の総計は約一億一五〇〇万両に達したという推計もある。当時の人口一人あたりの年収は一〇両にも満たなかっただろうから、知県の非正規収入の大きさが分かる(Chang 1962: 40-42, 328)。しかし、年間八〇〇〇万両に満たないような中央財政の収入をはるかに上回る収入を得る官僚達の資産は、知県・知州が一五六〇人にのぼったように、全体としては分散しており、支出の大半がスタッフの人件費や官僚間の交際費、商業・高利貸・不動産への投資で占められ、近代化事業に投資するためのパイプも、その発想もなかった。

民間の資本は買辦や行桟をはじめとする商人を中心として開港場で蓄積し始めていたものの、核となる資金在庫がなく、それは日本の製糸金融のように地域経済ごとに遊休資金の集約機構が機能していた状況とは大きく異なった(黒田 二〇〇三：一七二—一七六頁)。伝統的な合股《ごうこ》と呼ばれる金融組織も広範に存在したが、地縁・血縁・交友関係を利用して資金を集めたために出資者の範囲に限界があり、多額の資金を集めることは困難であった。

そこで、李鴻章《りこうしょう》をはじめとする総督・巡撫などの有力官僚が主導して新たな財源を利用しつつ、軍需工場を中心に官辦《かんべん》(官営)企業が設立されたが、経営効率は悪かった。これに加えて民間から資金を集め、官僚が監督する官督商辦企業が成立し、工業化が試みられた。しかし、官督商辦企業の経営は合股形式であり、民間資金の募集も困難であったうえ、官僚の影響力も強化された。上海機器織布局に一〇年間の独占という特権を付与したことが民間や外資系の綿業の発展を妨げたように、全体として産業の発展を阻害する側面もあった(鈴木 一九九二:三〇―三六、一二一―一二七四頁)。

日清戦争後になると民間企業の設立も本格化した。官僚・士大夫の意識も変わり、近代化事業に投資するようになった。ただし、技術革新への投資は進展せず、新たに資本を集める仕組みとなっていった株式会社制度も、出資金に対する利息である「官利」などの負担が重いといった、中国独自のあり方による制約は残っていたし、財政的な理由から政治と経済の結びつきが強まることも多かった。

内地経済へのアクセス

内地の生産構造の変化が少なかったのは、外部の衝撃が内地に伝わらず、既存の商慣習や貨幣制度などがその独自性を維持したからである。インフラの面をみると、清朝政府の当事者が鉄道の有効性を認識して鉄道敷設を本格化したのは日清戦争の敗北後であり、実際に完成したのは二〇世紀に入ってからであった(千葉 二〇〇六:六八―九五、一四一―一七四頁)。かかる鉄道網の発達の遅れと結果的に満洲を除いて鉄道経営の主導権を中国側が掌握していったことは、鉄道を利用した外国による内地への影響力浸透を防いだ。

対外貿易の拡大は、流通業者の集約には進まず、逆に介在する仲介者を増やし、分節構造が形成された。例えば、甘粛《かんしゅく》・新疆《しんきょう》・モンゴル産の羊毛を天津まで輸送してアメリカに輸出する羊毛貿易も、開始時の一八八〇年代よりも二〇世紀初頭の方が仲介業者の種類が増え、流通の重層化が進展し、それは辛亥革命後に一層顕著になる(村上 二〇一六:一二三、四一―四二頁)。こうした仲介者の介在が増えることによって、外国人商人も買辦も内地から次第に押し出される形になり、流通面における分節構造の形成は外国人の内地への浸透をより困難にしただけでなく、外からの衝撃を一層伝わりにくくした。

開港場を経由して世界市場と内地を結ぶ華人のネットワークは欧米や日本の提供する開かれたインフラを使用しつつ、同郷・血縁関係を利用して広がる点では、開放性をもっていた。一方で、一九一〇年代初頭、廈門とシンガポールを結ぶ福建人の移民ネットワークが、北ボルネオの植民地政府が主導する新たな移民ルート形成に対し、中国人代理人を徹底的に妨害して失敗に追い込んだように(村上 二〇一四：五七―六一頁)、同郷・血縁関係をもたない人々にとっては閉鎖的なネットワークであり、ましてや外国人やその代理人は入り込めず、内地経済へのアクセスにはつながらなかった。

内地の利権構造

内地へのアクセスが困難であった最大の原因は、まさに、清朝財政を救い、開港場貿易を発展させた構造にあった。地方当局が行桟などの有力商人ないし彼らが組織する商人団体に特定の商品の取引に関わる特権を与える代わりに釐金をはじめとする流通税の徴収を請け負わせたことによって、内地で様々なレベルの地方政府と商人(団体)が結びつく利権構造が形成され、内地流通を支配した。外国人商人は内地市場に入り込めず、買辦や中国人商人に依存し、開港場の租界に押し込められた(宮田 二〇〇六：三七―六五頁)。かくして、その後の外国人商人の内地への影響力は金融面を通して行使されることになる。

釐金などの内地諸税の課税という「自由貿易」を阻害するシステムに対しては、イギリスの要求により、通過貿易という、輸出品とアヘン以外の輸入品が釐金などの内地諸税を免除されるシステムが導入されていた。一八八〇年代以降、上海の外国企業向けの乾燥繭や原綿の貿易では、この通過貿易という「不平等条約特権」を利用する中国人が出現することにより、商人団体による流通支配が弱まり、内地の利権構造も動揺した(本野 二〇〇四：一四四―一七二頁)。もっとも、乾燥繭の主たる供給源となった無錫《むしゃく》では一九〇〇年以降、繭業公所《けんぎょうこうしょ》が設立されて税徴収を委任されるなど、新たな利権構造が再編されていた(鈴木 一九九二：三八九―三九〇頁)。一八九〇年代前半、鎮江《ちんこう》における通過貿易に対しては組織的な課税が行われており、それを外国人商人の名義を使用した中国人商人が受け入れることで通過貿易は円滑に行われていた(村上 二〇一三b：九三―九九頁)。

つまり通過貿易は既存の商人団体などに打撃を与えて流通の再編をうながす一方で、新たな利権構造を生み出し、内地に浸透するにしたがって清朝側の利権構造の中に取り込まれていたから、外国側が主導権を握って内地流通を掌握することにはつながらなかった。

欧米の影響力と中国ナショナリズム

欧米の影響力は開港後、一貫して強化されてきたわけではない。イギリスの「砲艦外交」といわれる軍事的な圧力をかけて清朝政府に要求を行っていく政策は、第二次アヘン戦争後には「協力政策」といわれるように外交的圧力を行使する政策へと転換した(坂野 一九七三：二七五頁)。その後の諸条約は開港場を増やしたが、外国側が内地にアクセスしやすいように、貨幣システムをはじめとする内地における独自の経済制度の変化を清朝側に強いることもできず、条約で認められていなかった外国企業による製造業は開港場の一部で展開するにとどまった。日清戦争から義和団戦争にかけて、欧米側は中国における権益を拡大したものの、「勢力圏」と称した地域においても、影響力は点(開港場・鉱山)と線(鉄道)にとどまり、内地の利権構造に手を触れることはなかった。

欧米人が開港場の租界に引きこもっている以上、欧米側が金融面以外で中国内地に影響力を行使しようとすれば、買辦やイギリス籍を主張する華人といった中国人の「代理人」を利用するほかない。しかし、「代理人」たちは自らの利益のために「不平等条約特権」を利用して中国側との紛争を引きおこすことが多く、イギリス側にも彼等を利用する意思も、その能力もなかった(本野 二〇〇四：三〇五―三〇九頁、村上 二〇一三a：四四〇―四四一頁)。そのうえ、中国ナショナリズムの誕生の背景には、こうした特権の行使を図る買辦や外国籍華人、中国人キリスト教徒への反発もあった(吉澤 二〇〇三：一四頁)。そのため、中国ナショナリズムの高揚にともなって、中国人と外国人をつなぐ仲介者はその攻撃対象となり、彼らの租界以外の中国内地での活動は限定され、さらには外国が獲得した鉄道や鉱山などの利権も二〇世紀に入ると中国側に回収されていった。

このように、日清戦争・義和団戦争といった対外戦争の敗北による清朝の弱体化と列強の影響力拡大のイメージとは異なり、二〇世紀の世紀転換期に、外国の影響力は中国内部に浸透するどころか、中国の外縁に押し出されていく。その中で日本のみが例外的に領域支配を拡大、下関条約で認められた開港場の外国人の工場設置権を利用して企業が大規模に進出していった。日本企業は概して買辦に依存せず、中国の商慣習を学び、租界のみならず内地への浸透を図ったことから、中華民国期に入り中国ナショナリズムと衝突することになる。

おわりに

開港によって成立した開港場システムは世界市場とつながることで貿易を発展させ、それは一八世紀以来清朝が抱えていた限界を克服するのに大きく貢献した。これは既存の経済的な制度が開港場システムと結びつくことによって実現した。一方で、開港場以外の内地における構造的な面での変化は少なかったが、これは、既存の経済的な制度が内地への浸透を阻止し、次第に外国の影響力を排除していったことが背景にある。つまり、開港は開港場システムという既存の制度と外来の制度が結びついたハイブリッドなシステムを生み出したが、結果的にそれが外からの影響に対する緩衝材として機能することになり、内地における既存の構造を変えることはなかったのである。

その後、中華民国期・中華人民共和国期における大きな政治・経済変動を経て中国の経済構造は大きく変化し、金融システムの変化によって資本集積は進み、生産構造の課題は克服され、民間主体の技術革新も進展し、それが現在の経済発展につながっている。

もっとも、中国の内部に外からの影響力が浸透しないのは、現在も変わらない。外資系企業も合弁などの形をとりつつ中国市場へ進出しているが、中国企業に代替されて撤退していく企業や、実質的には中国の構造に取り込まれている企業も多い。清末の開港場のように中国と外国の間の仲介機能を果たしていた香港の役割も大きく変化しつつある。一方で、政治と経済の関係は清末よりもいっそう深まり、清末と同様、その実態は外からはほとんど分からない。そして伝統的な土地「所有権」制度や「合股」企業は、現在においてもその命脈を保っている(梶谷 二〇二一：二〇九―二三一頁)。つまり、経済の著しい発展によっても、中国内部の構造には変わらない部分があるし、あるいは時を経て再生する経済的な制度も存在するのである。

したがって外からの衝撃がなぜ中国のある部分を大きく変え、またある部分を変えないのか、なぜ同じようなシステムが再生するのか、経済面に限らず、その原因を構造的に考えることは、中国近代史の重要な課題である。また近代中国にみられたような外部からの衝撃を緩和して地域の独自性を維持する構造は、日本も含め、さまざまな地域においてもみられると考えられるが、外からの衝撃に対する各地域の変化の仕方は一様ではない。各地域の社会・経済の構造と「衝撃」への「耐性」を比較することは、世界の多様性が注目される現在、近代史共通の重要な課題といえよう。

注

(1) アヘン戦争前の銀流出の原因と、それが中国経済に与えた影響については、林満紅、岸本美緒、フォン・グラン、イリゴインらによる議論が行われている(豊岡・大橋 二〇一九)。

参考文献

荒武達朗(二〇〇八)『近代満洲の開発と移民――渤海を渡った人びと』汲古書院。

石川亮太(二〇一六)『近代アジア市場と朝鮮――開港・華商・帝国』名古屋大学出版会。

岩井茂樹(二〇〇四)『中国近世財政史の研究』京都大学学術出版会。

大谷敏夫(一九九一)『清代政治思想史研究』汲古書院。

大谷敏夫(一九九五)『清代政治思想と阿片戦争』同朋舎出版。

岡本隆司(一九九九)『近代中国と海関』名古屋大学出版会。

梶谷懐(二〇一一)「中国経済における「制度」の連続性をめぐって――土地所有・企業制度からの視点」村上衛編『転換期中国における社会経済制度』京都大学人文科学研究所。

木越義則(二〇一二)『近代中国と広域市場圏――海関統計によるマクロ的アプローチ』京都大学学術出版会。

岸本美緒(二〇一三)「明末清初の市場構造――モデルと実態」古田和子編『中国の市場秩序――一七世紀から二〇世紀前半を中心に』慶應義塾大学出版会。

黒田明伸(二〇〇三)『貨幣システムの世界史――〈非対称性〉をよむ』岩波書店。

杉原薫(一九九六)『アジア間貿易の形成と構造』ミネルヴァ書房。

鈴木智夫(一九九二)『洋務運動の研究』汲古書院。

曽田三郎(一九九四)『中国近代製糸業史の研究』汲古書院。

千葉正史(二〇〇六)『近代交通体系と清帝国の変貌――電信・鉄道ネットワークの形成と中国国家統合の変容』日本経済評論社。

豊岡康史(二〇一六)『海賊からみた清朝――十八～十九世紀の南シナ海』藤原書店。

豊岡康史・大橋厚子編(二〇一九)『銀の流通と中国・東南アジア』山川出版社。

根岸佶(一九四八)『買辦制度の研究』日本図書株式会社。

浜下武志(一九九〇)『近代中国の国際的契機――朝貢貿易システムと近代東アジア』東京大学出版会。

坂野正高(一九七三)『近代中国政治外交史――ヴァスコ・ダ・ガマから五四運動まで』東京大学出版会。

古田和子(二〇〇〇)『上海ネットワークと近代東アジア』東京大学出版会。

堀地明(二〇一一)『明清食糧騒擾研究』汲古書院。

宮田道昭(二〇〇六)『中国の開港と沿海市場——中国近代経済史に関する一視点』東方書店。

村上衛(二〇一三a)『海の近代中国——福建人の活動とイギリス・清朝』名古屋大学出版会。

村上衛(二〇一三b)「动かない証明書——一九世紀末、鎮江における通過貿易問題」森時彦編『長江流域社会の歴史景観』京都大学人文科学研究所。

村上衛(二〇一四)「植民地と移民ネットワークの相克——辛亥革命期、廈門における英領北ボルネオ華工募集事業を中心に」『東洋史研究』七二巻四号。

村上衛(二〇一六)「清末天津の羊毛貿易と通過貿易」同編『近現代中国における社会経済制度の再編』京都大学人文科学研究所。

本野英一(二〇〇四)『伝統中国商業秩序の崩壊——不平等条約体制と「英語を話す中国人」』名古屋大学出版会。

山田賢(一九九五)『移住民の秩序』名古屋大学出版会。

吉澤誠一郎(二〇〇三)『愛国主義の創成——ナショナリズムから近代中国をみる』岩波書店。


曹樹基(一九九七)『中国移民史 第六巻 清 民国時期』福建人民出版社。

曹樹基(二〇〇一)『中国人口史 第五巻 清時期』復旦大学出版社。

陳慈玉(一九八二)『近代中国茶業的発展与世界市場』中央研究院経済研究所。

林満紅(一九八〇)「清末本国鴉片之替代進口鴉片(一八五八—一九〇六)」『中央研究院近代史研究所集刊』九期。

周武・呉桂龍(一九九九)『上海通史 第五巻 晩清社会』上海人民出版社。

荘維民(二〇一二)『中間商与中国近代交易制度的変遷——近代行桟与行桟制度研究』中華書局。

Chang, Chung-li (1962), *The Income of the Chinese Gentry*, Seattle, University of Washington Press.

Gardella, Robert (1994), *Harvesting Mountains: Fujian and the China Tea Trade 1757-1937*, Berkeley, Los Angeles and London, University of California Press.

Hsiao, Liang Lin (1974), *China's Foreign Trade Statistics 1864-1949*, Cambridge, Mass., Harvard University Press.

Lin, Man-Houng (2006), *China Upside Down: Currency, Society, and Ideologies, 1808-1856*, Cambridge, Mass., Harvard University Asia Center.

Van Dyke, Paul A. (2005), *The Canton Trade: Life and Enterprise on the China Coast, 1700-1845*, Hong Kong, Hong Kong University Press.

コラム | *Column*

太平天国の「女性解放」言説をめぐって

倉田明子

太平天国運動が女性解放に寄与したという言説は、太平天国評価のひとつとして一定の存在感を有してきた。ただ、日中を問わず、太平天国研究の現場においてはこうした言説に疑問符がつけられてきた。

まず、太平天国運動と女性解放が結びつけられた理由を振り返っておこう。最初に太平天国における女性の地位について賞賛したのは、太平天国の後期の武将李秀成に仕えたイギリス人リンドレー(Augustus Frederick Lindley)の『太平天国』である。リンドレーは著書の中で、太平天国の制度や組織において最も優れた点は、女性の地位が向上し文明国の標準にまで近づいたことだ、と述べている。女性の地位に関する研究としては、中華民国期の太平天国史研究を牽引した簡又文《かんゆうぶん》が、日中戦争期に執筆した論考をもとに戦後も考察を重ね、一九六〇年代に『太平天国典制通考』の中で「女位考」と題した長大な論考を完成させた。中華人民共和国でも、太平天国研究の大家となった羅爾綱《らじこう》が一九九〇年代に完成させた『太平天国史』に、やはり女性の地位に関する論考を収録している。これらの研究では、リンドレーの評価も引き継ぎつつ、太平天国は女性解放を大いに前進させたと結論づけられている。その根拠として挙げられるのは、太平天国の宗教「上帝教」では、皇上帝〔神〕は全ての人の父であり、男はみな兄弟、女はみな姉妹となる、とされていること、反乱初期においては男女が厳格に分離され、女性軍が男性と肩を並べて戦ったこと、纏足《てんそく》を禁じたことなどである。また、太平天国前期の綱領とされる『天朝田畝制度《てんちょうでんぽ》』で、男女に等しく土地を分配することや、婚姻において、従来は男性側の家から女性側の家に金銭を渡す「売買婚」が主流であったのに対し、財産は無関係である、と定められていることも評価されてきた。

これに対して、実態はどうだったのか、という観点から近年反論が加えられるようになった。すなわち、『天朝田畝制度』はほとんど実施には至っていない、纏足はそもそも反乱の発生地域である広西の客家《ハッカ》人女性の間では行われておらず、南京占領後に発布された纏足禁止令で纏足を強制的に解かれた江南地域の女性は、苦痛の中で肉体労働を強いられることになった、といった指摘である。また、「太平天国天京女館述論」において男女分離策の一環として南京占領後に制定された女館制度について論証した朱従兵《しゅじゅうへい》は、夫婦や家族の関係を断ち切られて女館に強制的に入れられた女性たちの厳しい生活実態を広範な史料から実証し、さらに彼女らが首領たちによって随時「選ばれ」、後宮に連れて行かれる状態にあったことを明らかにした。また、戦闘に参加した女性は反乱初期から参加していた広西出身者を中心とする少数の女性たちで、これも集団の生死をかけた戦争であったがためのやむを得ない結果であって、女性解放とは無関係であるとも指摘している。そして朱は、太平天国においては結局のところ女性たちの身体と精神は管理され、服従を強いられる状態であったと結論づけている。表面的に女性が得ていたように見える法的、社会的権利や機会も強制的に与えられたものであって、女性が主体的に選択できるものではなかったという点において、決して女性を「解放」するものではなかったというのである。

こうした近年の議論は極めて説得的であり、やはり女性の側の意思や主体性を発揮できないところに女性の地位向上を

リンドレー『太平天国』に描かれた忠王府の女性たち

見いだすことは困難である。ただ、そのこととは別に、太平天国の女性観を中国の伝統との比較の中で問い直すことは、太平天国の中国史における位置づけを考えるうえではなお有用であるかもしれない。

現実性はともかくとして、上帝教の根幹にあった男女平等の思想、すなわち皇上帝〔神〕は全ての人の父であり、男はみな兄弟、女はみな姉妹となる、という教えはそもそも何に由来するのであろうか。親子や夫婦間の秩序〔序列〕を無視しているという意味で、これが儒教道徳の規範にそぐわないことは明らかである。羅爾綱は、これは中国の農民家庭における男女平等の良き伝統であって、太平天国において宗教はうわべに過ぎない、そもそもキリスト教は男尊女卑の宗教なのでその影響はない、と断じる。他方、簡又文は、人はみな神の子である、という神の前における人の平等を説くキリスト教の教えにその由来を求める。キリスト教は確かに男性中心主義的な世界観を持つが、他方で、絶対的な神の前における平等の思想も内包する。筆者は、太平天国運動においては上帝教がその原動力、核心であったと理解しており、人はみな神の子女であるとする上帝教思想には、やはりキリスト教の平等思想の影響が大きいと考えている。儒教的価値観とは大きく異なる、西洋由来の思想が取り入れられたことによって、太平天国は新しい価値観の萌芽を見せることになった。その一つがこの女性をめぐる言説だったのではないだろうか。

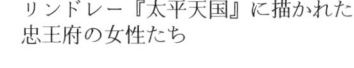

日本経済発展の始動

谷本雅之

はじめに

開国・開港と明治維新を経た日本が、東アジアで唯一、「近代的な経済発展を遂げた国家」に成長したとするのは、二〇世紀後半に喧伝された近代化論の常套文句であった。これを「帝国主義国」とすれば、マルクス主義の影響の強い戦後歴史学にもあてはまる。しかしこのような認識の底流にある「アジア的停滞論」は、一九七〇年代以降のNICs(韓国、台湾、香港、シンガポール)やASEAN(タイ・マレーシア・インドネシア等)の経済発展、そして二一世紀に入ってからの中国経済のプレゼンスの急拡大によって、その影響力を失った。そこに伏在した、日本が「例外的」に欧米型の「近代化」を取り入れたとする見方も、改めて問われることとなっている。

他方、人口やGDPの成長率の点で一八八〇年代以降の日本経済の動態に、それ以前との段差があるのも事実であった。(1) 一人当たりGDPでは、キャッチアップに邁進するドイツ・フランスなど大陸ヨーロッパ諸国と同水準の成長率を示しつつ、最先進国イギリスとの差を縮める方向に進んでいく。同時にそれは、アジア諸国の経済水準との差異を形成することにもつながっていた。本章ではこのプロセスを、「伝統社会」の否定やそこからの脱却による近代化の始動としてではなく、「伝統社会」の中から形成された経済発展の始動に、欧米諸国との接触がもたらした新しい要素が積み重ねられていくプロセスとして、まとめてみたい。

以下、第一節では、近世日本経済の動態と達成について概観する。第二節では、世界経済への組み込みによって形成される明治日本の経済発展を、複層性をキーワードとして示す。第三節では、その複層性が、「富国強兵」を中心的な課題とする中央政府と民政面を担う地方政府・地域社会の分業と相克にも見出されることに着目する。第四節では、対外経済関係の視点から、全体をまとめる。(2)

一、近世日本経済の動態と達成

徳川政権下の近世日本は、その確立期である一七世紀においてダイナミックな変動を経験していた。まず指摘されるのが、人口の顕著な増加である。一六〇〇年頃の全国人口は、最近の人口推計によれば一七〇〇万人前後で、それが一七二一年に行われた第一回の幕府人口調査までに、一・八倍となる三一〇〇万人余(調査集計値二六〇七万人に、調査では除外された武士とその家族を加味した推計値)に増加した(斎藤 二〇一八)。一七世紀のヨーロッパは、かねてから不況と戦乱の「危機」の時代として描かれており、東アジアにおいても、明王朝の衰退と清の勃興が交錯する、動乱と人口減少の時代であった。近年はその共通の背景として、世界的な気候寒冷化の影響も指摘されている。実際、日本でも一六四〇年代には全国的に大きな飢饉(寛永飢饉)が起きていたが、それにもかかわらず顕著な人口増加がみられた背景には、耕地面積の大幅な拡大があった。本格的な治水と河川灌漑工事によって水の統御が可能となった洪積台《こうせき》地・沖積《ちゅうせき》平野は、地味においても、また水温や日当たりの面でも、稲作生産の上で大きな利点を有する耕地となった。日本列島内の未開拓地が、農業開発のフロンティアとなっていたのである。

この外延的な拡大の中で、近世日本の骨組みが出来上がってくる。一方の側が、農業経営の主体としての小農《しょうのう》(家族労働に依拠した農業経営)の確立である。直系家族員の多世代同居を基盤とする農家経営が、傍系家族や被従属者(名子《なご》・被官《ひかん》)の有配偶化と独立世帯形成による経営数の増加を伴いつつ、百姓身分として農業生産と年貢納入の主体となった。その年貢を収取する側が武士身分であり、兵農分離政策のもと、農村を離れ新設の城下町へと集住することとなった。軍事施設の色彩の強い城郭建築から始まる都市建設は、家臣団の集住地の造成、さらに領主階層の需要充足のための商工業者の居住地の整備へと進み、軍事的緊張の薄れた一七世紀半ば以降は、領主階層の消費の場としての性格を強めた。江戸はその典型であり、参勤交代制度のもとで、居住と社交施設としての大名江戸屋敷の整備・拡充が進められる。盛んな寺院建立も、広義の「消費」の場の建設である。この城下町の建設・拡充が、一七世紀を特徴づけるもう一つの開発拠点であったといえる。

一七世紀のダイナミズムを支えた要素として、開放的な対外経済関係とその遺産も指摘しておきたい。一六世紀から一七世紀にかけて、日本列島は世界的な銀産出地域となるが、その起点は天文二年(一五三三)に朝鮮から密ルートで新しい銀製錬の方法——灰吹法《はいふきほう》——が石見鉱山(島根県)に伝えられ、そこで培われた技術が但馬の生野、佐渡、出羽の院内等へ伝播したことにあった。銀の多くは絹織物、生糸、陶磁器、木綿といった中国ないしは朝鮮産の物産の輸入支払いにあてられたが、これは大名・武士層の需要(以下、領主需要と記す)をみたすとともに、輸入代替を企図する領主ないしは生産者自身が技術導入を試みる契機となった。

しかし耕地面積増大に象徴される経済・社会の外延的な拡大は、地域差を含みつつ、一八世紀への転換期頃、一定の上限に突き当たることになる。未開拓地の耕地化は享保期(一七一六—三六年)の新田開発を最後にほぼ止まった。人口/土地比率の増大は、土地生産性の上昇を目的とする草肥《くさごえ》投入を促すが、耕地の拡大自体が草木採取可能な草原の減少をもたらすことで山林の草地化や過剰利用を促し、土砂流出や水害を引き起こした。都市建設も建設用材の需要を押し上げたため、一七世紀後半には森林資源枯渇の危機が顕在化し、領内での伐採規制をはじめる大名が続出した。鉱山も一七世紀後半以降、当時の技術水準で採掘可能な鉱脈の枯渇により金・銀産出量を減少させた。一七世紀の拡大のダイナミズムは、資源面でその限界を画されたといえよう。

一八世紀の人口動態は、それを象徴している。前述の第一回の幕府人口調査以降、一八世紀末の第一四回調査まで、人口総数は減少もしくは停滞を示した。小農経営では分割相続から単独相続へと相続慣行が転換し、土地所持と農業経営、それに祖先祭祀権を一体として一子へ相続させる「家」システムが完成した。その背後には耕地面積一定の中、分割相続による農家経営の脆弱化を回避するための小農経営側の対応があったと考えられる。

では一八世紀の人口停滞は、農村経済の疲弊、そこでの生活水準の低下を意味したのであろうか。歴史人口学の研究では、生活水準に直結すると考えられる乳児死亡率が、一八世紀の農村で低下している事例が報告されている(鬼頭 二〇〇〇)。土地生産性の上昇を示すデータも少なくない。人口の停滞をもたらす要因としては、むしろ都市部における相対的な死亡率の高さ――都市蟻地獄説――が論議されている(浜野 二〇〇七)。都市は農家の非‐後継ぎの集積場所の一つでもあった。では賦存《ふぞん》資源の制約に直面した農村部は、どのようにその限界を緩和しえたのであろうか。

注目されるのは、土地の制約を受けない水産資源に依拠する魚肥《ぎょひ》の導入である。実際一八世紀は魚肥の生産・流通の発展期であった。先行したのは鰯《いわし》による干鰯《ほしか》・〆粕《しめかす》生産で、一七世紀後半に西日本で始まった鰯漁が一八世紀前半には関東沖に広まり、房州(千葉県)九十九里浜が、大規模な地引網漁とともに干鰯・〆粕生産の中心地として台頭した。一八世紀後半以降には、近江商人をはじめとする本州からの資本投下と、蝦夷地(北海道)在住のアイヌ民族の低賃金労働力――時に異民族支配による非市場的強制がともなう――が結びついて、蝦夷地での鰊《にしん》(鯡《にしん》)漁の活性化とそれを原料に用いた胴鰊・鰊〆粕生産が発展した。この魚肥流通のメインルートが日本海沿岸から瀬戸内海をへて大坂に至る西廻り航路であり、そこでの北前船《きたまえ》の盛行は、東北から北陸・山陰地域の経済を活性化させている。農業生産にとって、一八世紀以降は水産資源がフロンティアであり、またそれは、蝦夷地への外延的拡大を含むものであった。一七世紀の人口増大と外延的拡大の中で形成され、その終焉とともに「家」制度の下に定着した小農経営は、一八世紀の人口停滞下においても、農業生産の発展を担い、かつ自らの経済水準の向上にむけた取り組みを望みうる経済主体としての位置づけを失っていない。ここに人口増が並行し、経済全体の拡大傾向が現れてくるのが次の一九世紀の事態であった。その原動力は、非農業生産部門の広がりと深化にある。

二、経済発展の始動と複層性の源流

市場の深化と産業の展開

一六世紀から一七世紀前半にかけて、東アジアからの輸入品の流入は日本列島内での輸入代替を刺激した。その鍵となったのは開放的な対外関係のもとでの、人的移動を介した技術移転であった。高級絹織物の生産技術は貿易港の堺を通じてもたらされ、京都・西陣の織工によって消化された。陶磁器では、秀吉の朝鮮出兵に参加した九州の諸大名が多くの陶工を「朝鮮被虜人」として連れ帰ったことが契機となっている。京都・西陣や九州・鍋島藩領の有田地方は、それぞれ領主の呉服需要や海外市場(オランダ東インド会社による伊万里焼の買い付け)向けの生産地として、一七世紀後半に繁栄を見せた(大橋 二〇〇七)。

さらに一八世紀にかけて、江戸等の都市で形成された民間需要の拡大・成熟は、非農業部門の生産活動への刺激となる。しかし対外関係を制約する一六四〇年代の一連の政策は、「外国人」と日本人との交流を厳しく制約したから、対外的な人的交流に基づく海外との技術知識の交流・移転の余地は極めて乏しい。その中で進展したのが、日本列島内での技術知識の普及であった。たとえば織物業では、一七一〇年代以降、桐生(群馬県)・丹後(京都府)など、原料生糸や半製品の平絹《ひらぎぬ》を西陣へ供給していた地域が、西陣の機工師や織工を介して高機《たかばた》（手織機の一種）の製法や先染《さきぞめ》紋様の製織技術の導入を始めた。さらに一八世紀後半には、桐生・丹後を起点とする二次的伝播の事例もみられるようになった。一七世紀には九州地方にほぼ限られていた磁器の生産地も、一八世紀以降、西日本一帯から東日本にまで広がっていった（谷本 二〇一七）。

さらに一九世紀にかけて、需要サイドが深化していく。幕府調査の人口総数は、一九世紀に入って停滞から漸増へと転じた。一方城下町の多くが、同時期に人口減少を経験していたことが知られており、江戸・大坂・京都の三大都市の人口も、一八世紀後半から一九世紀前半にかけて減少傾向にあった。それは生産・需要の両面で、一九世紀の経済拡大の起動力が、主として農村・地方経済の活力にあったことの反映であり、その背後には、年貢率（年貢納入量／収穫量）の停滞による領主―民間、あるいは都市―農村間の余剰生産物の分配構造の変化があった。織物業でみれば、桐生近隣の足利地方（栃木県）は新興の絹織物（および絹綿交織物《けんめんまぜおりもの》）生産地として、比較的低価格品の地方・農村市場への販売を拡大した。このような動きは、綿織物生産地にも広がっており、たとえば尾西地方（愛知県西部）では、明和年間（一七六四―七一年）に桟留縞《さんとめじま》の製織技術が西陣から伝えられ、先染の縞木綿として当地に定着した。さらに日用的な衣料品である絣《かすり》木綿では、在地の女性が開発者となった。平織・無染色のシンプルな織物であった白木綿生産の発展とともに、日用品需要に対応した多元的な製品開発がなされていたのである。

農村への生産の場の移動は、生産組織と労働の在り方の変化を伴っている。京都・西陣の織物業では、製織工程は男性織工による専業経営が担当した。織工は徒弟制のもとで専業経営内での技術伝習を受け、獲得した技能を基盤に可能であれば独立した織屋となった。仲間組織は徒弟を経ない入職を規制し、技術・技能の独占を図っていたのである。しかしすでに述べたように、西陣の製織技術は様々なルートで西陣外にも伝播する。その過程で、「男性織工」の専業経営という生産形態上の特徴は失われた。桐生の場合、町場でこそ男性織工・専業経営の存在は否定されないが、周辺農村部の織屋では製織作業は専ら女性が担当しているし、農家内で製織作業が営まれることも多い。尾西地方ではそうした農村的特徴が、ほぼすべての製織現場に当てはまった。これらの女性織工たちは、数人―十数人単位で、一つの集中作業場で作業をすることもあり、「マニュファクチュア」経営の事例とされることもある(塩澤・川浦一九五七)が、そこで製織作業に従事しているのは、おもに年季契約の一〇歳代の若年女性であり、こうした集中作業場は、製織技術を伝習する機関としての性格が強かった(市川一九九六)。希釈化された技能は、親方―徒弟制によらずとも集中作業場での作業の中で身についたのであり、一定の技能を形成した女性織工の作業の場は、多くの場合、世帯内にあった。さらに製織技術が単純な白木綿の場合、技能の伝習の場自体が世帯の中(母親から娘へ)となる。一部の織物生産地を除いて、製織工程は女性が自宅において、世帯の副業として従事する作業となったのである。それは、非農業就業機会が、農家経営の一部に取り込まれることを意味していた。

一方で農村内の分業関係は深化している。綿作、紡糸、織布の綿業における三分化工程が工程ごとに分立し、実綿流通―綿打ち―紡糸―紡糸流通―製織―木綿流通の各局面に対応した「余業」担当者が存在する農村の事例が報告されている(津田一九五六)。農村内から発生した流通担当者は、それらの分業を結びつけ、かつ村外の市場との結合を図る上で、重要な役割を果たしていた。農村の流通主体――在地商人――が、一九世紀に入って従来の都市呉服・太《ふと》物《もの》問屋に伍して活動力を増した新興の集散地問屋などと結びつき、都市・農村市場を場とした生産地間の競争が産み出されていたのである。

一九世紀における諸産業(農業を含む)の展開は、「小農経済の成熟」と「市場経済化」を基盤とする産業発展のパターンともいいうるものであり、その深化が日本列島における新たな経済発展の起動力となっていたのである。幕末開港後の変化は、近世経済の達成としてのこの産業発展パターンを前提とするものであった。

幕末開港――開放体系へ

安政五年(一八五八)、日本はアメリカと日米修好通商条約および貿易章程を締結し、同年中にオランダ・ロシア・イギリス・フランスとも相次いで同様の条約を結んだ。翌安政六年(一八五九)から横浜などの開港場[3]で、外国人・日本人ともに貿易業務への自由な参入と営業が保障された「自由貿易」が始まった。この通商条約はまた、協定税率および片務的な領事裁判権の条項を含んでいた。協定税率の取り決めは、日本政府の関税率の設定に条約相手国の同意が必要であることを定めたもので、慶応二年(一八六六)の「改税約書」によって、関税はほぼ従価五%水準の税率に帰結している。これによって政府は有力な財政収入源を失ったが、より重要なのは、政府による保護関税政策実施の余地が奪われたことであった。その結果日本の貿易は、関税自主権を回復する二〇世紀初頭まで、「保護貿易」の対義語としての意味においても「自由貿易」のもとに置かれることとなった。また、領事裁判権の容認は、開港場で条約相手国人の活動へ、日本側が法的制限を加えられないことを意味した。貿易に即して言えば、日本人と外国人の間で発生するトラブルについて日本人が外国人を訴える先は、居留地内に設置された外国人判事のもとにある領事裁判所となった。

その一方、商業活動の場には制約が課されていたことにも留意が必要である。原則として外国人の居住が許されているのは開港場に設定された居留地だけであり、商業活動が認められたのもこの居留地の中であった。この時の通商条約が「内地通商権」を否定したとされるのは、このような事態を指している。この制約が取り払われたのが、外国人の「内地雑居」を認めた一八九九年(明治三二)の条約改正によってであった。外国人の内地での全般的な活動が活発化し日本人の経済活動への打撃となることを危惧して、同時代的にはこの条約改正案に否定的な意見も少なくなかった。しかし内地雑居後も民間における外国からの直接投資は緩慢であり、この懸念は、結果としては現実的ではなかったといえる。その前提として、居留地貿易下での日本側商人層の対応力が挙げられる。

開港場での貿易に関しては、通商条約の不平等性を背景に、資金調達力と情報力にものをいわせる欧米商人(外商)が、自身にとって極めて有利な貿易活動を展開したとする認識が、同時代の日本側の文献にしばしば表現されており、その後の幕末貿易史研究もその認識を踏襲した面があった。実際、このような巨大商社の代表的な存在である、香港に本店をおくイギリス系のジャーディン・マセソン商会(以下JM商会と略記する)は、開港直後の安政六年中に、自己所有の船舶ないしはチャーター船によって現銀(メキシコ・ドル)を横浜へ運び込み、日本商人から生糸や茶を買い付けて大きな利益を上げていた。しかし、一九八〇年代以降のJM商会史料を駆使した新たな研究は、このような高利益率が長くは続かなかったことを明らかにしている(石井 一九八四)。文久三年(一八六三)のセントラル銀行の横浜支店設立を嚆矢とする外国銀行の業務展開、文久四年(一八六四)のP&O汽船による横浜・中国間定期航路開設から続く外国汽船会社による定期航路網への日本開港場の組み込み、そして一八七一年(明治四)の海底電線の長崎到着による国際電信網への接続といった貿易インフラの整備が外国資本の中小商社を呼び込み、開港場での競争状況の流動化をもたらしたことがその一因である。一方で横浜の日本商人は、輸出では売込商、輸入では引取商が外国商人との取引の窓口となることで、売り込み・買い付けに際しての激しい競争を回避する方向へと推移した。生糸輸出でみれば、生産地と横浜との大きな価格差をいち早く認識し、その差益を狙って投機的な売買をおこなう「冒険商人」的な存在が浮沈を繰返す中で、原善三郎、茂木惣兵衛といった一握りの有力な商人が売込商として台頭した。地方荷主から広範に生糸の販売委託契約を取り付け、横浜への生糸流通を自らの下に組織化することで、外国商人との取引機会を独占するようになる。現金決済が要求された輸入貿易では、資金調達力を備え国内への輸入品の販売ルートを確保していることが参入の条件となるが、横浜の引取商の中核となっていたのは、前項で触れた「新興集散地問屋」層であった。そこでの資金調達には、新興問屋が自ら営む為替業務が寄与している。これらの売込商・引取商の活動は、貿易に関する利益を国内に留めるとともに、これらの商人の蓄積が後述の産業投資にも向かうことから、欧米列強の外圧に対する「商人的対応」として評価されている(石井 一九八四：終章)。

もっとも、輸入品の流入はそれと競合する国内産業に対して負の影響を与える可能性がある。一八六〇―七〇年代の日本の輸入品の過半は繊維製品であった。最終製品であった綿織物と毛織物が中心をなし、「唐糸《からいと》」と称されたイギリスまたはインド産の綿紡績糸がそれに加わっている。近世日本で発展した日本の綿業にとって、それは「産業革命」を経たイギリス(および植民地インド)綿工業との対峙であった。生産性の高い機械制工場で作られたこれらの輸入品は、高品質と相対的低価格を武器に日本市場を席巻し、日本の消費者に利益を与える一方で、手工業段階の日本の繊維産業、特に繊維素材を同じくする綿業には大きな打撃を与える「外圧」となったとするのが、経済史の伝統的な解釈である。事実、手紡糸《しゅぼうし》生産は一八七〇年代以降、明らかに衰退傾向を示し、原料供給を担った綿作は一八九〇年代にはほとんど姿を消すこととなった。近世農村における商品経済化に、綿作がその重要な一翼を担っていたことを想起すれば、繊維品輸入の伸張が農村経済へ負の影響を及ぼした可能性は否定できない事実であろう。

しかし、綿織物業に関しては、事態は単純ではない。一八七四年(明治七)時点で国内綿布需要に占める輸入綿布の割合は約四〇%に達していたが、しかしその占有率は、その後この水準を上回ることはなかった。鍵となったのは、新たな中間財たる輸入綿糸であった。綿糸輸入は開港後まもなく始まり、一八七〇年代半ばに、繰綿《くりわた》に換算した数量で綿製品輸入の主力製品の座を占めていた(中村 一九六八：付表)。輸入綿糸の有利性は、広い意味でのコスト面の効果にある。原料コストという意味での低価格性は、明治期に入って増加するインド機械制紡績工場産の比較的太い綿糸(二〇番手)については明らかで、幕末期のイギリス製細糸についても、手紡糸とは品質の異なる素材が、潤沢かつ手紡糸と同水準の価格で供給されたことで、新たな品質の綿布の開発・生産を原料供給面で促した(田村 二〇〇四)。斉一な糸で整経《せいけい》された経糸は、張力を加減できない高機においても糸切れを起こしにくく、織手は高機の性能をフルに発揮することで、労働生産性の一定の上昇も期待できたのである(中岡 二〇〇六)。

一方、最大の輸出品は生糸であり、幕末には全輸出額の五―六割を、明治前期にも四割余を占めた。開港後の生産増大を支えた技術的な基盤は、既に一九世紀前半以来、開発と実用化が進んでいた「座繰《ざぐり》法」であった。座繰法はそれ以前の手挽《てびき》法に比べ、労働生産性は一・五倍から二倍の水準にあったといわれる。ただし需要側の絹織物生産者から品質面での難点が指摘されており、その普及は限定的であった(根岸 一九八七)。開港によって出現した輸出市場は、この座繰糸を大量に受容することとなる。国内絹織物生産地への原料供給を担っていた東日本の諸地域が、その販路を急速に横浜へシフトさせ、生産を増やしていったのである。

そこで市場情報を媒介し、横浜への販路を形成したのは、生糸生産地ないしはそれに近い在地商人層であった。生産を担ったのは、養蚕(繭の生産)・製糸を一貫して行う農家、あるいは賃挽《ちんびき》経営主(＝問屋制経営主)から繭の配布を受け繰糸《くりいと》作業を行う農家である。座繰技術は農家レベルで消化可能なものであり、生産の増大は生産の集積というよりは、新規参入による生産者の増大に拠るところが大きかった。生糸生産の増大は、また、農家「副業」としての養蚕業の拡大に支えられていた。ここでも商人と小農経営に基盤を置く小生産者の結びつきが、生産増大の動力であったといえる。

技術移転と産業発展

このように、主要な貿易財の生産者にとって開放体系への移行は、まずは新たな製品需要と中間投入財の供給源として現れていたといえる。そこに技術移転が加わるのが一八七〇―八〇年代であった。綿業にとってそれは、外国製綿糸の輸入代替を目的とする機械制綿糸紡績技術の導入であった。機械制紡績業の定着には、紡績機械を導入するだけではなく、世界レベルで標準的な生産方式がセットとして移植される必要がある。その経営的成功から明治の紡績業史を主導するビジネス・モデルを示すことになる大阪紡績会社(一八八二年会社創立、八三年操業開始)は、一万五〇〇〇錘《すい》による設立に加え、速やかな増錘によって、開業数年で数万錘の生産規模を実現した。動力源として蒸気機関を設置し、使用する原料綿花も日本綿から中国綿、さらにインド綿花へと、機械との適合性が高い長繊維のものが用いられる方向へ進んだ。大阪紡は、日本で世界標準の要件を備えた初めての機械制紡績工場であり、それに追随する紡績企業の勃興を経て、一八九〇年代半ばには、国産綿糸による国内市場の輸入代替が達成された。

輸出生糸生産では、一八六〇年代後半以降、微粒子病(カイコが繭を作れなくなる病気)の収束によってフランス・イタリアの生糸生産が復活し、輸出が停滞したことが契機となった。「粗製乱造」品と目されるようになった日本製生糸の競争力の向上には、ヨーロッパの器械製糸技術の導入が求められた。器械製糸の技術が早く普及したのは生糸生産地としては新興の山梨・長野地方で、一八八〇年代には雇用者数十数人規模の器械製糸工場が族生している。模範となる器械製糸工場(官営富岡製糸場)が蒸気機関で糸枠の回転と煮繭《しゃけん》を行い、金属製のケンネル器具を装備していたのに対して、これらの製糸工場では、動力を水車とし、小型蒸気釜で煮繭を行い、陶器製の繰糸釜や木製のケンネル器具などが考案・導入された。設備投資額を極力抑えつつ、器械製糸方式の導入で品質向上と生産性の上昇をはかった点に、器械製糸業の一大集積地となる長野県諏訪地方・製糸経営における技術導入の要諦があった(竹内 一九八三)。日本の資源賦存のもとでも経済性を発揮しうる方向へ移植技術を「適正化」したことが、器械製糸経営の族生を促したのである。

機械制紡績業に市場を提供することになる綿織物業においても、一八八〇年代以降に進む「飛び杼《ひ》」(flying shuttle)装置の導入は、ヨーロッパからの技術移転であり、労働生産性を倍加させたといわれる。簡単な木製の装置である飛び杼は、従来の高機に装着することができるものであり、装着後の織機は「バッタン」と呼ばれた。一八八〇年代以降の綿織物業の拡大は、生産現場としては従来の形態を維持した、問屋制家内工業形態の普及による部分が大きい。問屋制は、近代工業の形成に先立つ工業――プロト工業――の典型的な生産組織とされることが多いが、日本の綿織物業でこの形態が広く普及したのは、一八八〇年代以降のことであった。農家副業で生産された織物を農村在住の仲買商が買い集め、それを集散地の問屋商人に売りさばく従来の形態――買入制――が、織元による原料供給と製品集荷を結合させる方式に変化したのが問屋制である。統一した原料糸の使用を通じて製品品質の向上を促し、さらに市場情報への接触がより密接な織元が、染色、整経済の原料糸供給を通じて売れ筋製品の企画・発注・集荷を行うことで、需要の高度化によって要請される風合いやデザインをめぐる競争に敏速に対処することが可能となった。問屋制は、新たな市場条件への対応として導入・定着した生産組織であったといえる。

このように、ヨーロッパで開発された産業技術の移転は、一八七〇―八〇年代以降の日本において、産業発展の起動力であった。その点において、開放体系への移行が日本の経済発展にとって有した意義は決定的である。しかしそこで選択された生産組織は、産業によって等し並みではなかった。紡績機械の効率的な稼働が生産性を決める紡績業では、初発から数百人規模の雇用労働力を擁する大工場の設立が鍵となる。しかし適正化の可能な器械製糸では、技術移転は大規模工場を必要条件とはしなかった。そして織物業においては、農家がそのまま生産の場であり続けた。明治期の産業発展を主導する繊維工業において、移転技術の性格によって生産組織のありようは様々であり、大規模工場の出現に並行して、家内工業の増加と問屋制によるその組織化が進行したのである。

これを労働供給の側から見てみよう。**表1**によれば織物業において「家内工業」および賃織業に従事する織工数は六〇万人余で、女性比率は九五％を超えていた。一戸当たり織工数は賃織りで一・三人、家内工業でも一・七人だから、農家戸主の妻と娘が製織に携わっているイメージから大きく外れない。織物業への労働供給は、農家の労働力配分の戦略に従っていたといえる。他方、一九〇九年に雇用者数一〇〇〇人以上の民間大工場の被雇用者は一一万一〇〇〇人余で、その七二％余も女性であった。大きな部分を占めていたのは繊維工業の工場であり、そこでは女性労働者が九〇％前後を占めていた。注目されるのが年齢で、一〇歳代―二〇歳代前半が大半を占めている(4)。工場勤務が新

表 1　工業部門の就業者

1．織物業の生産形態*別戸数と就業者数(1905 年)

		独立営業			賃織業
	合計	工場	家内工業	織元	
戸数(戸)	448,609	3,097	138,833	14,370	292,309
織工数(人)	767,423	91,279	229,446	58,591	388,107
女性比率(%)	95.3	88.5	95.7	89.4	97.6
1 戸当織工数(人)	1.7	29.5	1.7	4.1	1.3

2．工場労働者数(1909 年)

	民間工場**		官営工場	
	総数	うち職工数 1000 人以上	総数	うち職工数 1000 人以上
男	307,139	30,537	92,875	81,466
女	493,498	80,742	24,384	23,528
計	800,637	111,279	117,259	104,994
女性比率(%)	61.6	72.6	20.8	22.4
女性 20 歳未満比率(%)	57.9	62.3	—	—

出所：農商務大臣官房統計課編纂『農商務統計表』第 22 次，第 26 次．
農商務大臣官房統計課編纂『明治 42 年　工場統計総表』．
注：＊各形態の定義は以下の通り．
独立営業で織工数 10 人以上が工場，10 人未満が家内工業／織元＝「原料ヲ仕入レ置キテ賃織者ヲ機織セシメルモノヲ云フ」／賃織＝「他人ノ原料ヲ受ケテ機織スルモノヲ云フ」
＊＊民間工場は職工数 5 人以上のもの．

しい就業形態であったことは間違いないが、そこでの就業期間は数年にとどまっていたことが分かる。ライフコースの観点からみて、その先に農業・副業・家事の多就業によって小農経営を支える「妻」「嫁」の役割への回帰を予定することと、あるいは都市部の自営業商工業世帯に同様な役割を担う構成員として位置づくことは、現実的な見通しであった。紡績・製糸「女工」が、農家内での労働需要の乏しい零細農家を出身としていたことはよく知られているし、製糸業の有力工場で農繁期の帰省や欠勤が頻出していたことも明らかにされている(松村 一九九九など)。農家は自家労働力の戦略的な配分先として工場労働を選択したのであり、その意味で、明治の産業発展を主導した繊維大工場も、農家副業での織物就業とともに、小農経営の論理の中に位置づけられていたのである。

以上を踏まえ本章では、近世小農社会に胚芽し、かつその構造的な特質を継承する経済発展(「在来的経済発展」)が開港による貿易の展開によって加速し、そこに欧米先進資本主義国からの技術と生産組織の導入を起動力とする「近代的経済発展」が積み重なったものとして、一九世紀日本の経済発展の特徴を捉えている。それは、それぞれ固有の論理を有する二つの経済発展の相互作用の過程であり、その基盤には小農社会の論理が根づいていた。本章ではこの経済発展の在り方を「複層的発展」と呼ぶこととしたい。綿業における機械制紡績と在来綿織物業の並行的な展開は、それを典型的な形で示している。

三、「富国強兵」と政府の役割

では、体制変革としての明治維新は、日本経済発展の始動に関して、どのように位置づけられるだろうか。「万国対峙」の危機意識を起動力とする維新政府にとって、「富国強兵」は政権のアイデンティティにも関わる枢要な政策目標であった。維新政府はこの目標に向け、広義の産業育成に関わる諸施策を打ち出しており、それは「殖産興業」政策として知られている。前節で取り上げた紡績業では、二〇〇〇錘の輸入紡績機械を備えた官営の紡績所(新町・堺・愛知・広島紡績所)が設立され、また民間の紡績工場に対して紡績機械の輸入代金の立替払いなどの育成措置も取られた。製糸業では一八七二年にフランス式の器械製糸技術を導入した官営富岡製糸場(群馬県)が、繰糸器械三〇〇台(器械一台につき労働者一人)と煮繭釜三〇〇釜を据え付けた大規模工場として竣工している。しかし紡績工場としては過小、製糸工場としては過大であったこれらの工場に対して、数万錘を備えた大阪紡績、技術の「適正化」によって設備投資を切り詰めた長野県諏訪地方などの器械製糸工場が、産業発展を主導するビジネス・モデルとなったことは前節で述べたとおりである。鉄道敷設も、維新政府がいち早く手掛けた事業であったが、一八八〇年代以降、日本鉄道、関西鉄道など、株式会社形態を採用して設備投資資金を集めた民営鉄道が、路線敷設の主役となっていく。蒸気船建造を目論んだ官営長崎造船所は、一八八一年から始まる官営事業の払い下げ政策のもと、民間資本(岩崎家＝三菱)に払い下げられた。

歴史的にみるならば、政府の果たした役割は、西欧の産業技術導入にあった。富岡製糸場がフランス式器械製糸技術普及の起点となり、官設鉄道の技術者が民営鉄道の建設・運行にも大きな役割を果たした事例に表れているように、官営事業が技術移転の場として機能していたことは、造船や鉱山、製鉄業などでも見られることであった。一八七〇年代には、最大で五〇〇人を上回る外国人の技術者・熟練工が、政府関与の事業で雇用され、事業運営に直接関わるとともに、人的資本の養成にあたっている(梅渓 一九六五)。開放体系への移行によって可能となった、直接的な人的接触を通じた技術知識獲得を組織的に実践した点に、産業発展に対する維新政府の貢献があったといえる。

こうした中で官営事業形態を維持したのが、官営軍事工場＝軍工廠であった。徳川幕府や旧藩の手がけていた軍事工業の継承を起点とし、陸軍省の下で東京、大阪の砲兵工廠が、また海軍省の下に横須賀海軍工廠がすでに明治初年代から稼働しており、その後一八八〇年代中葉に軍港である呉(広島県)と佐世保(長崎県)、一九〇一年に舞鶴(京都府)に造船廠《ぞうせんしょう》が設立されている。日本の機械生産の中核に位置し、数千人規模の職工数を誇る最大の工場となる軍工廠が、軍艦・兵器の生産・修理を主目的とし、一貫して官営形態であったことは、明治政府の殖産興業政策の発想の起点に、「富国強兵」が置かれていたことを改めて思い起こさせる。しかしそれが、一般的な意味における「富国」(産業発展一般や一人当たりGDPの増大)と等値されるものではなかったことは、一八九〇年(明治二三)に始まる帝国議会衆議院において、過半数を占めた民党系議員が財政支出増大を伴う「富国強兵」策に、「民力休養」を主張して対抗したことからも看取される。一八九四年の日清戦争勃発まで続いた政府と議会との膠着状況は、政府の企図する財政支出の増

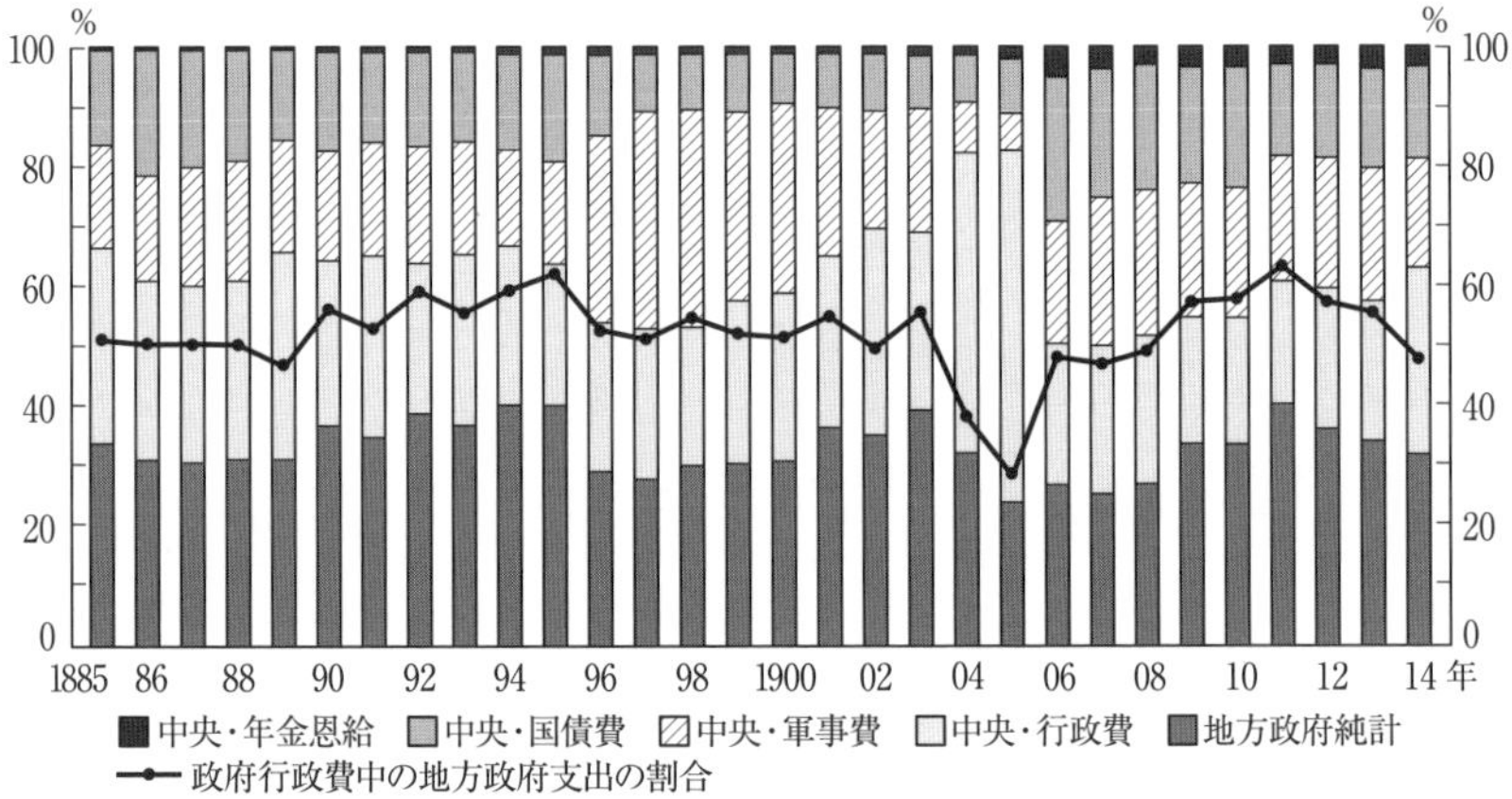

図1　中央・地方政府の一般会計支出の構成

出所：江見・塩野谷(1966)第6，14表，168，210頁より作成.

注：地方政府内での重複は調整済み．地方ー中央間の移転は調整されていない．皇室費は除外してある.

大を阻んだ。同じ時期に、紡績業や鉄道業での株式会社設立に象徴される、「企業勃興」と称される経済発展の新たな始動が見られたことは、明治維新後の実際の産業発展を主導したのが民間部門であった事実を象徴している。

政府部門の内部においては、中央政府と地方政府(府県・町村)による財政支出の分業関係が注目される。**図1**に見られるように、一般会計支出における中央政府と地方政府(府県、郡、市町村、水利組合)の構成比は、一八八〇年代半ば以降、ほぼ中央二に対して地方一で推移した。総額でみる限り、明治政府の中央集権的な財政構造の特質は明らかである。しかし軍事費と国債費を除いた政府行政費の中では、地方政府の割合が五〇%を超える年次が多く、特にこの民力休養期では、六〇%前後に上っている。(5) 地方政府の支出項目として大きいのは土木費と教育費で、両者合わせて地方の歳出のほぼ四〇–五〇%を構成していた。軍事支出に傾斜する中央財政に比して、基礎的な物的インフラや人的資本の形成において、地方政府による財政支出の果たした役割は大きかった。

地方財政が固有の財源としたのは地方税であったが、間接税である酒税・消費税の割合を急速に高めつつある中央財政とは対照的に、府県は一貫して地租付加税が四—五割で最も比重が重く、それに二割台の府県税戸数割が続いた。町村では戸数割(戸数割付加税ないしは戸別割)が租税収入の六—七割を占めている。この時期の戸数割は、資産を反映する「見立て」によって個々の世帯が等級化されることが通例で、土地所有規模に比例する地租付加税とともに、資産家層の納税額が、地方税総額に対して高い割合を占めていた。地方財政の基盤は、事実上、在地の資産家の担税力に依拠する面が大きかったといえる。この資産家層を構成するのが、一九世紀以降の農村・地方経済の活性化の中で経済的・社会的な影響力を強めた豪農であり、その後継でもある地方資産家・名望家層であった。帝国議会で民力休養を主張する民党議員の多くは、この階層から輩出している。(6) 中央政府の富国強兵路線とは異なる潮流が、経済的・政治的な実態を備えた地方経済の中に存在していたのである。

日清戦争(一八九四—九五年)は、この状況に変化をもたらした。戦後の政府支出のGNE(国民総支出)比は戦前の一〇—一五%から一五—二〇%へと上昇した。軍事費(陸軍省・海軍省の一般会計支出)がその中心をなし、先の**図1**にあるように、一八九五—一九〇〇年間には連年、中央政府の行政費を上回っている。一九〇〇年頃からは中央・行政費の比率が増加しているが、官営の電信・電話事業の拡張や八幡製鉄所(一九〇一年開業)の創設・拡張に対する支出、海運・造船業への補助金の導入がその要因となっている。通信・交通インフラや重工業に対する政府の関与が拡大したことが窺われる。ただし、この中央政府の財政規模の拡大は、それ以前に比して必ずしも税負担率の上昇を伴っていない。それが民間部門・地方財政との両立を可能とした条件であり、日清戦争後に支払われた清国の賠償金がそれを支えていた。民間部門の産業発展に、新たに軍事費支出の増大を伴う政府部門の拡大が積み重なるのが、世紀転換期の日本経済の姿であった。

四、対外経済関係の視点——小括に代えて

最後に、対外経済関係の視点から以上の過程を位置づけ、本章のまとめとしよう。

一六―一七世紀前半の開放的な対外関係の下で、おもに中国・朝鮮から流入した物産——高級絹織物・白糸(上質生糸)・木綿・磁器・砂糖等——は、近世日本の経済を考える上で欠かせない消費財・中間投入財となった。生産技術の移転と普及を経て、これらの物産の輸入代替も進んでいる。右記の物産が幕末開港後の日本貿易でいち早く貿易財となったのは、世界の需要に日本の産業が対応し、かつ、世界の商品を日本の消費構造が吸収したからであった。その背景には、近世期を通じて形成された、欧米との物産レベルでの同一性があった(川勝 一九九一)。

一方で、生産技術の観点から開港後の貿易の構造をまとめるならば、中心をなしていたのが輸入では機械制工場産の工業製品(綿製品・毛織物・精製糖)、輸出では手工業による農産加工品(生糸・蚕種・製茶)および鉱産物(銅・石炭)であり、それを先進工業国との垂直的な貿易関係——工業品輸入と農産品・鉱産品輸出——の形成に類似するものとみることは間違ってはいないだろう。ただし、一八七〇年代以降輸入の増大する綿糸は、機械制インド紡績業の製品であり、砂糖輸入も、香港の近代的精糖工場[7]の生産品(車糖《くるまとう》=機械精糖)が中心となっていた。一八八〇年代まで日本は、先行するアジア産工業製品の市場であり、「自由貿易体制」の下で活性化しつつあるアジア内貿易への、新たな参入者としての立場にあったといえる。

本章でみてきたように、その後の日本列島では、在来綿織物業の再編によって最終財輸入が減少し、中間財である機械制綿紡績糸の輸入代替も綿糸紡績業の移植とその定着によって成し遂げられた。閉鎖体系の下で滞っていた海外との技術知識の交流が、開港・明治維新を経ることで再度活性化されたことの意義は大きい。日本は、アジア諸地域

から工業原料(インド綿花)と食料(東南アジア産の米)および食料生産のための中間投入財(ジャワの原料糖、中国東北部産の大豆粕=肥料)[8]を、ヨーロッパから資本財(機械など)・中間投入財(鉄など)を輸入し、生産された製品(綿製品・雑貨)を東アジアへ輸出する一連の貿易構造を形成した。この過程において、アジア諸地域からの輸入は、日本列島の資源賦存の制約を緩和し、経済発展のための物的基盤を提供することになった。交易全体の入超構造は、北米への生糸および雑貨輸出によって補塡された。日本の経済発展は開放体系の下で構築された貿易関係に支えられていたのであり、かつこの対外経済関係は、在来的経済発展のパターンを拡大し、経済の「近代化」の中でその複層的発展の特徴を持続させていたのである。

日清戦争後の変化は、そこに軍需を背景とした重工業育成を企図する政府の施策が積み重なってくることであった。それは直ちに複層的な経済発展の構造を改変するものではない。しかしそれが生み出す不均衡は、二〇世紀に入ってからの外債の累積を招くことになり、かつまた、日本が東アジアに独自の勢力圏[9]を構築していく、経済的な動因をも形作っていくのである。

注

(1) 最新のGDPに関する歴史推計では、日本の一人当たりGDPの成長率は明治前期の一八七四―九〇年が年率〇・九%、そして明治中後期の一八九〇―一九一三年が一・二%とされ、幕藩体制下の一八〇四―四六年の〇・二%はもとより、幕末の開港後を含む一八四六―七四年の〇・四%よりも高い。また人口増加率は一八八五―一九一三年で年率一・〇八%となっており、一七二一―一八四六年の〇・〇二%、一八四六―八一年の〇・四%前後を大きくうわまわっているから、明治維新後のGDP総額の伸び率の上昇はさらに顕著であった(深尾・中村・中林 二〇一七a:巻末付録、同 二〇一七b:巻末付録、斎藤 一九八八)。

(2) 本章は、沢井・谷本(二〇一六)の序章―第三章(谷本執筆)の内容を基に、適宜加筆して成ったものである。本章で挙げた文献以外の個々の史実や記述の出所・典拠については、同書を参照されたい。

(3) 当初は長崎、神奈川＝横浜、箱館の三港、のち慶応四年(一八六八)に兵庫、大坂、明治二年(一八六九)に新潟、東京が開港ないしは開市した。

(4) 農商務省が工場法の立案に向けて行った調査の報告書(『職工事情』一九〇三年刊行)に拠る。

(5) この時期、中央政府から地方政府への移転支出が多かったことが、同図で地方政府支出の比率が高まる一因であった。移転支出の大きな部分を占める土木関係の補助金は、中央政府による地方の「利益誘導」策の一環として議論されている(有泉 一九〇八)。ここでは、中央政府に利益誘導策を採らせる背景に、地域に根差した利害意識の強さがあったことを想定している。

(6) 「豪農民権」の語が知られているように、この層は一八七〇年代後半から八〇年代前半に盛り上がった自由民権運動の担い手の一角も占めていた。

(7) イギリス系のJM商会およびスワイア商会によって設立された工場がその中心である。

(8) 一八八〇年代以降、稲作の反収は持続的に増加していくが、それは肥料の増投に拠るところが大きかった。

(9) ここでは、日本の完全な統治下に入っていく台湾、韓国に中国東北部(満洲)を加えて「勢力圏」と表記している。

参考文献

有泉貞夫(一九八〇)『明治政治史の基礎過程——地方政治状況史論』吉川弘文館。

石井寛治(一九八四)『近代日本とイギリス資本——ジャーディン＝マセソン商会を中心に』東京大学出版会。

市川孝正(一九九六)『日本農村工業史研究——桐生・足利織物業の分析』文眞堂。

梅渓昇(一九六五)『お雇い外国人——明治日本の脇役たち』日本経済新聞社。

江見康一・塩野谷祐一(一九六六)『長期経済統計』第七巻・財政支出、東洋経済新報社。

大橋康二(二〇〇七)『将軍と鍋島・柿右衛門』雄山閣。

川勝平太(一九九一)『日本文明と近代西洋——「鎖国」再考』日本放送出版協会。

鬼頭宏(二〇〇〇)『人口から読む日本の歴史』講談社学術文庫。

斎藤修(一九八八)「人口変動における西と東」尾高煌之助・山本有造編『数量経済史論集四——幕末・明治の日本経済』日本経済新聞社。

斎藤修（二〇一八）「一六〇〇年の全国人口――一七世紀人口経済史再構築の試み」『社会経済史学』八四巻一号。

沢井実・谷本雅之（二〇一六）『日本経済史――近世から現代まで』有斐閣。

塩澤君夫・川浦康次（一九五七）『寄生地主制論――ブルジョア的発展との関連』御茶の水書房。

竹内壮一（一九八三）「近代製糸業への移行」『講座・日本技術の社会史』第三巻・紡織、日本評論社。

谷本雅之（二〇一七）「農村工業の拡大と鉱業の自立――需要変化・技術普及と土木建設・鉱業・製造業」『岩波講座　日本経済の歴史』第二巻、岩波書店。

田村均（二〇〇四）『ファッションの社会経済史――在来織物業の技術革新と流行市場』日本経済評論社。

津田秀夫（一九五六）「幕末期大阪周辺における農民闘争」『社会経済史学』二一巻四号。

中岡哲郎（二〇〇六）『日本近代技術の形成――〈伝統〉と〈近代〉のダイナミクス』朝日新聞社。

中村哲（一九六八）『明治維新の基礎構造――日本資本主義形成の起点』未来社。

根岸秀行（一九八七）「幕末開港期における生糸繰糸技術転換の意義について」『社会経済史学』五三巻一号。

浜野潔（二〇〇七）『近世京都の歴史人口学的研究――都市町人の社会構造を読む』慶應義塾大学出版会。

深尾京司・中村尚史・中林真幸編（二〇一七ａ）『岩波講座　日本経済の歴史』第二巻、岩波書店。

深尾京司・中村尚史・中林真幸編（二〇一七ｂ）『岩波講座　日本経済の歴史』第三巻、岩波書店。

松村敏（一九九九）「大正中期、諏訪製糸業における女工生活史の一断面」神奈川大学『商経論叢』三五巻二号。

【執筆者一覧】

秋葉　淳(あきば じゅん)
東京大学東洋文化研究所教授．オスマン帝国史．

井坂理穂(いさか りほ)
東京大学大学院総合文化研究科教授．南アジア近代史．

石川亮太(いしかわ りょうた)
1974 年生．立命館大学経営学部教授．朝鮮近代史・東アジア経済史．

黒木英充(くろき ひでみつ)
1961 年生．東京外国語大学アジア・アフリカ言語文化研究所教授(北海道大学スラブ・ユーラシア研究センター教授〔併任〕)．シリア・レバノン近現代史．

阿部尚史(あべ なおふみ)
1977 年生．お茶の水女子大学文教育学部准教授．イラン史．

宇山智彦(うやま ともひこ)
1967 年生．北海道大学スラブ・ユーラシア研究センター教授．中央ユーラシア近現代史．

小林亮介(こばやし りょうすけ)
1980 年生．九州大学大学院比較社会文化研究院准教授．チベット近代史．

小泉順子(こいずみ じゅんこ)
京都大学東南アジア地域研究研究所教授．タイ近代史．

村上　衛(むらかみ えい)
1973 年生．京都大学人文科学研究所准教授．中国近代史．

谷本雅之(たにもと まさゆき)
1959 年生．東京大学大学院経済学研究科教授．日本経済史．

長田紀之(おさだ のりゆき)
1980 年生．アジア経済研究所研究員．ミャンマー／ビルマ近現代史・東南アジア史．

高橋　圭(たかはし けい)
東洋大学文学部史学科助教．イスラーム史・エジプト近代史．

橘　　誠(たちばな まこと)
1977 年生．下関市立大学教養教職機構教授．モンゴル近代史．

菅原由美(すがはら ゆみ)
1969 年生．大阪大学大学院人文学研究科教授．インドネシア史・東南アジア・イスラーム史．

倉田明子(くらた あきこ)
1976 年生．東京外国語大学総合国際学研究院准教授．中国・香港近現代史．

【責任編集】

吉澤誠一郎(よしざわ せいいちろう)
1968年生．東京大学大学院人文社会系研究科教授．中国近代史．『愛国とボイコット――近代中国の地域的文脈と対日関係』(名古屋大学出版会，2021年)．

林 佳世子(はやし かよこ)
1958年生．東京外国語大学学長．西アジア社会史・オスマン朝史．『オスマン帝国500年の平和』〈興亡の世界史〉(講談社学術文庫，2016年)．

岩波講座 世界歴史 17　　第10回配本(全24巻)

近代アジアの動態 19世紀

2022年7月28日 第1刷発行

発行者 坂本政謙

発行所 株式会社 岩波書店 〒101-8002 東京都千代田区一ツ橋2-5-5
電話案内 03-5210-4000 https://www.iwanami.co.jp/

印刷・法令印刷 カバー・半七印刷 製本・牧製本

 ISBN 978-4-00-011427-1

岩波講座
世界歴史

A5 判上製・平均 320 頁（黒丸数字は既刊，＊は次回配本）

全㉔巻の構成

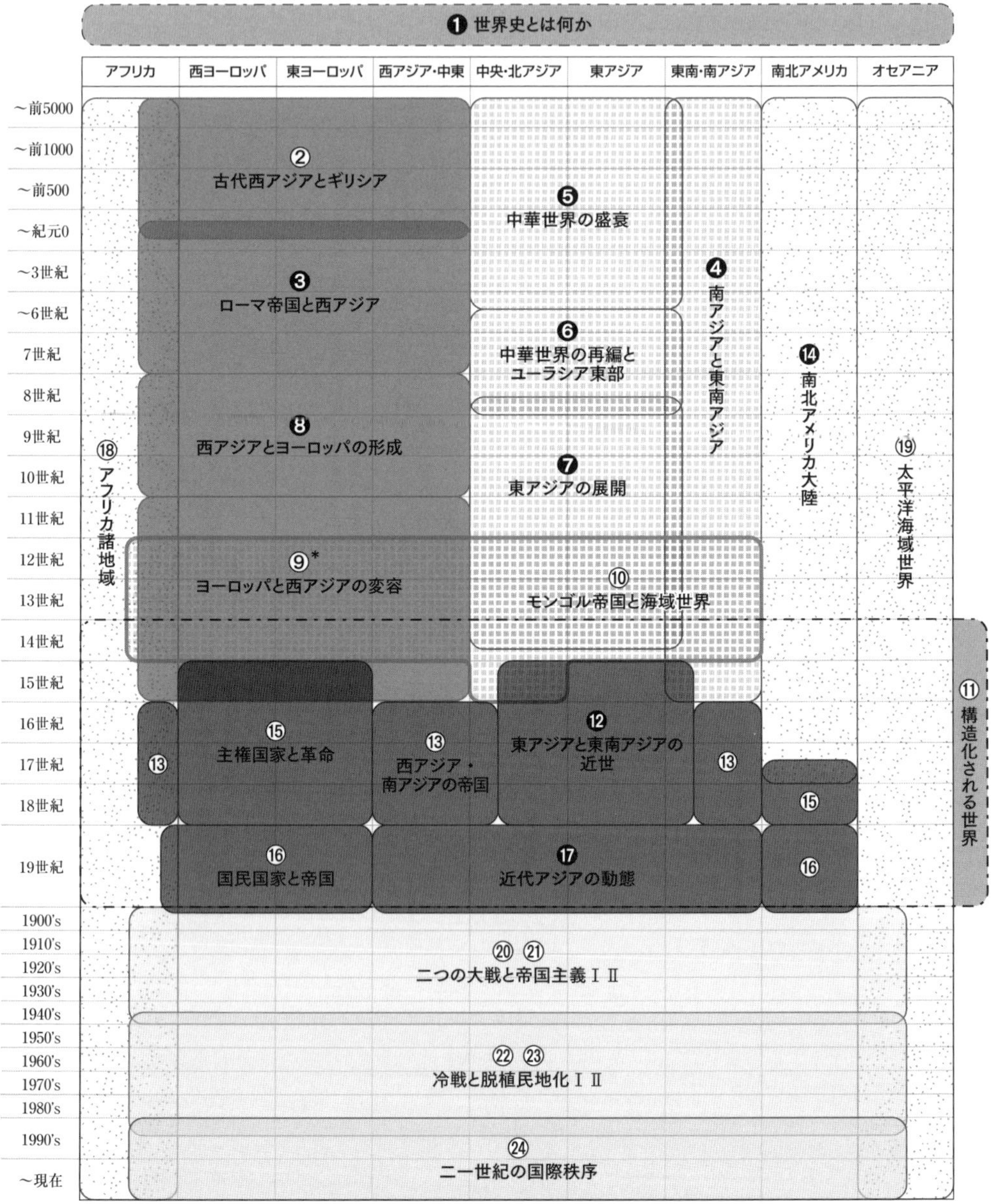

※本図は各巻の内容を厳密に反映したものではなく，便宜的に図示したものです．